C000153098

L'HUILE SUR LE FEU

Paru dans Le Livre de Poche :

VIPÈRE AU POING.

LA TÊTE CONTRE LES MURS.

LA MORT DU PETIT CHEVAL.

LÈVE-TOI ET MARCHE.

QUI J'OSE AIMER.

AU NOM DU FILS.

CHAPEAU BAS.

LE MATRIMOINE.

LE BUREAU DES MARIAGES.

CRI DE LA CHOUETTE.

MADAME EX.

CE QUE JE CROIS.

UN FEU DÉVORE UN AUTRE FEU.

L'ÉGLISE VERTE.

ABÉCÉDAIRE.

HERVÉ BAZIN

L'huile sur le feu

ROMAN

GRASSET

© *Bernard Grasset, 1954.*

Tous droits de traduction, de reproduction et d'adaptation
réservés pour tous les pays, y compris l'U.R.S.S.

A Mounette
et Marcel Mithois.

Tous droits de traduction, de reproduction et d'adaptation
réservés pour tous les pays y compris l'U.R.S.S.

I

LA nuit et la pluie se mélangent, et je suis là qui frissonne à la fenêtre. Voici déjà trois fois qu'on est venu poser une main sur mon épaule et me dire : « Voyons, Céline ! Va te coucher. Tu vas prendre froid. » Comme si l'on pouvait prendre froid dans ce pays où je dois guérir, dans ce pays sans glaises et sans mares, sans brouillards et sans noroîts, où les nuits et les pluies n'ont pas l'épaisseur des nôtres, ne sont pas capables de teindre, de mouiller à cœur les êtres et les choses. Laissez-moi... Pour un anniversaire, c'est tout de même une évocation suffisante de cette nuit que tout le bocage appelle et, pendant cinquante ans au moins, continuera d'appeler avec un trémolo dans la voix : « la nuit de la Saint-Maurille. » Laissez-moi. Je ne frissonne pas. Je cherche mon frisson. Il y a deux ans, ce soir...

Je sais bien, c'est justement ce dont je devrais me défendre. Mais comment m'interdire mes racines ? Est-ce ma faute si elles ressemblent à celles de nos têtards de chênes, peu nombreuses, mais si profondes et si dures que, pour faire place nette, les hommes de chez nous doivent creuser un trou énor-

me et manier à deux mains pendant des heures la
hache à manche de cormier ? Laissez-moi pour ce
soir. Pour ce soir seulement. Je n'ai pas le goût
du malheur, ah ! non. Mais, pour redevenir « la
vraie Céline », celle que les gamins avaient sur-
nommée « la Chouette » et qui sort de ce monde
nocturne où ses prunelles se sont distendues, a encore des cris à oublier, des habitudes à perdre. La
vraie Céline ! Je la souhaite autant que vous, mais
complète et fidèle, plus vraie encore que l'ado-
lescente aux coudes aigus, au soutien-gorge inutile,
aux genoux impulsifs qui faisaient valser des tourbillons de jupe. La vraie Céline ! Laissez-la guérir.
La vie guérit toujours de la mort, quand elle s'aime.
Et je l'aime, ma vie ! Mais je *l'aimais aussi,* et
vous savez combien. Il y a deux ans, ce soir...

*

Il y a deux ans, ce soir, qu'est passée cette ombre
— qui n'est vraiment plus, maintenant, qu'une
ombre — et dans cette nuit, dans cette pluie, je la
revois qui s'avance. Je la revois, sans l'avoir
jamais vue, avec « cet œil de derrière la tête », dont
on prétend que sont affligées les filles qui n'ont pas
les deux yeux de la même couleur. J'imagine sans
rien imaginer : je sais tout, je suis la seule à tout
savoir, je suis sevrée de confidences. Je sais tout
depuis ce jour où il m'a fallu tout entendre, jusqu'à
l'étourdissement. Depuis ce jour où revint cent fois
comme un refrain ce terrible *Écoute-moi, Céline...*
De la nuit de Saint-Maurille comme des autres, plus

un geste que j'ignore, plus un détail dont il m'ait été fait grâce ! Ah ! si la seule vengeance qui reste à ceux dont nous avons forcé la confiance est de nous satisfaire au-delà de notre espérance, de nous empoisonner la mémoire, comme on s'est bien vengé de moi ! Je revois cette ombre qui s'avance...

*

Elle avance, invisible, dissoute dans cette nuit, dans cette pluie, aussi denses l'une que l'autre. Ni forme ni contour. C'est seulement, noir sur noir, quelque chose de plus sombre, quelque chose d'opaque qui bouge, qui masque au passage la tache plus grise d'un nuage ou l'un de ces rares, l'un de ces minces clignotements du village, enfoui dans le sommeil et dans le vent.

Elle avance, invisible. Silencieuse aussi. Ou, plutôt, défendue par l'averse, par l'immense clapotement complice de sa marche. Ce frottement rêche et régulier, est-ce vraiment celui d'un imperméable contre une cuisse ou le fait des gouttes acharnées attaquant de biais les feuilles et les troncs ? Est-ce un fruit qui tombe, est-ce une botte qui s'enfonce dans une touffe saturée d'eau et rend ce bruit mou, ce bruit d'éponge écrasée ? Nul ne saurait le dire, pas même les chiens de ferme au poil mouillé, au flair noyé, recroquevillés dans leurs niches et incapables de humer autre chose que la grande odeur de terre trempée qui submerge tout.

Cependant l'ombre avance, avec une sûreté lente d'aveugle qui, du pied, palpe son chemin et pour qui le moindre gravier est un précieux indice. Elle a, sans heurt, contourné vingt obstacles, sauté un échalier, glissé sous des ronces métalliques, longé une maison d'où partaient les grands éclats de rires d'un banquet de noces, traversé un jardin, pénétré dans cette grange où elle s'est un peu attardée... Oui, attardée. Attardée comme les amoureux du côté de la paille. La voici qui ressort par un portillon dont la clenche ne tinte même pas. La voilà qui se faufile dans un fouillis d'instruments abandonnés sur l'aire. Elle évite les dents d'une faucheuse, dérive sur sa gauche vers les clapiers, revient sur sa droite et s'échappe vivement par ce chemin creux qui plonge en pleine suie, au hasard des labours, à la grâce des ornières.

L'ombre, maintenant, n'est plus tout à fait une ombre. Elle avance de plus en plus vite, et, de cette hâte, naît un pas, un véritable pas, qui fait gicler la boue, tandis que s'élève un souffle d'essoufflé qui a besoin de ses poumons et ne peut plus retenir sa respiration. Encore quelques minutes de prudence, puis le rythme du souffle et le rythme du pas s'accélèrent : le rôdeur file à grandes enjambées. Une seconde de plus et soudain, franchement, il détale. Indifférent au fracas de ses talons qui font gicler les fondrières et péter les cailloux, il détale, il détale, et c'est un fuyard haletant qu'absorbe peu à peu la profonde, l'étouffante obscurité de la campagne.

*

Et la nuit, la pluie continuent. Disparu dans leur épaisseur, l'inconnu s'est-il enfin réfugié dans son lit ? Galant de minuit, voleur de volaille ou braconnier, a-t-il renoncé ? Non, sans doute. Cette nouvelle ombre qui, une heure plus tard, une lieue plus loin, hante un sentier perdu, ce doit être la même qui a repris son étrange, son discret cheminement.

Le coin est presque désert. Aucune maison à moins d'une demi-lieue, sauf *L'Argilière*, dernière métairie du finage, dont les bâtiments tout proches sont indiscernables, mais que situent une forte odeur de fumier et le raclement étouffé d'une chaîne secouée par quelque bœuf dans l'étable. L'inconnu revient-il de la ferme ? C'est possible. En tout cas, il lui tourne le dos, il s'en éloigne par ce méchant raccourci qui, de motte en crotte, de flaque en bouse, rejoint la départementale. Il semble chercher quelque chose, s'arrête, repart, s'arrête encore... Quel est ce petit déclic ? On dirait celui d'un couteau à cran d'arrêt qui vient de s'ouvrir. Mais le crissement qui suit n'a rien de tragique : l'homme vient de se servir de sa lame pour décoller les lourdes semelles de glaise qui empâtaient ses bottes. Allégé, il repart, pousse en avant, comme s'il était attiré par ce gargouillis qui commence à se faire entendre parmi le ruissellement général et qui signale en tout temps l'emplacement du petit étang artificiel où prospèrent d'énormes carpes cuir, orgueil des Ou-

dare, tenanciers de L'Argilière. Un braconnier,
décidément, et qui n'en est pas à son coup d'essai,
car, à peine arrivé au bord du vivier — plaque
morne, au miroitement de jais —, il le contourne
sans hésiter et pique droit sur la vanne, que rien à
cette heure ne permet de discerner. Déjà la manivelle
grince. Et clac, le cliquet rouillé lâche une dent;
clac, clac, il en lâche deux. Puis quatre. L'engre-
nage se décide; la vanne flotte, geint, mais remonte;
le gargouillis devient bouillonnement, cataracte,
ruée torrentielle qui drague violemment le déversoir
et fait s'entrechoquer les galets. Plus invisible que
jamais dans la nuit, dans la pluie qui redouble, sûr
de ne pas être vu et du reste également incapable
de rien voir, l'homme attend, renseigné par ses
oreilles et par son nez. Le niveau baisse vite,
car le bruissement de l'eau diminue. Autre indice :
l'odeur, fétide à souhait, qui se dégage, annonce
que la vase apparaît. Le flot, qui traverse le déversoir, n'est bientôt plus qu'un filet. Un grouillement visqueux se rassemble au plus creux, là, tout
près, contre le treillis métallique qui double la vanne.
Encore quelques instants, et l'on n'entend plus
que des coups de nageoires, des battements de queue
désespérés. Allons, bonhomme, dépêche-toi. Il
est temps d'allumer ta lanterne, d'ouvrir ton sac,
de rafler le poisson. Quel butin ! Il y a bien dix ans
que les Oudare, amoureux de leurs carpes, se conten-
tent de venir leur jeter du pain. Tu ne pourras
même pas en emporter la moitié. Mais quoi ! Tu
es fou ? Tu pars ?

*

Il est parti. Farce stupide ou médiocre vengeance,
il est parti, abandonnant deux cents carpes qui bâil-
lent leurs dernières bulles, qui, d'ici demain, auront tout le temps de crever, de devenir des choses
molles, puantes, aux ouïes violettes et aux yeux
blancs. Petit malheur accessoire ! Que lui importe ?
Il est parti. La pluie se fatigue, se résout en cra-
chin, en bruine. La nuit aussi semble se fatiguer :
une lueur ocre — qui ne peut pas être l'aurore,
mais qui la simule bien —, vient de jaillir à l'ouest,
du côté de Saint-Leup. Elle s'élargit, elle s'éclair-
cit rapidement, et, trahie par cette toile de fond,
l'ombre en marche (ou en fuite) vers le village prend
une forme précise, devient une silhouette. Et quelle
silhouette ! La tête apparaît d'abord, coiffée —
mais oui — coiffée du melon à petits bords que
portent les paysans aisés dans les noces ou les en-
terrements. Puis voici deux épaules, où s'emmanchent deux bras, relevés comme ceux du curé quand
il chante orémus, mais terminés par deux poings
crispés. Enfin voilà le corps, qui ne ressemble à rien,
que dissimule une espèce de robe, de blouse ou de
ciré, largement flottant... Toujours plus vive, la
lueur tourne à l'orange, son centre devient éblouis-
sant et, soudain, fuse, monte en torche, livre au
vent de longs effilés rougeoyants... Le feu ! Plus
de doute. C'est le feu. La silhouette balance et
frémit. Mais l'homme se redresse aussitôt, se carre
sur ce plan de ciel embrasé, dans une espèce de
gigue... on dirait qu'il brûle lui-même avec joie,

ou, mieux, que la flamme se dégage de lui, qu'il la souffle, poitrine pressée à pleins bras.

*

Illusion, bien entendu. L'homme — si c'est un homme — ne danse pas. Il court. Il fonce au pas gymnastique, une, deux, à travers champs, une deux, à travers prés. Il fonce, il redescend, il disparaît définitivement dans la nuit, tandis que se rapprochent et se précisent ce grand affolement de cuivre, ces couacs d'un clairon qui, là-bas, sonne l'incendie.

II

LE clairon qui, à Saint-Leup, depuis l'occupation et la fonte des cloches remplaçait le tocsin, le clairon sonnait, sonnait depuis près d'une heure. Papa s'était sans doute levé dès les premières notes, car je ne l'avais même pas entendu partir. Sommeil jeune, sommeil lourd. Mais je finis par céder au tintamarre de Ruaux, l'afficheur et crieur d'annonces, qui remontait la rue des Angevines, soufflant ses trois notes aiguës dans la moindre venelle, sous tous les porches, décollant au besoin ses lèvres de l'embouchure pour lancer des commentaires, voire des invectives, à travers les persiennes closes. J'ouvris les yeux, j'étendis machinalement la main. Personne à ma gauche, bien entendu : Maman n'était pas là, Maman devait, à cette heure, faire jaillir les « oh ! » et les clappements de langue en pénétrant solennellement dans la grange tendue de draps fleuris, porteuse de la pièce montée, ce chef-d'œuvre qui lui avait coûté deux jours de travail et qu'attendaient tous les invités de la noce Gaudian (surtout les jeunes, car c'est à la faveur du mouvement causé par cette entrée qu'on va, d'ordinaire, chiper la jarretière de la mariée).

« Papa ! » criai-je en sautant sur mes pieds.

Pas de réponse, bien sûr. Du reste, je n'en attendais pas. J'enfilai mes bas... C'est drôle, j'enfi-
lais, j'enfile toujours mes bas avant toute autre
chose, et ils ne manquent pas de se rouler, de me
tomber sur les pieds quand je pars en quête de ma
ceinture. Celle-ci trouvée, j'ai souvent du mal à
accrocher mes jarretelles. Cette nuit-là, je n'y arrivais pas. Papa était parti. Papa était au feu. Au
plus fort du feu, donc du danger, comme d'habitude. Et Ralingue et les autres, sauf peut-être Lucien Troche, devaient certainement lui céder leur
part d'imprudence... Inutile de changer ma chemise de nuit contre une chemise de jour ! Une culotte pour l'enfouir, une jupe, un pull et mon
blouson... Tirons la fermeture Eclair, et hop ! Du
vent ! J'éteignis l'électricité, mais je claquai les
portes sans les fermer, les oreilles tintantes de protestations de Papa lors du dernier incendie, chez les
Daruelle : « Veux-tu rester au lit ! Le feu, ce n'est
pas la place d'une gamine de seize ans. » Mais il
n'était pas là. Maman non plus — qui aurait donné
un tour de clef. Seule, je ne pouvais pas rester toute
seule. Allez donc dormir quand votre père se distingue dans les flammes ! Je me jetai dans la rue,
dans la foule.

*

Le clairon sonnait toujours. Il s'interrompit une
seconde, et j'entendis Ruaux crier devant une maison qui restait close : « Si ça vous arrive, on vous lais-

sera bouillir, cochons ! » Puis il reprit ses varia-
tions rauques. Je galopais, entraînée par un flot
d'affolés, incapable de reconnaître les gens qui lançaient des coups de gueule et des coups de coude dans
la nuit. Des attardés, des sauveteurs de la onzième
heure à qui leurs femmes avaient fait honte sau-
taient encore à bas des lits de plume, car on voyait
de la lumière filtrer à travers presque toutes les persiennes. D'autres se glissaient sous les portes basses,
se joignaient à nous, se mettaient à courir pieds nus
dans ces bottes de caoutchouc qui tiennent maintenant lieu de sabots, la braguette mal boutonnée, la
peau de mouton jetée par-dessus la chemise de
nuit. Et nous nous hâtions tous, pataugeant dans
la boue, vers cette clarté insolite, déjà plus molle,
qui persistait à l'ouest, tout au bout du village, au-
dessus du château de la Haye, là où quelques maisons se détachent de l'ensemble pour constituer ce
que le notaire, en ses actes, appelle toujours « le
lieu dit Chantagasse ». Oubli majeur, la demi-douzaine de lampadaires, réglementairement éteints à
minuit, n'étaient pas rallumés, et nous nous heur-
tions, nous nous bousculions de plus belle dans
l'ombre, à peine trouée, de place en place, par
les lumières tamisées des fenêtres où s'encadraient
furtivement des profils de femmes, hérissées de bi-
goudis et de questions plaintives :

« Qu'est-ce qui brûle ?

— Ce ne serait pas chez les Gaudian ? Les pauvres !
Ils mariaient leur fille, aujourd'hui.

— Non, c'est chez leurs voisins, les Binet.

— Dire qu'il pleuvait tout à l'heure !

— Dire que c'est le troisième en deux mois ! »
En vain le cantonnier, qui redescendait la grand-
rue à contre-courant, criait-il d'une grosse voix,
reconnaissable entre toutes : « Rassurez-vous, ce n'est
rien. Rien que la grange aux Binet. Ralingue et
Bernard Tête-de-Drap y sont. La part du feu est
faite... » D'autres, des pessimistes ou des farceurs,
entretenaient l'angoisse en hurlant : « Faites attention aux flammèches ! Surveillez vos toits ! » Et les
retardataires trottaient plus vite, déjà suants, probablement inutiles, mais soucieux de faire au moins
acte de présence. La solidarité millénaire des ma-
nieurs de paille devant le feu, ennemi commun, ils
ne l'éprouvaient plus guère : Victor Binet, pour le
matériel et les meubles, M. Heaume, pour les bâtiments, devaient être assurés, comme tout le monde.
Mais on a son savoir-vivre, on sait qu'il faut être vu
au feu comme à l'enterrement.

Pourtant, à cent mètres de « Chantagasse », les
gens ralentissaient. Je me sentis plus tranquille
en considérant la ferme épargnée, les barges intac-
tes et ces volutes pourpres, presque violettes, que
vomissaient encore les lucarnes de la grange. Petite
affaire ! Rien de comparable à ce qui s'était passé
chez les Daruelle, six semaines plus tôt, quand les
flammes alimentées par trente tonnes de fourrage
et de grain avaient rôti vingt bêtes, rasé trois cents
mètres carrés de bâtiments et surpris dans sa mansarde la vieille Amélie, la grand-mère, dont seul le
dentier — en or, il est vrai —, avait pu être retrouvé.
Cet incendie-là, on l'avait vu de Segré. A trois kilomètres, il rivalisait de clarté avec un soleil cou-

chant, il parsemait la nuit de millions d'étoiles
filantes qui menaçaient tous les fenils du bourg. Cet
incendie-là, c'était un incendie. Les retardataires
s'approchaient de celui-ci avec soulagement. Avec
un peu de déception aussi. Ils ne l'avouaient pas
évidemment, mais je le sentais bien. Un grand
sinistre, quand il ne dévore pas votre maison, c'est
beau. C'est un film tragique, gratuit, local. C'est
une date forte, dont la chaleur se maintiendra longtemps dans les mémoires, qui remplacera la séche-
resse d'un millésime et permettra de dire, un jour,
avec assurance : « S'il est vieux, ce cheval-là ? Je
l'ai acheté l'année où les Daruelle ont grillé ! »

Aucune chance, au contraire, qu'on se souvînt
de ce brûlot. « Cent mille francs de dégâts, tout au
plus ! Ce n'était pas la peine de sortir des toiles tout
ce populo ! » répétait Ruaux, passant de groupe
en groupe et du reste parfaitement inconséquent avec
lui-même, car il faisait aussitôt tourner son clairon,
comme à la parade, et ne résistait pas au plaisir d'y
glisser deux ou trois coups de langue supplémentaires.
Il est vrai qu'il lançait aussi de temps en temps cette
autre remarque, qui courait sur toutes les bouches
et maintenait sur place tous ces gens, avides de détails et surtout d'apaisements :

« Ça fait quand même le troisième en deux mois.
On n'a jamais vu ça. C'est trop. »

*

Du premier coup d'œil, j'avais aperçu mon père
et, tout à fait rassurée — sauf sur ses réactions devant

ma présence —, j'observais la scène, juchée sur un de ces grands rouleaux de pierre qui ne servent plus depuis longtemps, mais qu'on trouve souvent aux abords des fermes craonnaises. Le feu avait dévoré le contenu de la grange, soufflé la plupart des tuiles, détruit le lattis, calciné les chevrons. Très violent sans doute au départ, comme tous les feux de grange, il cédait maintenant, faute d'aliment, ne parvenait plus à illuminer les alentours, n'expédiait guère que des paquets d'étincelles. Deux voisins avaient prêté leurs B-14, et la blancheur crue des phares faisait ressembler la scène à un montage cinématographique sous les sunlights. La vapeur prenait le pas sur la fumée, dispersant une odeur d'orge torréfiée, de braise lavée. Surveillée par un gros rouquin — Lucien Troche, le mécanicien —, la petite motopompe communale ronronnait sagement, avec un calme de machine à battre, et Papa se contentait de protéger la ferme, de noyer les cendres. Toute l'eau de la mare y passait, aspirée avec sa cannetille. Enfin, je vis s'avancer Armand Ralingue, l'épicier, capitaine des pompiers, qui avait trouvé moyen de revêtir son uniforme — sans oublier la médaille — et commandait les manœuvres, digne, important, rutilant, bien décidé à ne pas se casser un ongle. Il leva le bras.

« Ça va, Bertrand, dit-il. On l'a eu. Tu peux descendre... Vous, les autres, vous pouvez remballer !... T'entends, Troche ? Vous pouvez remballer. »

L'interpellé ne répondit pas, ne bougea pas de son poste. Ni lui, ni personne. Un ordre de Ralingue n'était jamais qu'une proposition et restait sans va-

leur si Papa, son second, ne le confirmait pas. Or
Papa, beaucoup plus exigeant que Ralingue, n'y
semblait pas disposé. Sommairement habillé d'un
bleu de chauffe et encore plus sommairement casqué, malgré les règlements, de ce fameux passe-
montagne de drap noir qui lui valait son surnom, il
demeurait assis à califourchon sur le pignon commun
de la grange et de l'étable, là où sa hache avait coupé
la poutre pour faire la part du feu et l'empêcher de
se propager par les combles. Un buisson de poil roussi
jaillissait de sa veste entrouverte, et il tenait contre
son ventre, avec une énorme inélégance de manneken-
pis, la lance municipale emmanchée au bout d'un
long tuyau fort peu étanche, qui gargouillait, qui
crachouillait par maigres rafales un reste d'eau sale.
Soudain l'eau manqua tout à fait : la lance se mit à
roter de l'air, impuissante et ridicule.

« Je te dis que tu peux descendre, répéta Ralingue.
C'est fini. D'ailleurs, il n'y a plus de flotte…

— Et la crépine doit être bouchée », ajouta un
civil magnifiquement barbu.

Papa lui jeta un coup d'œil, reconnut le docteur
Clobe et se permit de hausser les épaules. Pourtant,
après avoir inspecté les ruines pendant quelques instants, il émit un grognement et, réclamant l'échelle
d'un geste bref, se laissa glisser. Les dernières fu-
merolles venaient de disparaître. La grange n'offrait plus que le spectacle classique de poutres rongées,
de ferraille tordue, de sacs à demi consumés, de
pommes de terre à moitié cuites, marinant dans une
bouillie charbonneuse. Ruaux, enfin, s'était tu.
Les propriétaires de guimbardes, craignant pour leurs

accus, éteignirent leurs phares. La nuit redevint parfaite, épaisse comme un rideau, à peine trouée par
quelques étoiles anémiques, quelques points rouges
de gauloises et par la vieille lampe tempête de Binet
qui courait d'un coin à l'autre, soucieux d'empêcher certains sauveteurs d'empoigner sa volaille.
Augustine, la fille, calmait les vaches, hâtivement
poussées dans le verger aux premières minutes du
sinistre. Légère et silencieuse, me glissant derrière
une muraille de dos, je suivis pompiers, voisins et badauds qui refluaient vers la grande salle
où la fermière, bougonne, mais sacrifiant aux usages,
remplissait mécaniquement des files de petits verres
en reniflant ses lamentations :

« Toutes mes patates perdues ! Toutes ! Et notre
luzerne qu'on venait de couper... Qu'est-ce qu'on
donnera aux bêtes, je vous demande un peu ? Et les
outils ! Et le coupe-racines qu'on a oublié dans
l'appentis ! »

Ereintés, bouffis de sommeil, prudents au surplus
— car les consolations raniment les jérémiades —,
les pompiers hochaient la tête, mais ne pipaient mot.
Le verre de marc dans le creux de la main, ils en
reniflaient le bouquet, longuement, à fleur de nez,
murmuraient avec déférence : « Hé ! C'est de la quarante-huit ! » et leurs casques se renversaient en
arrière, d'un seul coup, dispersant des éclairs d'or.
Ce rite accompli, la plupart lançaient le non moins
traditionnel : « Eh bien, bonsoir, messieurs-dames ! »
et s'en allaient sur la pointe des pieds, visiblement
peu tentés par la perspective de passer une nuit
blanche en se laissant désigner pour l'équipe de

sécurité chargée de surveiller les cendres et de prévenir un retour offensif du feu. Les voisins, fuyant aussi d'éventuelles corvées, leur emboîtèrent le pas. En peu de temps, il ne resta plus dans la pièce que des notables, le capitaine, l'adjoint, le médecin, à qui leurs responsabilités interdisaient de battre trop rapidement en retraite, et un brelan de vieux chignons toujours ravis de s'associer à un chœur de pleureuses. Il me devenait impossible de passer inaperçue.

« Qu'est-ce que tu fous là, petite chouette ? Tu trouves que ça vaut le cinéma ! » me dit le docteur Clobe, toute barbe déployée.

La tête de Papa, campé devant la cuisinière à l'autre bout de la salle, pivota de mon côté, se secoua de droite à gauche pour exprimer de muettes protestations. Mais je m'embrassai la paume, expédiant par-dessus la table une dizaine de baisers, et cet argument contre lequel Papa ne savait guère résister lui ferma la bouche, lui tira un sourire, d'abord noir, puis un peu moins noir, puis complice. Partie gagnée. Je me glissai derrière le docteur Clobe. Autour de la lampe à pétrole qui remplaçait l'électricité, coupée par prudence, les lamentations redoublaient. « Avec ça qu'on a fait une fichue récolte ! » gémissait la fermière. « Ma petite-fille qui se mariait aujourd'hui ! Noce de feu, noce de peu ! » chevrotait la grand-mère Gaudian, encore revêtue de ses plus beaux atours. Enfin, agacé, s'autorisant d'un lointain cousinage, Ralingue crut bon d'intervenir :

« Crie pas trop, Valérie, dit-il. Vous dormiez

tous comme des loirs. Vous avez eu de la chance d'y perdre si peu. Sans Bertrand, la baraque y passait. Personne d'autre n'aurait grimpé sur le pignon pour faire la part...

— Surtout pas toi ! » fit Papa.

C'était la première phrase qu'il daignait prononcer. Tous les regards se braquèrent vers lui. Mais il n'ajouta rien. Le dos tourné, il se balançait, à cheval sur sa chaise, devant la cuisinière où brasillaient encore quelques tisons qu'il regardait avec hostilité.

« Tu ne prends rien, Bertrand ? » fit la Binet.

Mon père secoua son crâne de drap.

« S'il y avait moins d'ivrognes, grogna-t-il sans se retourner, il y aurait moins d'incendies.

— N'exagérons rien ! » fit Ambroise Caré, l'adjoint, qui tenait *La Couleuvre,* l'un des trois cafés du bourg, et passait pour son meilleur client.

Conciliant, il s'efforça de sourire et sortit de sa poche un paquet de gitanes. Papa le devança.

« Tu sais bien, Ambroise, que je ne fume jamais. S'il y avait moins de fumeurs...

— N'exagérons rien ! » répéta l'adjoint.

Dédaigné par mon père, le paquet de gitanes circula. Caré, qui faisait piètre mine, prit la dernière, se la planta en pleine moue. Puis, à grands coups de pouce rageurs, il s'acharna sur son briquet en murmurant du coin de la bouche :

« Il faut avouer qu'on brûle beaucoup, ces temps-ci. Mais les ivrognes et les fumeurs ont bon dos. Moi, je commence à croire à la malveillance. A propos, j'ai téléphoné au château tout à l'heure. C'est

le maître d'hôtel qui a décroché pour me dire que
M. de la Haye devait être couché et qu'on ne pouvait pas sérieusement aller le réveiller pour un feu
de grange.

— Couché, couché... Qu'est-ce que c'est que cette
histoire ? protesta le docteur Clobe. Il fait sa petite
balade nocturne, oui ! Il est passé en coup de vent
tout à l'heure, il a jeté un coup d'œil sur l'incendie,
de loin, et il est reparti en me disant : « C'est tout
« de même plus beau qu'un feu de la Saint-Jean ! »

Je sursautai. C'était bien là une de ses remarques
saugrenues qui lui faisaient tant de tort ! Détestable parrain ! Il n'en ratait pas une. Ralingue, Ruaux,
Binet se regardaient d'un air entendu, et Caré,
qui passait pour son homme lige, s'empressait d'en-
chaîner :

« J'ai aussi téléphoné à la brigade, et un sous-
ordre m'a répondu qu'il allait transmettre, qu'on
enverrait deux gendarmes sur les lieux, demain
matin...

— Feignants ! jeta mon père.

— Il faut reconnaître, reprit Caré avec effort,
que, toi, tu ne l'es pas. Comme ours, on ne fait pas
mieux, mais, pour aider ton prochain chaque fois
qu'il y a un coup dur, tu te poses un peu là. Je sais
bien que tu as un petit compte à régler avec le
feu...

— Un petit, en effet ! » fit Papa d'une voix creuse.

Il se retourna tout d'une pièce, porta la main
à son crâne, eut ce geste provocant qui lui était
familier et que chacun redoutait. Je criai vainement :

« Non, laisse ça ! »

Rien à faire. Papa arrachait son passe-montagne, montrant à tous son crâne horrible, rouge et
lisse par endroits comme un cul de singe, parsemé
ailleurs de cicatrices blanchâtres, de plaques grume-
leuses, de boursouflures violacées. Qu'il fût affreux,
ce crâne, cela ne me gênait pas. Non, vraiment, s'il
gênait Maman, s'il gênait tout le monde, il ne me
gênait pas, moi. Mais pourquoi Papa prenait-il plaisir à le montrer avec, dans les yeux, une petite lueur
provocante ? Ne savait-il donc pas que moi, sa
fille, moi seule, j'avais le moyen, donc le droit de
le regarder sans le voir et même, aux grands jours
noirs, d'y faire déborder mes lèvres glissant doucement de la joue vers l'oreille... Vers l'oreille ! Ils
les regardaient tous, sans respect, ses oreilles, rédui-
tes à deux trous, à deux cratères aux bords déchi-
quetés. Ils la regardaient, avec une curiosité dégoû-
tée, cette calvitie de cauchemar qui allait buter sur
la barre des sourcils, en partie épargnés par le coup
de lance-flammes reçu en 1940, et à l'abri desquels
avaient par miracle survécu deux prunelles d'un
bleu délicat, d'un bleu exquis, noyées dans un lar-
moiement trouble comme des boules de lessive dans
de l'eau sale. « Si c'est possible d'être arrangé comme
ça ! » déclamaient les pleureuses. L'adjoint — et
je lui en sus gré — détourna les yeux.

« Ça ne fait rien, dit-il. C'est bien ce que tu
fais. M. de la Haye me disait l'autre jour qu'il allait
te proposer pour la médaille.

— Il ferait mieux d'être là ! »

Papa s'était mis debout, d'une secousse. Il se rap-

procha, considéra Caré, qui venait d'allumer sa cigarette et demeurait songeur, le briquet encore enflammé au bout des doigts.

« Il ferait mieux d'être là, répéta-t-il. Il est maire
ou il n'est pas maire ! Et c'est une de ses fermes
qui brûle ! En tout cas, dis-lui que je n'ai pas besoin
de sa quincaillerie. Dis-lui que c'est une vraie manie chez moi : tout ce qui flambe il faut que je l'étei-
gne. »

Son souffle partit, raide comme une balle, coucha la
petite flamme jaune du briquet, l'emporta, l'anéan-
tit. Puis il éclata de rire. D'un beau rire clair, inattendu, un rire d'enfant, découvrant tout son râtelier
et qui dura bien une demi-minute pour s'arrêter
net, tandis qu'un pli profond se creusait dans le
front ravagé.

« J'y pense ! Est-ce que vous n'aviez pas des abeilles ? Je vous ai cédé un essaim, une fois. »

Quelques sourires voltigèrent : la tendresse de
Papa pour les mouches à miel était connue. De
mauvaises langues prétendaient même que, chez
Daruelle, il avait sauvé les ruchers avant d'essayer
de sauver les chevaux.

« Ne t'inquiète pas, dit Binet, on n'a que deux
ruches et elles sont au fond du jardin.

— Ah ! bon, fit Papa, qui parut soulagé et continua d'un autre ton : Armand, il faut prendre nos
dispositions. On veille ou on ne veille pas ?

— A quoi bon, il n'y a plus rien à brûler, répondit l'épicier, dont les paupières papillotaient.

— Dans la grange, non. Ailleurs, c'est une autre
histoire. Je préfère rester, je m'installerai dans l'écu-

rie. Auparavant, comme il n'y a plus d'eau dans la mare, je vais au magasin chercher une rallonge de tuyaux pour atteindre au besoin le puits du château. Je prendrai aussi un extincteur. Reste là dix minutes et attends-moi. Tu iras te coucher ensuite. »

Ralingue fronça les sourcils, réprima un bâillement, mais n'osa refuser.

« Va, maugréa-t-il, va ! »

J'avais fait un pas en avant. J'en fis un autre en arrière. Papa semblait m'avoir oubliée. Il était déjà dehors, et son pas, solide et sonore, se répercutait dans la nuit.

« Ma foi, je m'en vais aussi, dit l'adjoint. Personne n'a plus besoin de moi, je pense. Bonsoir.

— Et vous, les femmes, allez donc vous coucher, décida le fermier. Je veillerai avec Bertrand, dans l'écurie. Qu'est-ce que tu fais, Céline ?

— J'attends Papa. Maman est chez les Gaudian : je rentrerai avec elle. »

*

Dans la salle vide, Binet, Ralingue et moi, nous étions restés seuls. Les hommes s'étaient installés face à face de chaque côté du litre de marc. Un quart d'heure s'écoula. Deux petits verres aussi. Je suçais un canard en me disant : « A quelle heure va rentrer Maman ? » Binet grommelait d'interminables commentaires :

« J'aurais dû me lever plus tôt. Mais la noce Gaudian faisait trop de bruit. Figure-toi qu'au début je me suis demandé si ce n'était pas chez eux qu'il y avait du vilain...

— Beaucoup de gens l'ont cru aussi, dit Ralingue. Quand certains gars s'écartent du côté du foin, avec certaines cavalières, ils ont toujours un mégot à jeter et ils sont trop pressés pour regarder où ça tombe... Excuse, Céline, j'oubliais que tu étais là. »

Simple politesse. La manche longue, le corsage boutonné jusqu'au cou, les filles du bocage ont l'habitude de tout entendre. « Taure à taureau, lapin-lapine, et puis après ! J'ai mon écharpe » sont ici l'équivalent du « connaissance n'est pas vice. » Certain gars, certaine cavalière. Pas Céline Colu, en tout cas. Caré continuait, en se retournant sur sa chaise :

« Dix minutes ! Dix minutes ! Ce sont des minutes de coiffeur ! »

Impatient, sentant qu'il s'assoupissait, il se leva, poussa le portillon, alla chercher l'air frais dans la cour. Je le suivis.

« Quel calme ! dit-il. On ne dirait jamais qu'il y avait plus de cent personnes dans le coin tout à l'heure. Et qu'est-ce qu'est devenue la noce ?

— Elle a renoncé, fit Binet, qui ajouta : Ta mère sera rentrée avant toi, Céline. »

Purgé par le vent, le ciel s'était en partie découvert, les nuages s'étiraient, fluides, rapides, et la lune semblait courir au-dessus d'eux. Un coquelet s'enrouait quelque part. Une vache meuglait doucement dans l'enclos, et on entendait distinctement le bruit de râpe de sa langue en train de relécher son veau.

« Quel calme ! répéta Ralingue. Bertrand exagère toujours, il a peur de tout. J'aurais bien dû le renvoyer dans les bras de son dragon. »

Il avait à peine achevé sa phrase qu'il tendit l'oreille.

« Le voilà, dit Binet.

— Non, dit Ralingue, ça vient de l'autre côté, du côté de la campagne. Et ça court, Victor, ça court... Bon Dieu ! Qu'est-ce qu'il y a encore ? »

Instinctivement, les deux hommes se portèrent jusqu'à la route. Non, il ne s'agissait pas d'un pas, mais d'une course échevelée, saccadée, pesante, scandée par le ahanement rauque d'un homme exténué. Je saisis le bras de Ralingue, le serrai nerveusement. La talonnade se rapprochait très vite, prenait des raccourcis inattendus pour un paysan, traversait froidement un champ de maïs, en fracassant tout sur son passage.

« Urbain, le valet des Oudare ! » s'exclama le fermier.

A la lisière du maïs, éclairé de plein fouet par la lune, l'homme venait de surgir. Il paraissait prêt à s'effondrer, tanguait, titubait sur les mottes brutes du guéret fraîchement labouré qui le séparait encore de la route. Je criai : « Par ici ! Par ici ! » et ma voix me sembla suraiguë comme l'était ma voix d'écolière rameutant les copines à la *cueille* du muguet. Le valet fit un dernier effort, franchit trente sillons de terre gluante et vint s'écrouler sur la route. Il lui fallut bien trois minutes pour récupérer du souffle et bégayer :

« *L'Argilière*... Vite ! Vite ! Tout brûle là-bas... Tout brûle depuis minuit.

— *L'Argilière !* Mais c'est encore une ferme de M. de la Haye, dit Ralingue, effaré.

— Encore une ferme de M. Heaume ! Il faut le prévenir. C'est à trois pas, j'y cours. »

Coudes au corps et secouant mes cheveux, je me lançai vers le château.

III

JE n'ai pas couru longtemps. « Hou ! » a fait une grande forme noire brusquement jaillie de la futaie à perches de châtaignier d'où sortent les trois quarts des poteaux de clôture de Saint-Leup (car, pour les châtaignes, n'en parlons pas : elles sont grosses comme des noisettes). Avec sa manie de faire peur, M. Heaume finira par me donner une maladie de cœur. Je me laisse soulever, enlever, et il me porte comme une évanouie, les bras ballants, les jambes ballantes, pendant cinquante mètres.

« Et le loup la dévora ! Miam, miam... »

Il rit, il me dévore la tempe, d'une bouche rêche qui pue l'eau-de-vie de poiré. Il fait bientôt mine de me jeter dans le fossé, me rattrape et, soudain, me replante debout en face de lui. C'est que je viens de dire :

« Ce n'est pas tout ça, parrain, mais *L'Argilière* brûle.

— Hein ! fait-il, *L'Argilière* ! Tu veux dire les Binet ?

— *L'Argilière* aussi. »

M. Heaume reste figé, puis siffle longuement, *de-*

crescendo. Lui, Papa, moi-même, nous sommes tous
économes de mots. J'avais l'intention de lui dire :
« Il faut y aller. Il faut réparer votre gaffe de tout
à l'heure. Les gens d'ici ne tiennent pas tellement
à être secourus, mais ils exigent d'être plaints.
Malade qu'on ne va pas voir à l'hôpital vous en
voudra longtemps, même si le docteur a crié sur
les toits que toute visite lui donnerait la fièvre. In-
cendié qui ne voit pas son maire sur les lieux ne
votera plus pour lui. Gémir en chœur est la grande
politesse à Saint-Leup. Ecoutez vos girouettes : elles
connaissent le pays, elles n'arrêtent pas de grincer... »
A quoi bon ! M. Heaume me prend par la main,
m'entraîne en disant :

« J'aurais dû rester chez Binet. Je fais prévenir
le garde et nous partons tous en voiture. »

*

Pourtant, après avoir couru avec moi pendant
cent mètres et grimpé quatre à quatre ces escaliers
qui ont dû faire battre son cœur de soixante ans,
il s'arrête sous le catalpa, pour observer les fenêtres.
Celles de sa femme, au second, sont éclairées : aucune
importance, elle ne s'occupe jamais de rien. Ce qui
l'ennuie beaucoup plus, j'en ai l'impression, c'est
que la fenêtre de l'office soit éclairée et que s'y enca-
dre le profil inquiet, impatient, du maître d'hôtel.
Parrain n'a certainement aucune envie de subir les
doléances et les fermes conseils de Gonzague, ce
meuble à formules acheté avec les autres lors de la
vente du château et qui a quatre poches à son gilet

comme les commodes ont quatre tiroirs. Il ne semble surtout avoir aucune intention de lui dire d'où et à quelle heure il rentre ni même de lui permettre de s'assurer qu'il est sorti. M. Heaume, malgré l'urgence, prend à droite et, me remorquant du bout de l'index, se faufile par une petite allée de troènes jusqu'à la poterne de la tour, dont lui seul possède la clef. Une clef parfaitement inutile, puisqu'on peut y accéder par les couloirs intérieurs, mais dont le volume et le poids au fond de sa poche lui rappellent constamment qu'il est, lui, Heaume, fabricant de sacs, devenu propriétaire d'un débris médiéval hautement historique et coûteusement percé d'outre en outre pour y adapter le chauffage central, l'eau courante et l'électricité. La porte ouverte, l'escalier du genre dérobé, que Mme Heaume a « reconstitué » à la place où il « aurait dû en exister un au moyen âge », apparaît. Va-t-on perdre du temps à observer les rites ?

Oui. Et d'abord le coup de talon, sur la dalle de fonte, ronde comme une plaque d'égout, qui recouvre l'orifice de l'ancienne cave à cidre bouché promue au grade d'oubliette : elle chante son creux, et nous montons les dix-sept marches dont aucune n'a la même hauteur. Second rite : les trois coups frappés à une autre porte ronde identique à la première, qui donne dans le salon, derrière la tapisserie des Gobelins. Ceci pour avertir éventuellement Mme Heaume (dire de préférence en parlant d'elle : Mme de la Haye). Elle est un peu cardiaque et meurt de peur chaque fois que son mari, glissant sous la tapisserie, sort du mur à l'improviste. Parrain enlève son ciré, ses bottes boueuses, son petit

chapeau rond sous le ruban duquel est passée une
plume de faisan et abandonne le tout dans une
penderie, si bien masquée qu'elle ne se distingue
pas de la muraille. Il y trouve des chaussons qu'il
enfile avec une évidente satisfaction. Nouvelle manœuvre d'interrupteurs : nous passons à quatre pattes sous le Gobelins pour aller plus vite. Il n'y a
personne dans le salon, que nous traversons rapidement, non sans que M. Heaume ait jeté sur la pièce
le coup d'œil du maître ; un coup d'œil curieux
auquel ne participe qu'une seule prunelle, d'un bleu
presque violet, tandis que l'autre reste fixe et semble réfléchir. La Savonnerie est propre, soigneusement passée à l'aspirateur, les flambeaux d'argent
étincelants, les meubles luisants de Cybo. Bien.
De quoi pourrait-il se plaindre ? Pourtant il fronce
les sourcils et se jette dans la galerie, entièrement
tendue de toile de jute, de toile à sac, matière neutre qui, selon lui, « convient aux grandes surfaces
et permet aux tableaux de bien se détacher ». Mais
les tableaux sont absents, sauf un : « Je ne pouvais
pas garder les ancêtres des autres, m'a-t-il dit souvent. La toile à sac suffit. » Et c'est, en effet, de sa
part, moins défi que rappel, satisfaction tirée de ses
origines, orgueilleuse humilité. Il passe, tête haute,
devant les places vides, traverse toute la galerie. Je
sais qu'il arrêtera tout au bout devant l'unique toile
qui n'ait pas été liquidée et qui est censée représen-
ter Gontran de Saint-Leup, magnifique brute qui
s'est attiré dans le pays de Craon une réputation
analogue à celle de Gilles de Retz au sud de la
Loire. M. Heaume s'arrête en effet.

« Ce sacré Gontran ! » dit-il une fois de plus.

Et il a ce geste que je déteste : sa main plonge dans la poche gauche de son veston, celle qui devrait contenir le portefeuille, en retire un flacon plat qu'il élève très haut comme on porte un toast avant de siffler, glou glou, d'un seul coup, le reste de sa ration quotidienne de « poire flambante ».

« Une minute ! Je reviens. »

C'est toujours ici que je l'attends. Plus loin, il y a le petit salon et la rencontre toujours possible avec Mme (Heaume) de la Haye qui ne me déteste pas, mais qui m'aime modérément, me considère tout au plus comme une des trente-six fantaisies de son mari et tique quand je l'appelle parrain en sa présence. J'ai beau eu faire ma sucrée, je n'ai jamais pu l'amadouer : Papa est un trop petit agent d'assurances, et mon B. E. ne pèse pas lourd. J'aime mieux attendre devant « ce sacré Gontran », le favori de M. Heaume. Il me l'a expliqué vingt fois, c'est un monstre qui a pillé force moines, rôti force manants, violé quelques nonnes et nombre de jolies vilaines, avant de se faire décoller en place de Grève. Il arbore une trogne menaçante, dévorée de poils, aux yeux de fauve, au nez ferme comme un épieu, mais aussi au teint frais, au sourire dilaté par une tonitruante vitalité, par une confiance totale en l'indulgence des cieux comme en son droit d'étriper l'humanité souffrante. M. Heaume le regarde toujours avec admiration, avec envie, et j'ai souvent l'impression que Gontran va éclater, va beugler : « Alors, mon grand, on s'amuse sur nos terres ? » Profitons de ce que nous sommes seule, approchons-

nous et chatouillons-lui le nez. Foudre de guerre,
éternueras-tu ? Mon doigt glisse sur la peinture
finement craquelée, rencontre une infime aspérité
qui est le bord de cette cuirasse incomplète, qui ressemble à un soutien-gorge de ferraille...

*

Un soutien-gorge ! Voilà que je rêvasse, que je
dérive. C'est sous le signe du soutien-gorge que
nous nous sommes connus, parrain et moi. Je n'ai
pas fini de piquer un fard à l'évocation de cette
histoire qui n'est pas vieille de deux ans. J'étais
encore à l'école communale, mais dans la classe du
« certif » dont la moitié des élèves sont « grandes »
et dont l'autre moitié, les pauvres, ne le sont pas,
peuvent toujours mettre les mains à l'eau froide,
gardent des chandails plats, plats, plats. C'était
mon cas : cas douloureux pour une première en
excellence qui ne pouvait rien contre cette insuffi-
sance-là. Aussi, à défaut du contenu, avais-je une
envie rouge du contenant (comme tout le monde
après tout : « Les gens ont soif de considération bien
plus que de mérite », répétait sans cesse la grand-
mère Torfoux). Mais l'acquisition d'un soutien-
gorge ne s'imposait pas plus, pour moi, que la nécessité de se raser chez un gamin de seize ans qui
réclame le coupe-chou de son père pour trancher
quelque invisible duvet. « Ça me gêne, tu sais ! »
affirmais-je en vain à ma mère bien pourvue sous ce
rapport et qui haussait les épaules. « Du jabot !
Mais où le mets-tu, ma colombe ? » disait Papa

souriant de ce grand sourire torturé qui pour tout autre que moi eût été un rictus, mais que je savais être un sourire, un vrai et, qui mieux est, réservé à moi seule. Enfin, un beau jour, excédée, ma mère avait fini par crier : « Oh ! là, là ! Tu me cours ! Achète-le, ton truc, mais à tes frais, tu as des sous. » Mémorable capitulation ! Sans demander mon reste, j'avais aussitôt couru vers le marché, frétillante, le poil au vent, la chaîne brimbalant sur ce chandail où la loupe pouvait déceler à la rigueur deux légères saillies, qu'on pouvait prendre pour les boutons d'un sous-vêtement. L'argent tintait dans mes poches. Dans *mes* poches, car il en fallait bien deux, la somme ne se présentant pas sous la forme d'un billet violet dépourvu de toute poésie, mais sous la forme d'une masse de cuivre et d'aluminium, bruyante et pesante. Huit cent soixante-treize francs, exactement, représentant le sacrifice des deux tire-lires : le cochon rose et la poire de terre cuite, que j'avais lancés à la volée sur le carreau et qui s'étaient brisés en mille morceaux, émiettés, dans un grand éparpillement de rondelles de cinquante (première place), de vingt (visite de quelque tante), de dix (petit cadeau du dimanche) et même de deux (gratte). Entre parenthèses, il y avait eu du déchet. L'économie ? Quel leurre ! Dans ma courte expérience de capitalisation, je perdais plus de cent francs de nickel démonétisé. Mais qu'importe ! Je ne fis qu'un bond jusqu'à la bonneterie foraine qui, tous les vendredis, installait son « camppartout » entre la tente verte d'un marchand de tissus et le vélum à raies rouges d'une boucherie ambulante.

Aucune hésitation possible : mon choix était fait depuis longtemps. Pour le soutien de mes charmes, rien ne m'apparaissait plus souhaitable que certain modèle, incrusté de dentelle noire et pigeonnant à merveille. Encore toute essoufflée, je bousculai une formidable culotte de jersey et, posant le doigt sur l'objet dont j'avais depuis très longtemps repéré la place, je demandai faiblement :

« Combien ? »

La marchande, une longue et mince, aux grandes paupières de cheval, ne sourcilla même pas.

« Sept cent trente-cinq, hennit-elle. Quelle taille voulez-vous ?

— Le quatre-vingts suffira », répondis-je, modeste et rougissante.

Je puisais déjà la ferraille dans mes poches, remplissais une main de la marchande, puis l'autre :

« Au moins, reprit celle-ci, voilà une demoiselle qui a de la monnaie. »

Au moment d'empaqueter, elle eut le tort d'ajouter :

« Le quatre-vingts ira certainement. D'ailleurs, c'est la plus petite taille. »

Et cette pauvre Céline, qui recevait l'objet, douillettement enveloppé de papier de soie, sentit que s'évanouissait la moitié de son plaisir. Elle était tout près de le rendre, son soutien-gorge, quand un quidam enchaîna, derrière son dos :

« La plus petite taille, mais la plus jolie ! »

Sur cette galanterie puérile, je me retournai, piquant mon meilleur fard pour sourire menu à un colosse qui, jusqu'à la tête, avait tout du fort des

halles, mais qui à partir du cou devenait un vieil-
lard. C'était le nouveau châtelain. L'homme aux
mille journaux de terre, desservis par douze chemins
creux, vingt-huit mares, quatre calvaires et nonante-
trois haies, selon son propre compte. M. Heaume,
dont Saint-Leup venait de faire un maire, parce
qu'on lui supposait des relations, parce qu'il était
riche, parce qu'il faut donner l'écharpe « aux gens
qui n'ont rien d'autre à faire et qui ont assez de
sous pour ne pas être tentés de se servir ». Son regard
pesait lourdement sur moi.

« Un œil vert et l'autre brun... Tiens, tiens ! Moi,
tu vois, j'ai un œil violet et l'autre bleu. Mais le
violet est faux : il est en verre. »

Il me prit le bras. Le bras, pas la main comme
une petite fille. Il me prit le bras et m'emmena,
me racontant comme ça, tout de suite, qu'il avait
eu une petite fille qui n'avait pas les yeux semblables. Il parlait d'elle sans émotion apparente, exactement comme d'une petite chienne perdue. Mais
il eut le tact de ne pas se moquer du soutien-gorge.
Il eut l'intelligence de ne pas s'arrêter devant la
marchande de bonbons (je les aurais croqués avec
autant de plaisir que de fureur). Déjà je détestais
ses grandes dents, son négligé (au bocage, si le
paysan a droit à la guenille, les « personnes » doivent rester endimanchées toute la semaine), son cou
dont la peau se plissait et se replissait sur un col douteux, son œil violet. Mais, déjà, j'aimais son œil
bleu, ses bras, son pas solide. La suite... Mon Dieu,
je ne sais plus, ça s'est fait tout seul. Il était fatal
que M. Heaume rencontrât souvent cette éternelle

échappée qui n'avait pas de plus grand plaisir que
de galoper dans les champs. On faisait des bouts
de route ensemble. Des bouts de route de plus en
plus longs. M. Heaume parlait. J'écoutais. Un jour,
il finit par m'emmener au château grignoter du pain
fourré, bien tartiné par sa femme d'une double couche de beurre et de confiture de nèfles. Enfin
M. Heaume vint à la maison faire des politesses à
M. Colu et surtout à Mme Colu, hostiles et flattés.
Moins hostiles que flattés, je dois le dire. Et l'on
murmura dans le village : « Elle en a de la chance !
Si ces richards-là qui n'ont pas d'enfant l'adop-
taient... » M'adopter ? Et mon père ? Et ma mère ?
Est-ce qu'on laisse adopter sa fille unique ?
M. Heaume est mon « parrain » (le vrai est mort,
ce qui arrange tout). M. Heaume ne me couchera
pas sur son testament. Comme, outrée du soupçon,
je devenais rare, il me devina, me rassura : « Tranquillise-toi. Ma femme et moi, nous avons tout lé-
gué à la Société protectrice des animaux. A moins
que tu ne fasses la bête, tu ne crains rien. » A cette
condition-là, je veux bien rester sa filleule. Un peu
sa fille. Et quelque chose avec, qui tourne autour
sans heureusement s'en éloigner jamais, qui lui fait
fermer son œil bleu si par hasard il me rencontre
avec un camarade. Jaloux ? C'est bien probable.
Jaloux comme Papa. Mais comme lui si contracté,
si discrètement douloureux... Pourquoi marche-t-il,
marche-t-il des jours, des nuits entières, avec ce
grand air farouche ? Et qu'y puis-je faire ? Un cha-
peron rouge n'a jamais guéri son loup.

IV

CETTE fois, dès le départ, on peut prévoir la catastrophe. Ils sont cinq — Ralingue, Papa, Lucien Troche, Vantier et Dagoutte, le menuisier —, cinq en tout, dans la camionnette qui remorque la moto-pompe. Avec Besson, le garde-chasse, M. Heaume qui ne compte guère et moi qui ne compte pas du tout (et qui, de retour chez Binet, ai dû supplier Papa de me laisser monter à *L'Argilière* dans la Panhard), nous serons huit. Derrière nous, au village, Ruaux s'égosille en vain. Presque tous les sauveteurs, harassés, se sont rendormis, et ceux qui consentent à rouvrir un œil doivent le refermer aussitôt en grognant : « Ça va comme ça. J'en ai fait assez pour cette nuit. C'est un peu le tour des autres. » Il a fallu perdre un temps fou pour récupérer le matériel, rembobiner les tuyaux, remettre tout en ordre de marche, refaire le plein d'essence chez Dussolin, le garagiste, dont le distributeur était verrouillé. Bref, les premiers secours, montant vers *L'Argilière,* ont bien deux heures de retard.

« *Ohé ! la Paludière, par où donc courez-vous ?* fredonne dans mon dos le père Besson, qui est

le flegme même (et ne connaît du reste que cette
unique chanson).

— A quoi bon ! Tout sera brûlé quand nous arri-
verons », crie au contraire un Ralingue effondré.

Les deux voitures marchent de front, la Panhard
sur la gauche de la camionnette, au mépris du code.
On s'interpelle d'une voiture à l'autre. Papa, lui,
ne dit rien. Cramponné au volant, il talonne l'accé-
lérateur, il fonce. Certes, tout à l'heure, chez Binet,
la rallonge sur l'épaule et l'extincteur en main, il
semblait frappé de stupeur. Il murmurait comme
les autres : « Nous sommes frais » et, comme les
autres, il ajoutait : « Un salopard dans la commune !
Mais pourquoi ? Mais qui ? » Blanc de rage et
mâchonnant son pouce, il écoutait le valet qui racon-
tait d'une voix entrecoupée :

« Le salaud ! En cinq endroits qu'il a foutu le
feu ! Cinq ! L'écurie, le grenier, la remise et le fenil.
Le patron m'a crié : « Le téléphone ne marche pas...
« Prends la jeep et saute à Saint-Leup. » La Jeep !
Eh bien, oui ! Les quatre pneus crevés ! Et crevés
aussi les pneus de mon vélo. Alors j'ai couru... Qu'est-
ce qu'on fait, Ralingue ? Qu'est-ce qu'on fait ? »

Ralingue, atterré, n'en savait rien. M. Heaume
non plus. Mais mon père s'est vite ressaisi. C'est
lui qui a rattrapé l'adjoint, retrouvé Ruaux, retrouvé
Troche, décidé quelques hommes à le suivre, jeté
des ordres précis qui ont triomphé de leur terreur
et de leur affolement :

« Binet, tu surveilleras ta grange tout seul. Je
te laisse l'extincteur. Si par hasard le feu reprend,
c'est simple : tu renverses l'appareil et tu retires la

goupille. Mais, attention ! Dirige ton jet, n'arrose
pas la flamme au petit bonheur, prends-la par la
racine... Toi, Caré, tu téléphones à la brigade, à la
sous-préfecture, aux compagnies voisines, pour demander du renfort, dare-dare. Enfin, toi, Ruaux,
tu sonnes, tu resonnes, tu rassembles tout ce qui
peut tenir debout, tu expédies les gens là-haut, par
tous les moyens, en auto, à moto, à vélo ou même
à pied. Nous, on file. »

*

Et il file, il file, prenant si sèchement les virages
que son coude s'enfonce dans les côtes du valet,
coincé entre lui et Ralingue. Bien entendu, la camionnette glisse sur le goudron mouillé, mais ces
légers dérapages n'incitent pas à descendre au-dessous de quatre-vingts avant d'y être contraint par
la côte de la Queue-du-Loup, rampe à fort pour-
centage, localement fameuse, qui, après avoir servi
de test à la vigueur des chevaux au long des âges,
fait encore le désespoir des vieilles mécaniques et
des coureurs de troisième catégorie. A mi-pente,
tout de même, il faut bien passer en seconde.

« Saleté de côte ! jette Papa, poussant son levier
avec humeur.

— Enfin, d'en haut, on va voir ce que ça donne
du côté de L'Argilière », dit M. Heaume, dont la
Panhard prend trois longueurs à la camionnette.

Mais, du sommet, rien n'est visible. Quand la
camionnette, poussive, cognant des quatre cylindres,
nous rattrape et bascule par-dessus le raidillon final,

les pompiers désappointés n'aperçoivent comme nous qu'une immense colonne roussâtre, à peine plus claire en son centre et qui s'écroule par larges pans, s'étale, comble les déclivités, pousse ses avant-gardes loin dans la campagne et jusque sur la route, barrée par une nappe si épaisse que les phares ne l'entament pas. M. Heaume en éternue d'avance. Papa se contente d'émettre un petit sifflement qui en dit long. « Doucement ! » crie vainement un homme. Mais les pignons de la boîte de vitesse hurlent une fois de plus, et les voitures entrent dans l'ouate à plein régime. Dix secondes plus tard, elles en ressortent, remontent la butte d'en face et, dans un grand gémissement de freins et de pneus, s'arrêtent net à l'embouchure d'un chemin de ferme, où s'élève une croix de chêne brut, terminus des Rogations.

« Qu'est-ce qu'il vaut, Lucien ? crie Papa.

— Rien, dit Vantier.

— Autant pour moi ! dit M. Heaume. Une Panhard, ce n'est pas un bulldozer. Je n'ai pas de chaînes pour passer dans la boue. Nous montons avec vous, monsieur Colu ?

— Montez. »

Nous nous tassons dans la camionnette. La portière n'est pas refermée que Papa braque son volant à pleins bras, repart brutalement, offrant à ses roues cette suite de creux et de bosses, de marouillis et de rocaille qui, entre deux haies de ronces pendantes, conduit à *L'Argilière*.

« Tu ne passeras jamais, gémit Ralingue. Il a plu toute la nuit. Tu vas t'enliser.

— Je passerai », dit Papa.

Cahotante et chantant ferraille, secouant furieu-
sement ses crochets de remorque, la camionnette
aborde deux ou trois fondrières, les franchit par
miracle, une roue au sec et l'autre patinant dans
la glu. Elle passe sur des blocs, qui la soulèvent,
puis la laissent retomber, exténuant les ressorts. Un
phare s'éteint, se rallume lors d'un nouveau choc.
« Mauvais contact », murmure simplement le chauffeur, emballant son moteur pour lancer sa voiture
à travers une fondrière plus large que les autres.
Plus large et plus profonde. La camionnette pique
du nez, éventre la bourbe et, la rejetant sur les haies,
passe de justesse. Mais c'est pour retomber aussitôt
— et cette fois sans élan — dans deux ornières épaisses comme des auges et taillées par les chars dans
une poche d'argile. Les roues s'engagent dans cette
sorte de glissière et, au plus creux, se mettent à chasser, s'affolent, recreusent le sol sous elles en faisant
gicler la crotte de toute part.

« Je te l'avais dit, fait Ralingue. On ne pouvait
pas passer par là.

— Et tu voulais passer par où ? hurle Papa.
Monsieur connaît un autre chemin ? Monsieur dispose d'un ballon ? Allez, tout le monde descend. »

Il a déjà coupé l'allumage, sauté dans la boue.
Nous l'imitons tous et, patouillant à qui mieux
mieux, nous nous réfugions sur un coin de talus. De
lourdes masses violettes passent au ras de nos têtes,
vont s'abattre plus loin, dans la nuit. Des bouffées
d'air anormalement chaudes, une puissante odeur
de cuir brûlé, un grand crépitement sourd attes-
tent l'importance de l'incendie, maintenant tout pro-

che, mais qui reste enfoui dans ces nuages, sans cesse renouvelés.

« Quelle fumée ! dit Troche. La paille était mouillée... Que fais-tu, Bertrand ? Tu remets en marche ? »

Resté seul près de la camionnette, Papa, après avoir fouillé dans le coffre, vient de passer devant un phare, la manivelle en main. Il s'accroupit devant le capot, et sa voix jaillit de dessous l'aile :

« Tu n'as pas vu que le chemin remonte ? Il remonte, donc il n'y a plus de trou. Nous sommes tombés dans le dernier. Si nous pouvons en sortir...

— Il faudrait des fascines, dit Ralingue.

— Des chaînes, dit M. Heaume.

— Je n'en ai pas non plus, reprend mon père. Mais il y a un truc plus simple : mettre en prise en première et tourner la manivelle tout doucement. Comme ça les roues tournent, sans chasser, millimètre par millimètre... »

Un bruit de fer gratouillant du fer suit aussitôt.

« Alors quoi ! Vous avez compris ? Je tourne, et vous, vous poussez au cul. »

Nous nous précipitons tous, même Ralingue, nous enfonçons jusqu'au mollet. « On avait bien besoin de toi ! » me hurle Papa. Tant pis pour mes bas ! Je pousse aussi. La voiture résiste. « Bon Dieu ! » jure Papa, qui pourtant ne sacre jamais. Il pèse de toutes ses forces sur la manivelle, qui fait un quart de tour. « Bon Dieu ! » jure aussi l'épicier, perdant l'équilibre et s'affalant de tout son long. Mais la voiture a bougé. Un chuintement gras de ventouse qui se décolle se fait entendre et, quart de tour par quart de tour, les roues avant atteignent le dur, puis les roues arrière... Personne ne dit mot quand Papa regagne le volant et fait tousser le moteur; personne n'ose plus broncher quand, d'embardée en embardée, il expédie les derniers cent mètres, conduisant au jugé dans un océan de fumée.

*

Et soudain cet océan s'entrouvre, se recourbe, reformant très haut une voûte éblouissante. Non pour livrer passage, mais pour barrer définitivement la route. Un mur de feu se dresse devant la camionnette, tandis que le crépitement devient assourdissant, la chaleur intolérable. De l'extrême droite à l'extrême gauche, il n'y a plus que ce mur, érigé par l'incendie sur un soubassement de ruines et ne comportant qu'une seule trouée : celle du chemin, qui pénètre dans cet enfer à l'endroit où, la veille, s'ouvrait la grande porte charretière, surmontée de son pigeonnier. Encore est-elle obstruée par la chute des vantaux, transformés en plaque de braise. Par cette brèche, toutefois, on peut apercevoir l'intérieur du quadrilatère qui compose la ferme. Une autre barrière de feu — les bâtiments du fond — double la première. Entre les deux, montent ces flammes lisses, rapides, qui s'étirent très haut, se font entre elles une concurrence acharnée, dévorent quarante stères de bois prêt à scier et trois cents fagots rassemblés au milieu de la cour pour le prochain hiver. Toute cette région, où la température doit atteindre son point culminant, est d'un blanc intense et — comble d'ironie ! — laisse se détacher la silhouette d'un puits dont le treuil, les chaînes, le bâti de fer forgé, incombustibles, n'en sont pas moins portés au rouge sombre. Ralingue, qui est aussi marguillier, se signe.

« C'est là qu'il va falloir aller chercher l'eau ? demande-t-il d'une voix blanche.

— Ce que c'est beau ! » murmure M. Heaume.

La camionnette vient de stopper, et nous descendons, nous reculons déjà, éblouis, suffoqués, les mains tendues devant les yeux. La disproportion entre la puissance du brasier et les moyens ridicules dont les hommes disposent pour le combattre leur enlève tout courage. Ralingue demeure bouche bée, l'index pointé vers le puits inapprochable. Son uniforme, enduit de boue, fume sur lui.

« Décrochez ! » commande Papa, imperturbable.

Et, tourné vers Urbain :

« Où prend-on l'eau ? Où sont tes patrons ? »

Le valet le regarde d'un air égaré, mais ne répond pas. Il tremble de tous ses membres.

« Idiot ! crie mon père. Que veux-tu qu'il leur soit arrivé ? Ils n'ont pas été surpris, tu le sais toi-même, puisqu'ils t'ont envoyé chercher du secours. La ferme brûle, c'est entendu, mais eux se sont certainement mis à l'abri quelque part.

— Ils sont peut-être dans la cabane du jardin, balbutie le valet. Quant à l'eau... »

M. Heaume s'avance, prend le relais :

« Quant à l'eau, de toute façon, on ne peut pas la prendre dans le puits : il est cimenté au-dessous de la margelle. Je viens de faire installer une pompe électrique qui refoule dans un réservoir de...

— Qui refoulait..., rectifie Papa. Un réservoir !
Vous pensez ! Il y a beau temps que cette bouilloire
a dû éclater. Où est la mare ?

— Il y a le vivier, derrière, de l'autre côté du
jardin, dit le valet.

— Combien de mètres ? »

Urbain hésite.

« Je ne sais pas, moi ! Deux cents mètres, peut-
être.

— Bon. »

Les mains de Papa, lentement, passent sur son
crâne de drap : c'est sa manière de réfléchir. Ralingue, débordé, incapable de prendre une décision,
s'efface de plus en plus. M. Heaume répète : « Que
c'est beau ! » et pense moins à l'action qu'au spectacle. Les hommes reculent toujours, pas à pas,
poursuivis par de brusques volées d'escarbilles, appe-
lant de tous leurs vœux un ordre de repli. Tous
pourtant savent bien que Papa n'en fera rien, qu'il
tentera quelque chose. N'importe quoi, mais quelque chose. Ils n'ont pas tort. Papa se secoue, bondit vers la motopompe et, tandis qu'il débloque lui-
même le crochet d'attelage, jette d'une voix péremp-
toire :

« Lucien, gare la camionnette plus loin. Elle pourrait brûler. Toi, Dagoutte, et toi, Besson, emme-
nez la pompe avec Urbain. On attaque le feu par-
derrière en prenant l'eau dans le vivier.

— Et par où passe-t-on ? demanda Besson. Le
chemin de ronde est impraticable.

— Passez à travers champs. Et n'oubliez pas la
pince ! S'il y a des clôtures, coupez-les. »

Il n'a pas un regard pour moi, pour M. Heaume, pour Ralingue, qu'il laisse sans consignes. Estimant inutile de préciser le rôle qu'il s'est assigné, il se jette en avant.

« Rendez-vous au milieu du jardin, ajoute-t-il sans se retourner.

— Où vas-tu ? crie Ralingue.

— M'assurer qu'il n'y a personne dedans !

— Arrête, Papa ! C'est de la folie ! »

J'allais me jeter derrière lui. M. Heaume me rattrape par un bras. Papa pique droit sur la fournaise, mais ne s'y jette point. Son infaillible coup d'œil a repéré ce que les autres n'ont pas vu : une fenêtre basse du corps d'habitation qui donne sur l'extérieur et ne vomit pas de flammes. Après avoir couru jusqu'au point extrême où il est possible de tenir debout sans être boucané vivant, il se laisse tomber, gagne le pied du mur à plat ventre et, abrité par celui-ci, rampe jusqu'à la fenêtre. Là, il se relève, empoigne la barre d'appui, fait un rétablissement et, en trois coups de pied, se fraye un passage à travers les carreaux.

« Compris ! dit Besson en le voyant disparaître.

— Gros malin ! dit Ralingue. Il ne verra rien. Même si ça ne brûle pas encore là-dedans, ça doit être plein de fumée et, comme il n'a pas de masque, il faudra bien qu'il sorte pour respirer. »

Papa ressort en effet presque aussitôt, en faisant de grands gestes de dénégation. En sautant, il rate son coup et boule durement. Ce qui ne l'empêche pas de repartir comme une flèche et d'enfiler le chemin de ronde, en pleine zone torride. Tandis qu'il galope, son bras s'élève de nouveau, faisant cette fois un geste impératif que Ralingue interprète correctement.

« Allons-y ! » dit-il.

La motopompe s'ébranle.

*

Vingt mètres plus loin, elle culbute dans un fossé. Besson et Vantier l'en retirent sans dommage. Comme nous commençons à la pousser sur le pré, Troche, qui vient de mettre la voiture à l'abri, nous rejoint.

« Après tout, dit-il, on pourrait peut-être passer par le chemin de ronde. Tête-de-Drap y est bien passé.

— Oui, mon rouquin, dit Ralingue, mais figure-toi qu'il ne marche pas à l'essence, lui. »

La motopompe repart, roulant sur l'herbe grasse. Malheureusement, pour répondre aux exigences du système de pâture dit « rotatif » — que M. Heaume en tant que propriétaire trouve profitable et en tant que maire tient à montrer à ses électeurs paysans comme « une réalisation typique d'un gentleman-farmer épris d'agriculture moderne » —, les Oudare ont dû diviser leurs prairies en un grand nombre de petits pacages successifs. Il faut s'arrêter cinq fois pour couper ces ronces métalliques, tendues raides sur des piquets de châtaignier et qui chantent sous la pince comme les cordes d'une contrebasse. En se détendant, l'une d'entre elles déchire ma jupe, une autre fauche le chapeau de M. Heaume. Enfin, débouchant d'un dernier pâtis, nous atteignons le sentier qui longe le jardin. Je dis : nous... On se doute que je n'y suis pas pour grand-chose.

« Par ici ! dépêchez-vous. »

C'est la voix de Papa qui nous a largement devancés. Il n'est plus seul. Un petit groupe gémissant l'entoure.

« Les *Mar* sont là ! » dit Ralingue, soulagé.

Tous les Oudare (les « Mar », dit-on, parce que le père Martial, époux de la mère Marie, ont trois enfants prénommés Marguerite, Marine et Marcel)... Tous les Oudare sont là, en effet, immobiles, accablés et comme paralysés par le désespoir. Réfugiés dans la cabane aux outils tant qu'il a plu, ils viennent d'en sortir et, les bras ballants, contemplent d'un air hébété l'incendie qui dévore leur bien. Malgré l'ardeur du brasier tout proche, les femmes, habillées à la diable, se recroquevillent dans leurs blouses de Vichy et frissonnent nerveusement. Depuis deux heures, ils font le compte de leurs pertes. La mère parle de ses draps, des draps de fil « qui n'avaient seulement jamais été retournés ». Le fils ne se console pas de n'avoir pu sortir la jeep. Marguerite et Marine, échevelées, palpitantes, appuyées l'une contre l'autre, sein contre sein, se lamentent sur le sort probable de leur chien et l'appellent de temps en temps d'une voix perçante : « Friqui ! Friqui ! » Elles m'aperçoivent et crient sur le même ton : « Céline ! Céline ! » Mais je n'irai pas les rejoindre. Je ne peux jamais m'associer aux femmes, encore moins à leurs cris. Je préfère l'attitude du père, tassé dans son pantalon de velours, les bras

croisés, tous muscles noués. Il invective les siens :
« Tes draps ! Si je m'en fous de tes draps ! Et le
clebs... Il est bien question du clebs ! On a tout
perdu, oui ! » Puis il se tourne vers le feu et, d'un
air égaré, l'encourage : « Alors quoi ! Et la porcherie... Il ne reste plus que ça à bouffer. Qu'at-
tends-tu ? » Ralingue, qui arrive, la main tendue,
les condoléances au bord des lèvres, est fraîchement accueilli :

« Te voilà, toi ! Et avec ta médaille encore ! Ah !
je leur ferai de la réclame aux pompiers de Saint-
Leup ! Ça brûle depuis minuit, mon salaud... Tout
y est passé. Tout. Vous m'avez tout laissé perdre.

— Nous revenons d'un autre sinistre, dit Ralingue piteusement.

— On doit sauver la porcherie, dit Papa. Dévidez,
les gars, dévidez. »

Ralingue relève le nez. Le feu fait rage sur cette
façade comme sur l'autre, mais il n'a, en effet, pas
atteint la porcherie, bâtiment d'angle sans toit commun avec le reste et n'y attenant que par le mur
d'enceinte. Cependant le vent, qui est en train de
tourner, rabat les flammes de ce côté. Les porcs doivent déjà être asphyxiés, car ils ne crient plus.

M. Heaume admire toujours avec passion. Le feu
danse dans son œil violet, fixe, tandis que le regard
de l'autre, le bleu, tourne autour de l'incendie.
Oudare s'approche de lui et gronde :

« Les soues, ils veulent nous sauver les soues !
Vous et moi, nous perdons dix millions de bêtes et
de baraques, mais on va nous sauver trois soues en
torchis... ! Et ta compagnie nous le déduira, hein,

Bertrand ? Faut bien qu'il reste un bout de mur pour qu'elle puisse discuter... »

Papa, qui en entend bien d'autres en pareil cas, hausse les épaules.

« Dévidez, répète-t-il en s'emparant de la lance. Allons, courez... Urbain ! Montre aux gars où se trouve ce vivier. Et qu'on me jette la crépine au plus creux, là où il n'y a pas de vase, si possible.

— J'y vais », dit Ralingue, soucieux de se faire valoir ou de fuir le fermier.

Le dévidoir recule. Un serpent de toile grise se met à ramper dans la nuit, où s'éteint l'éclat jaune des raccords de cuivre, assorti à celui des casques. Piétinant ce qui a été un carré de navets, Papa s'avance, mètre par mètre, la lance dans la main gauche, une anse de tuyau dans la main droite. Il ne peut pourtant se faire aucune illusion. Nous connaissons tous ici le sens de ce bruit de fond très différent des crépitantes fureurs des débuts d'incendie. De toute part monte cette rumeur puissante, continue, qui tient du ronflement d'hélice, du grondement de la marée et qui est typique des grands sinistres parvenus à ce qui est en quelque sorte leur âge mûr et campés sur une sérieuse réserve de combustible. Les flammes l'emportent maintenant sur la fumée et, plus sûres d'elle-mêmes, plus chaudes, deviennent à leur base presque transparentes. Elles fusent moins, mais filent de long. Ainsi plus sensibles, du reste, à l'action du vent, elles virent avec lui, et leur interminable envol, prolongé par des haillons d'or, par d'incessants lâchers de flammèches, se recourbe parfois jusqu'à toucher les toits bas de la porcherie. Papa trépigne d'impatience. L'eau ne vient toujours pas. Enfin, derrière nous, s'élève un concert de jurons indistincts. Presque aussitôt, Troche surgit, coudes au corps, en criant :

« Vide ! Il est vide.

— Quoi ? » fait Papa sans reculer d'un pouce.

Au moment où Troche parvient à sa hauteur, un coup de vent plus violent que les autres, ployant la gerbe incandescente, les contraint tous les deux à s'aplatir, le nez dans les navets. Puis une autre fantaisie du vent les libère. Ils reculent, se laissent rejoindre par nous, puis par Ralingue.

« Vide ! fait aussi le capitaine.

— La vanne est relevée, explique Troche. Il n'y a plus une goutte d'eau. Le poisson est au sec.

— Mes carpes !... Mes carpes ! bégaye le fermier, qui vient de se rapprocher.

— Compliments ! Il a pensé à tout, dit M. Heaume. Cette fois, la cause est entendue : il n'y a plus rien à faire.

— Mes carpes ! répète le fermier, du même ton que sa femme employait tout à l'heure pour gémir : « Mes draps ! »

— On se fout de tes carpes, dit Ralingue. Ce qui nous intéressait, figure-toi, c'est l'eau qu'il y avait autour. »

Silence. Les épaules s'effondrent; les mains, du bout des bras des hommes, se balancent, inutiles. Celles du sergent Colu passent sur son crâne de drap. Il murmure dans un souffle :

« Il faut tout de même faire quelque chose. »

Il se redresse, se croise les bras.

« Lucien, ordonne-t-il, refais le tour. Prends la voiture et file à Saint-Leup. Avertis Caré. Dis-lui d'alerter Angers, de réclamer la grande citerne de la préfecture. Dis-lui aussi que j'attends toujours du monde, que je ne vois rien venir. »

Il toise Ralingue qui tripote sa médaille et le regarde avec des yeux blancs, il toise M. Heaume qui sourit aux flammes, puis ajoute d'un ton sec :

« Il n'y a pas d'eau, mais il y a de la terre... Prenons chacun une pelle. »

*

Le terreau des couches, humide et meuble, se laisse expédier sur le toit de la porcherie. Puis, moins facilement, la terre d'une plate-bande. Mais il faut pelleter trop haut, sans voir, sans pouvoir répartir correctement la couche protectrice. Le vent couche de plus en plus les flammes, par poussées brusques qui, à intervalles réguliers, mettent les hommes en déroute. « Tu dors debout ! Fiche-moi le camp dans la cabane ! » me hurlent Papa, ou M. Heaume, ou même Lucien Troche, toutes les cinq minutes. Ils sont têtus, mais moins que moi. Et moins que le feu qui, dédaignant le toit, s'en prend directement aux portes des soues, aux croisillons du pisé, aux étais. L'inévitable arrive : miné par en dessous, surchargé de terre, le toit cède d'un seul coup, s'écrase de l'autre côté du mur.

Cette fois, il n'y a plus qu'à abandonner la partie, à battre en retraite vers la cabane aux outils, où l'on décide d'attendre du renfort. Mais la cabane elle-

même, faite de planches badigeonnées au coltar, ne
résistera pas à l'assaut des rafales qui choisissent
définitivement cette direction, concentrent sur elle un
tir nourri d'escarbilles. Elle va flamber. Elle flambe.

Elle flambe, et le désastre est parfait, la suite
n'a plus aucune importance. Quelques recrues,
tardivement expédiées par Ruaux, rejoindront et
n'auront plus qu'à s'asseoir, en bons spectateurs.
Qu'importe si l'auto de l'un d'eux s'enlise dans
le chemin, barrant le passage à la pompe du Louroux
et à son escouade, du reste inutile puiqu'elle n'a-
mène pas d'eau ! Qu'importe si le side-car des gendarmes, survenu peu après, subit le même sort !
Quand la citerne de la préfecture arrivera, vers
quatre heures, quand elle aura réussi (en écrasant
un champ de betteraves sous ses huit roues jumelées)
à se dépêtrer de cet embouteillage et à parvenir sur
les lieux, elle n'aura plus qu'à servir d'arroseuse,
pour le principe. Et Martial Oudare qu'à dresser le
bilan... Un beau bilan ! Un demi-hectare de braises,
où la bourrasque soulève beaucoup de cendre —
ce cheveu blanc du feu —, achève de se consumer.
De paresseux filets rouges, de courtes langues jaunes s'attardent ici et là, barbouillant de lueurs dan-
santes le visage des sauveteurs, qui n'ont jamais
moins mérité leur nom et qui, toute honte bue,
font le cercle, vautrés à terre. Pour ma part, loque-
teuse exténuée, je viens de m'endormir, la tête posée
sur les genoux de M. Heaume. Seul, Papa est encore
debout et tourne sans relâche autour de la ferme ra-
sée, écrasant à coups de talon quelques fumerons projetés dans l'herbe et même d'innocents vers luisants.

V

Tandis qu'on noyait les cendres et que les gendarmes faisaient leurs constatations, j'étais rentrée seule dans la Panhard conduite par Besson qui avait l'ordre de remonter aussitôt sur *L'Argilière* et qui, fredonnant de plus belle son éternelle *Paludière,* m'abandonna sans remords à la grille. Je n'en menais pas large, à cause de ma jupe et de mes bas; je me demandais comment ma mère allait prendre la chose, bien qu'elle m'en passât beaucoup et fût depuis longtemps habituée à mes escapades qu'elle savait innocentes. Elle grognait déjà quand je rentrais vers minuit d'une promenade avec M. Heaume. Cette fois, il était quatre heures, j'avais passé presque toute la nuit dehors et — circonstance aggravante — avec Papa. Mais, à mon grand étonnement, les portes que j'avais laissées ouvertes l'étaient encore. Je courus jusqu'à la chambre, jusqu'au lit, intact, encore recouvert de son dessus de dentelle blanche. Aucun doute. Ma mère n'était pas rentrée. Quelle aubaine ! Cela me donnait le temps de me laver, de faire disparaître mes bas, de réparer ma jupe. Elle apprendrait bien sûr que j'étais allée au feu, mais, rentrée la première,

j'avais meilleure allure et beau jeu de tricher sur
l'heure. Puis je changeai d'avis, je me rembrunis.
Algarade évitée, bon ! Mlle Colu, à peine échappée
à la leçon de morale qu'elle attendait, se sentait toute
prête à la servir à Mme Colu. Pourquoi restait-elle
si tard à la noce ? A son âge ! Et pourquoi d'abord
se laissait-elle inviter à toutes les noces ? Je savais
bien qu'on l'invitait pour son extraordinaire talent
de pâtissière et aussi parce que les chanteuses qui
n'ont pas une voix de pruneau et connaissent le réper-
toire des familles ne sont pas légion. Mais je savais
aussi qu'on l'invitait comme cavalière d'élite, rompue
à toutes les figures, à tous les pas, et pour mieux dire
comme *amuse-gars,* ce qui n'a pas au pays de sens mal-
honnête, mais n'est tout de même pas un fleuron
ajouté à la couronne des mères. Ah ! non, je n'aimais
pas du tout entendre de petits jeunes gens, capables
de s'intéresser à des filles de mon âge, lancer des :
« Bonjour, Eva ! » à Maman, lorsqu'elle passait dans
la rue. Eva faisait du tort à Mme Colu. C'était Eva
qui disait en me lissant les cheveux : « J'ai une Céline
toute mignonne, mais comme elle se veut vieille ! »
Le respect filial, l'affection m'empêchaient de lui
répondre : « Et toi, comme tu te veux jeune ! » et je
n'osais répéter, même au plus secret de moi, ce vigoureux trait décoché à une imprudente par la grand-
mère Torfoux fidèle à son demi-patois : « La bague
au doigt, fini, dame ! Fini, ma jolie, on ne *garçaille*
plus ! » Je me déshabillai, maussade, j'arrachai mon
blouson, mon chandail, mes bas. Ce pauvre Papa...
Maman avait des excuses, bien sûr. Mais est-ce que
ce n'est pas terrible, déjà, de chercher des excuses à

sa mère ? Est-ce qu'elle doit en avoir besoin ? Dieu
merci, j'étais éreintée. La fatigue l'emporta, m'ense-
velit dans ma chemise de nuit, m'enfouit dans le sommeil.

*

Je me réveillai à dix heures. Ma mère me secouait.

« Eh bien, tu l'auras faite, la grasse matinée. Tu
ne m'as même pas entendue me lever. »

Je ne l'avais surtout pas entendue se glisser à côté
de moi dans le lit. Malgré la présence sur le second
oreiller d'un pyjama froissé — car elle mettait des
pyjamas, ma très jeune mère —, s'était-elle seulement
couchée ? Je la regardai avec une sourde irritation.
Son regard avait de l'assurance, sa voix aussi. Elle
disait en brossant mes affaires :

« Il y a eu le feu. Ton père n'est pas encore rentré.
Oh ! Céline, peut-on arranger une jupe de cette
façon-là ! Tu n'as plus dix ans. »

Simple protestation de ménagère, pour la forme.
Elle n'insista pas, ne me demanda pas où étaient
passés mes bas, jetés sous le lit. Elle semblait ne se
douter de rien. Plus exactement : ne pas vouloir se
douter de quelque chose. Son bras s'enroula autour
de mon cou et, pour la première fois, son baiser me
fut pénible. Bouche trop grasse, trop chaude. Et
pourquoi sur son visage cette douceur chiffonnée,
ce velouté las ? Et pourquoi ce gros parfum ?

« Dépêche-toi, Céline. Nous allons au marché.
Tu prendras cinq kilos de sucre chez Candel, pour
la gelée de coing. Moi, je ferai les autres courses...

Allons, saute ! Je t'ai ramené de la noce un tas de bonnes choses, tu sais ! »

Cinq minutes plus tard, nous partions, bras dessus, bras dessous. Rien qu'à nous voir bâiller toutes les deux, il était facile de deviner que nous n'avions ni l'une ni l'autre dormi notre compte. Nous marchions sans souffler mot. Maman « était dans sa tête ». Moi aussi. Je pensais à mon père, à M. Heaume. Pourquoi s'attardaient-ils ? Au bout de la rue des Franchises, Maman me lâcha.

« Va », dit-elle en me glissant un billet de mille dans la main.

*

Je traversai la place. Elle était noire de monde, ce qui n'avait rien d'inattendu un jeudi, jour de marché. Mais, comme on pouvait le prévoir, la foule ne ressemblait pas à la cohue ordinaire, émaillée de « tope là ! », de jurons calmes, de rires lourds et d'appels au chaland. Il s'agissait, au contraire, d'une foule réservée, peu bruyante — ce qui à la campagne est toujours mauvais signe — et scindée en petits paquets où l'on parlait bas, avec des mines longues, des regards en dessous, des gestes sévères. On se serait dit en période d'élections. Et encore ! Seules, les élections législatives étaient capables de fournir assez d'émotion, de remuer assez de rancunes pour donner aux gens des têtes pareilles et les maintenir sur la place, enracinés dans leurs palabres. En me glissant entre les groupes, je n'entendais parler que de l'incendie. Et sur quel ton !

« Un type comme ça, disait le géomètre à sa belle-sœur, Mme Dagoutte, si on le prend, pas de pitié ! Il n'y a qu'à l'abattre !

— *Iaqualabatte, iaqualabatte !* » répétait son neveu Jules, l'innocent qu'on appelait Simplet-la-Goutte et qu'on apercevait toujours, la morve au nez, le sourire aux oreilles, remorquant au bout d'une ficelle un abominable corniaud, mi-roquet, mi-épagneul, qui répondait au doux nom de Xantippe.

Plus loin, un fermier soufflait dans l'oreille d'un autre fermier :

« Moi, maintenant, si j'entends du bruit, la nuit, je décroche mon fusil. Et je te jure que je n'y glisserai pas du sel ! Ni même du sept ! Des chevrotines, oui. »

Partout ailleurs, aux abords du café Caré ou du café Belandoux, citadelles masculines, comme devant la Coopé, citadelle féminine, les mêmes phrases tombaient des mêmes moues.

« Une honte, madame... Nous ne sommes pas protégés... Une pompe, ça ? Dites une seringue... Je vous accorde Bertrand, mais que voulez-vous qu'il fasse ? »

Cette rumeur l'emportait sur celle des commères qui discutaient d'ordinaire plus pointu. Dans le coin des *épingles*, c'est-à-dire des fermières vendant sur tréteau ou à même le panier, on ne savait plus saisir la cliente par le bras. L'antienne à deux voix, qui doit être clamée pour être efficace, se murmurait, ne franchissait pas son mètre. C'est à peine si j'entendis : « Ma bette !... Mon cardon !... A ce prix-là, vos douzaines !... C'est que la saison s'avance, ma jolie : l'œuf cher, c'est le poulet bon marché... » Marie du

Massacre (une fermière, chez nous, porte le plus souvent le nom de sa ferme), la plus forte en gueule à
trois lieues, ne disait rien et, mélancolique ou terrorisée, découpait comme une tarte une immense ci-
trouille au cœur plein de graines retenues par des
filets visqueux. A trois pas d'elle, un croupion de
dinde sous le bras, Madeleine, la cuisinière du château, dodelinait du chignon en face de la bonne du
curé, une Polonaise dont personne n'avait jamais pu
prononcer le nom et qu'on appelait Varsovie (ce qui
pour beaucoup passait pour un prénom, à peine plus
bizarre que celui de la bonne précédente, qui s'appelait Octavie).

« Monsieur, disait-elle, c'est un homme qui ne
s'affole pas ! Quand il est parti, cette nuit, il a dit
à Madame : « Pas de poulets de redevance, cette
« année ! Mais, si ça continue, nous n'aurons bien-
« tôt plus que des fermes neuves... »

Comme je la frôlais, Madeleine interrompit tout
net un commentaire, se tut une seconde et murmura :

« Tiens, voilà justement la petite Tête-de-Drap. »

Mon nez se fripa. Colu, Colu... Il n'existait pas de
Céline Tête-de-Drap, mais une Céline Colu, fille
d'Eva et Bertrand Colu, et qui détestait être affublée
du surnom paternel. Retenant une impertinence, je
me mis à trotter plus vite, gagnée par l'inquiétude.
Pourquoi la vieille avait-elle dit : « Tiens, voilà justement... » ? Etait-il arrivé quelque chose à mon père
depuis la nuit ? J'achetai en vitesse mon sucre chez
Candel. Puis, traînant mon sac plein, je repartis à
la recherche de Maman. Nous avions oublié de conve-
nir d'un rendez-vous. Où était-elle ? Chez Coquerault

pour le lard ou à la Ruche pour l'eau de Javel ?
J'optai pour la Ruche et n'y trouvai personne. Mais,
comme j'en ressortais, une caravane composée de la
camionnette des pompiers, d'une 4 CV, d'une Simca-
huit et de la Panhard déboucha sur la place. Un
grand mouvement se fit dans la foule, dont le brou-
haha devint plus intense, et qui s'agglutina autour des
voitures, malgré les protestations du garde champêtre
qui réglait vaguement la circulation.

« Les voilà ! criait-on.

— Dégagez, voyons, dégagez ! »

Renonçant à me frayer un passage, je contournai
la place pour aller me poster devant l'épicerie Ralingue. « Céline ! » cria Maman, qui bavardait devant
la boutique. Avec Julienne évidemment. Avec l'in-
dispensable Julienne Troche, sa « sœur de commu-
nion », voisine et confidente. Enveloppées dans les
mêmes blouses de satinette bleue à pois blancs, coif-
fées ou plutôt casquées de la même manière — à la
Jeanne d'Arc —, elles se tenaient toutes deux contre
l'éventaire aux légumes, cabas jumelés, derrières
jumelés, humeurs jumelées. Leurs sourcils n'annon-
çaient rien de bon, leurs quatre prunelles noires mi-
traillaient la foule qui s'entrouvrait enfin pour laisser
passer une étrange cohorte, composée de M. Heaume,
de l'adjoint, du brigadier Lamorne, de deux civils
propriétaires de ces serviettes jaunes, de ces tranchants
plis de pantalon qui dénoncent des gens de justice,
et d'une demi-douzaine d'hommes méconnaissables,
innommables, tenant du charbonnier comme de
l'égoutier, enduits des pieds à la tête, visage compris,
d'une véritable carapace de boue et de cendres. Tous

étaient muets, sauf M. Heaume, aussi sale que les autres, mais qui poussait en avant sa grosse rosette du mérite agricole et s'appliquait à faire la petite bouche pour débiter des politesses :

« Vous devez être bien fatigués, messieurs... et vous n'avez même pas déjeuné... Je m'en voudrais de vous retenir plus longtemps. Ces dames, certainement, s'impatientent... »

Maman et Julienne firent un pas en avant. Les hommes s'éparpillaient déjà, lourds, exténués. Je vis Dagoutte s'éloigner, titubant, comme s'il était ivre. Seul, Ralingue qui, loin du danger, reprenait son assurance et son grade, faisait l'important, lançait aux échos :

« Ronflez bien, les gars. Mais tâchez de passer à la mairie ce soir. M. Giat-Chebé, le juge d'instruction, sera là. »

Les deux mains sur le ventre, l'épicier rentra chez lui entre deux haies de clients. Alors seulement je vis s'avancer mon père, qui, lui, au contraire, hors de l'action, redevenait toujours silencieux, effacé.

« Te voilà tout de même ! » fit Maman.

Je me précipitai. Elle m'écarta d'une bourrade :

« Ne touche pas ton père, tu vas te salir. »

Lucien Troche, qui suivait Papa, ne fut pas mieux reçu.

« Ah ! t'es beau », jeta Julienne.

Les deux amis se regardèrent d'un air désabusé, haussèrent chacun une épaule et, sans mot dire, emboîtèrent le pas de leurs femmes.

« Tu ne pourrais pas porter quelque chose, non ? » dit encore ma mère.

Papa prit un cabas : le mien. Puis il se ravisa et prit aussi celui de Maman.

*

Nous habitions, les Troche et nous, dans la rue des Angevines — donc dans le quartier bas —, deux maisons presque identiques, situées l'une en face de l'autre : le 6 et le 7. Mais Julienne, au premier tournant, fut accrochée par sa belle-mère. Maman continua seule, en prenant bien soin de garder deux mètres d'avance sur son mari. Depuis la guerre — plus exactement depuis la mutilation de Papa —, elle ne marchait jamais à côté de lui en public. Elle le distançait toujours de deux ou trois mètres et, si par hasard il essayait de remonter à sa hauteur, elle s'arrangeait toujours pour raser le mur en me tenant par la main, très au large, sur les trottoirs étroits du village, de telle sorte que Papa n'y pût trouver place et fût obligé de descendre sur la chaussée. Depuis trois ou quatre ans, j'avais compris, je ne me prêtais plus à cette manœuvre. Mais Papa demeurait à sa place.

« Eva ! »

Ma mère tressaillit, suspendit son pas une seconde, puis repartit. Quand Papa avait quelque chose à lui dire, il attendait d'être à la maison : c'était l'usage. Et comme un échange de plus de dix phrases entre eux ne donnait pas un dialogue, mais une scène, c'était la prudence.

« Eva ! »

Maman allongea le pas. Une conversation dans

la rue, jamais de la vie ! A peine daignait-elle, en cas de besoin, jeter quelques mots par-dessus son épaule, sans ralentir, souvent sans même tourner la tête.

« Eva !

— Quoi ? »

Cette fois, Maman s'arrêta pile, furieuse. Une main de mon père venait de se poser sur son bras. Une main de Papa ! Elle la regardait, cette main sale, avec indignation.

« Eva, à quelle heure es-tu rentrée hier soir ?

— Ça te regarde ? »

Jamais mes parents ne se posaient de questions sur leur emploi du temps. Ils vivaient côte à côte, sans se consulter et s'observant comme le chat et le serin, à travers une cage de petites obligations. Etonnée, je regardai Papa : sous le casque de drap, sous le masque de boue, il était absolument froid, indifférent. Ses prunelles bleues (pas le même bleu que celui du bon œil de parrain : un bleu plus ciel) n'exprimaient rien, restaient immobiles entre leurs paupières rouges qui ne cillaient même pas. Mais Maman avait envie d'être odieuse. Sa bouche se plissa, ses narines palpitèrent : « Avec ça qu'il sent mauvais ! » murmura-t-elle. Incapable de cacher son dégoût, elle effaça son épaule sur qui pesait toujours une main sale, elle recula. J'étais outrée, mais mon père ne daigna pas faire attention. De l'épaule de sa femme, sa main retomba sur l'épaule de sa fille, dont la tête se coucha pour effleurer cette main, du coin de la lèvre, et il reprit d'une voix neutre, dépourvue de toute passion :

« Si je te demande ça, c'est que, selon l'heure où tu es rentrée, ton témoignage peut présenter quelque intérêt pour l'enquête. Tu travaillais chez les Gaudian, hier soir, et les Gaudian habitent à deux pas des Binet.

— Je m'occupe bien de ça ! »

Maman repartit vivement, et cette fois je ne lui donnai pas tort, sans lui donner raison. À quoi bon ce débat ? Qu'ils s'épargnent, qu'ils m'épargnent ! Pendant cinquante mètres, je me trouvai seule entre eux, indécise, déchirée, complice de l'un comme de l'autre. Ah ! comme il est difficile de faire un agent double au pays de la tendresse ! Peu à peu, je me rapprochai de Maman, puisque pour l'instant c'était elle qui semblait menacée. A quelle heure elle était rentrée ? Je n'en savais rien. Cela n'avait aucun intérêt. Personne n'ignorait que, un sarrau jeté sur sa belle robe, elle avait d'abord fait son boulot de cordon bleu, depuis le vol-au-vent jusqu'à la bombe glacée; personne n'ignorait qu'elle était ensuite passée dans la salle pour chanter : *En revenant de Craon* (version locale de *En revenant de Suresnes*), *Minuit, chrétiens, La Pomponnette, Où allez-vous petite ?* et pour danser ces dernières danses qui sont arrivées à exterminer la violette et les quadrilles. Trop sûre d'y rencontrer Papa, elle n'était certainement pas allée au feu, où d'ailleurs elle aurait gâté sa robe, et, plus tard, quand l'accordéon s'était tu, par bienséance, elle avait dû se lancer avec les plus enragés, les plus jeunes, avec ce terrible petit Hippolyte, frère du marié, avec Claude Hacherol, son cousin, à la poursuite du nouveau couple qu'il est d'usage d'aller

dénicher et qu'on trouve toujours après ces longues
fouilles, ces errances, entrecoupées de rires troubles,
de chants rauques et de conciliabules... Qu'elle y
trouvât plaisir, j'enrageais d'y penser. Mais c'était
ainsi, et ça ne regardait pas Papa. Je jetai un coup
d'œil, en passant, dans la glace du pharmacien qui
me renvoya l'image de ma mère : une femme svelte,
aux jambes et à la poitrine parfaites, très capable de
me supporter sans dommages, moi qui lui rappelais
que seize (mon âge) plus dix-sept (âge d'Eva Torfoux au moment de son mariage) plus un (honorable
délai) ont toujours fait trente-quatre. « Quand le
compte des ans passe le compte des dents... tu com-
mences à les perdre, et bien d'autres choses avec ! »
disait la grand-mère Torfoux. Bah ! Maman n'en
avait pas une seule de cariée. Soudain, je me retournai vers mon père et, pour briser le silence, avec les
meilleures intentions du monde, je gaffai sombre-
ment :

« Si tu voyais ce que Maman nous a ramené !
Elle en avait plein son panier. Nous en avons au
moins pour toute la semaine. »

Le tressaillement de ma mère m'avertit... Voyons,
voyons, qu'avais-je donc dit ? *Elle en avait plein
son panier...* Façon de parler, simple formule, car
les gâteaux, le morceau d'alise, le petit pâté de lapin en croûte, les restes friands, tout était sur la
table. Cervelle, ma cervelle, que vas-tu chercher ?
Pourquoi faut-il que je me glisse aussitôt dans ces
failles qui permettent toujours d'aller au cœur des
secrets. Ma phrase la gênait, le panier la gênait. Elle
était donc rentrée avec un panier au bras, ma mère.

Mais ce n'était pas le panier dont l'évocation devait
l'ennuyer. Que faisait l'autre bras ? Impitoyable, je
remontais dans sa pensée, je la forçais comme une
truite force le barrage d'amont : « Plein, son panier...
Qu'est-ce à dire ? Céline dormait à mon retour. Dormait ou faisait semblant de dormir ? A-t-elle vu ce que
je faisais de mes deux coudes ? Non, elle ne peut pas
m'avoir surprise, à moins d'être aux aguets dans
la cuisine — et pourquoi s'y serait-elle embusquée ?
Elle était dans son lit. Dans notre lit. Donc dans
la chambre d'où, même éveillée, il lui est impossible
de rien voir puisque cette chambre ne donne pas sur
la rue. Elle ne pourra témoigner que de l'heure in-
due. Et encore !... Le réveil n'était pas remonté.
L'étonnant tout de même est qu'elle parle d'un panier plein, alors que je l'ai vidé sur la table, en arri-
vant, et remisé dans l'armoire aux balais. » Car elle
l'avait remisé dans l'armoire aux balais, le panier.
Je l'avais vu, à cette place qui n'était pas la sienne,
en allant décrocher mon cabas.

« Comme tu cours ! Comme tu cours, Maman ! »
Ma mère avait redressé le menton. Elle prenait
toujours cet air-là quand elle venait de subir les remarques acidulées de ma tante Colu, quand elle sortait de chez elle en disant : « Et puis, zut ! Elle en
pensera ce qu'elle voudra. Je ne vais pas me mettre
martel en tête. Je n'ai de comptes à rendre à personne ! » Elle avait cet air-là le jour (récent, il n'y
a pas deux mois : c'était la veille de l'incendie Daruelle) où elle avait eu avec Papa une scène plus
terrible que toutes les autres, le jour où, pour la première fois, elle avait osé me dire : « Ecoute, Céline,

tu es grande maintenant, il faut que tu saches...
Ton père et moi... Ce n'est plus possible. La seule solution, c'est le divorce. Ce n'est pas admis dans ce
pays-ci, mais je ne peux pas faire autrement. Il y a
dix ans que nous devrions être séparés. Ton père s'y
est toujours opposé. Pour divorcer, il faut un grief,
et je n'en ai pas contre lui. Et puis il y a toi... Je ne
te laisserai jamais à ton père. Aide-moi, Céline. Toi,
il t'écoutera peut-être. Dis-lui... » Elle n'avait pas
eu le temps de finir : je n'étais plus dans la pièce...
    « Comme tu cours ! »
    Faisant la navette, je venais d'arriver à la hau-
teur de ma mère, qui me saisit l'épaule, y crispa
les doigts, et nous fîmes encore cent mètres, en
silence, tandis que je songeais : « Sans moi, n'est-
ce pas, Maman, comme tout serait simple ! Tu
ne serais plus que celle dont on disait au Louroux :
« Quand on voit Eva, on comprend le père Adam. »
Je sais, je sais, tu as épousé un garçon fait comme
les autres, un beau garçon même, si j'en crois
cette étonnante photo qui trône encore sur le buffet !
Tu as épousé un beau garçon avant la guerre...
pour récupérer ce pauvre Papa, ce monstre, il faut
dire le mot, ce monstre à peine pensionné (car la
hideur, même à cent pour cent, n'a pas de cours)
qui t'oppose un refus candide, une conduite irré-
prochable (car la hideur, ce n'est pas non plus un
grief), qui prétend s'imposer à toi pour toute la
vie, toute la vie, toute la vie. Victime d'une victime, voilà ce que tu es. Mais pourquoi en faire
une troisième ? Toute ta vie, c'est aussi la mienne. »
Mais la main de ma mère sur mon épaule se cris-

pait plus fort, me faisait mal. Je le voyais bien, au fur et à mesure que nous nous rapprochions de la maison, l'agacement faisait place en elle à la rage, la rage à l'exaspération. J'aurais pu crier pour elle : « Maudit géranium qui fait son signal rouge à la fenêtre ! Maudite baraque... — Maman, Maman, j'y vis aussi ! — Maudite baraque où, selon ton père, nous avons passé quinze mois « inoubliables » ! Quinze mois qu'il me fait payer depuis bientôt quinze ans ! » Elle n'eut pas la patience d'attendre, de faire vingt mètres de plus pour soustraire ses fureurs aux oreilles complaisantes des voisines; le fiel lui remonta d'un seul coup à la bouche :

« Un bleu de fichu, une journée de fichue ! jeta-t-elle par-dessus son épaule. Ce ne sont ni Oudare, ni Ralingue, ni la commune qui te les paieront. »

Maigre coup. Le grand pas calme de Papa n'en fut pas troublé.

« J'ai fait mon devoir, dit-il avec un peu d'emphase.

— Ton devoir ! Tu parles ! Si comme pompier tu obtiens toujours d'aussi beaux résultats, comme agent d'assurances tu pourras bientôt prendre ta retraite. »

Cette flèche-là était meilleure, mais n'allait pas loin. Je m'étais aussitôt rejetée vers mon père, puisque c'était lui, cette fois, l'attaqué. Je bouillais. Un peuple de fourmis me courait sur la langue. Taisez-vous donc ! Quand saurez-vous vous taire ? Les lèvres de ma mère s'entrouvraient, découvrant

de petites canines très blanches, si bien frottées au
dentifrice et qui cherchaient à mordre. Seule, une
bonne méchanceté lui rendrait enfin supportable
le goût de sa salive. N'en trouvant pas, elle se
rabattit sur la première inspiration venue, trouva
plaisante l'idée de se payer la tête de Papa (je ne
trouve pas d'autre explication), de lui jeter, comme
ça, pour le plaisir, un bon gros mensonge. Elle
s'arrêta carrément, fit volte-face et lança tout à
trac :

« A propos, tu m'as demandé à quelle heure
j'étais rentrée... Très tôt, mon cher, très tôt.
Quand je suis partie, Binet venait de crier au feu
et, quand je suis arrivée, le clairon commençait
à sonner. J'ai même été étonnée de ne pas te
trouver à la maison. Tu as fait vite pour t'habiller...

— Très vite, tu penses ! » dit Papa.

Il y avait une petite faille dans sa voix. Ses
prunelles pourchassèrent soudain celles de ma mère,
qui se dérobèrent. Refusait-il de croire à cette
fable ? Après tout, je devais l'apprendre plus tard,
elle était vraie. Partiellement vraie. Maman était
bel et bien rentrée, à cette heure-là, mais seulement pour cinq minutes : le temps de troquer ses
escarpins, qui lui faisaient mal, contre des souliers plats. Cependant Papa, sans cesser de la tenir
sous le feu de ses prunelles, enchaînait avec une
apparente conviction :

« Je pensais bien que tu étais rentrée tôt. Entre
les deux incendies, je suis allé chercher une rallonge
au magasin et, en passant devant la maison, j'ai
vu de la lumière.

— De la lumière ! »

Exclamation regrettable. Le ton, où perçait un rien d'étonnement — un rien de trop —, démentait tout le reste.

« Eh bien, dit Papa, puisque tu étais là ! »

Cousu de fil blanc ! J'avais envie de crier : « Attention ! » Mais Maman s'enferra :

« C'est juste, dit-elle, j'ai rallumé un instant pour aller aux water. »

Presque aussitôt je la vis changer de couleur en me regardant : « As-tu allumé ? » me demandaient ses yeux. Faute de savoir que moi, non plus, je n'étais pas là, elle s'engageait dans un dédale de suppositions. Sauf fantaisie de ma part, qui, en effet, aurait pu allumer ? Si Papa était vraiment passé devant la maison, il n'y avait pas, il ne pouvait pas y avoir de lumière. Donc, il inventait. Avec son air de lui tendre la perche, l'astucieux ! Il inventait un détail inexact pour qu'elle confirmât, étourdiment, et par là même avouât qu'elle mentait. Mais je pouvais aussi avoir allumé. Autre problème ! Si j'avais allumé, sans raison apparente, je pouvais aussi bien m'être plus tard embusquée dans la cuisine. Quelle confusion ! Quel climat ! mensonge pour mensonge... Maman me regardait toujours, elle sourit, comme si elle m'était reconnaissante de mon silence — ou de mon sommeil. Moi, je me sentais honteuse et coupable de je ne sais quel péché par omission, j'affectai de tirer un bout de langue, de sautiller sur un talon : me réfugier dans la petite fille que je n'étais plus, que je n'aimais pas être, c'était encore à ma portée. Et Maman, qui s'était tassée, qui donnait l'impression d'être dominée, serrée de près — pourtant Papa n'avait même pas tiqué —, se redressa peu à peu, se mit à fouiller dans son sac pour y prendre sa clef. Je pus enfin lever les yeux, chercher ceux de mon père. Comme j'en étais sûre, ils ne posaient pas de questions, ils ne me demandaient pas de témoigner contre elle.

VI

A quatre heures et demie, Papa sortit de la maison et apparut dans la cour où, profitant d'un bon vent d'équinoxe, nous étions en train d'étendre des draps. Il avait fait peau neuve : pantalon rayé, veste grise, cravate grise, feutre gris posé sur son passe-montagne noir (ou plutôt sur un passe-montagne identique, car il en avait tout un jeu)... C'était son habituelle tenue de tournée. Mais la sacoche aux quittances manquait.

« Ça continue ! fit Maman.

— Oui, ça continue ! Lucien est déjà parti », cria Julienne qui, de l'autre côté du grillage, sur une lessive identique, disposait des épingles à linge de plastique multicolore.

Papa ne daigna pas entendre. Il se baissa, posa soigneusement une pince au bas de la jambe droite de son pantalon, puis au bas de la jambe gauche et, levant disgracieusement la cuisse, enfourcha son vélo. La lèvre et le front bas, ma mère le suivit des yeux jusqu'au tournant, visiblement écœurée par son allure de petit encaisseur empalé sur sa selle et maniant à bout de bras les poignées d'un

guidon haut relevé. « Pas de danger qu'une auto
me l'écrase, celui-là ! » marmonna-t-elle, tandis
que son mari abordait le virage sur un sage coup
de frein et un sage coup de sonnette. Je ne dis
rien, mais, pour la punir, au lieu de rester à la
maison et de l'aider, je sautai sur mon vélo, moi
aussi, et rejoignis Papa.

*

Sous la présidence de la Panhard, une dizaine
d'autos stationnaient devant la mairie, tandis qu'un
piquet de gendarmes pilonnait les détritus laissés
par les marchands de légumes et qui n'avaient pas
été balayés (Ruaux, à qui ce soin incombait, se
remboursant encore de sa nuit). Pour la même
raison, les tables et les tréteaux mis à la disposition des fermières n'avaient pas été enlevés : ils
subissaient l'assaut des gosses qui jouaient au feu
sous la conduite d'Hippolyte Gaudian, et le poids
des curieux qui surveillaient les allées et venues,
tirant de leurs cigarettes d'interminables bouffées
et de leur cervelle d'interminables commentaires.
    « Colu et, bien entendu, sa fille ! » fit l'un
d'eux.
    La remarque n'était pas pour nous déplaire. Nos
vélos, l'un dans l'autre emmêlés, furent confiés
à un tilleul, et, me tenant par le gras du bras,
Papa s'engouffra dans le *colonnoir,* espèce de hall
couvert sur lequel était bâtie la mairie et qui servait
de salle des ventes, de dancing, de théâtre, de
forum, voire d'entrepôt, selon les nécessités du

moment. Une assemblée confuse y tenait séance, enfumait les piliers. Emergeant d'un brouillard bleuâtre, un photographe se précipita, flanqué d'un griffonneur que *Le Petit Courrier* avait déjà envoyé à Saint-Leup lors de l'incendie de la ferme Daruelle.

« Monsieur Tête-de-Drap ?... Une minute, s'il vous plaît.

— Je m'appelle Colu », dit Papa sans s'arrêter.

Les éclairs de magnésium nous poursuivirent. Le journaliste essaya de manœuvrer, tourna autour d'un pilier, se retrouva devant nous, le Bic à fleur de carnet.

« Le grand héros de l'affaire me dira bien...

— Vous dire qui, vous dire quoi ? bougonna le héros. On a eu le feu, on n'a pas pu l'éteindre, on n'est pas trop fier... Voilà. Pour le reste je n'en sais pas plus que vous. »

Le journaliste allait insister, quand il aperçut quatre paires de vieilles moustaches craonnaises — drues, tombantes et couleur queue de vache — appartenant à quatre hommes largement culottés de velours. C'étaient les quatre sinistrés, ceux de la veille et ceux des trois derniers mois : Oudare, Binet, Daruelle et Petitpas. Ils venaient sans doute d'être entendus et descendaient l'escalier à la queue leu leu, rudes, muets, l'indignation aux pommettes, leurs fortes mains râpant la rampe de tous leurs cals. Le journaliste fit un bond vers son photographe en criant :

« Prends ça, petit père ! C'est trop beau. »

Nous en profitâmes aussitôt pour filer. Je venais

de reconnaître la salopette de Lucien Troche, posté
à l'extérieur d'un cercle de gens graves réunis
autour de M. Heaume. Suivi de mon père, je me
glissai derrière son dos, silencieusement. Parrain
m'aperçut, mais, engagé dans une discussion quasi
officielle, ne put que cligner de l'œil. Dépassant
tout le monde d'une bonne tête, il souriait large
et paraissait prendre un vif plaisir à écouter les
opinions, les gloses et les répliques qui fusaient de
toute part, sans qu'on pût même savoir qui parlait.

« Le chien n'a pas aboyé. Donc, c'est un familier.

— Il a pu être empoisonné, puis brûlé. N'oubliez pas qu'on ne l'a pas retrouvé.

— Le seul indice, ce sont les empreintes.

— De quelles empreintes voulez-vous être sûr
quand cent personnes sont passées après l'incendiaire ?

— Si... si... Dans le jardin de Binet, près de la
vanne du vivier et sur le raccourci de L'Argilière,
on trouve partout la même empreinte. Une botte
de caoutchouc, pointure 43...

— Uné botte de caoutchouc ! Tout le monde en
porte.

— Du 43 ! La taille la plus fréquente...

— Oui, mais il y a le clou ! » fit une voix péremp-
toire.

C'était celle de Ralingue qui, dans la discussion,
avait de l'autorité.

« Un clou très particulier, continuait-il. Un clou
de tapissier, à tête étoilée, fiché dans l'angle gauche

du talon. Un clou qui n'a l'air de rien, mais qui lie les deux affaires.

— Un peu faible, le lien ! » me souffla Papa dans l'oreille.

Troche, qui avait entendu, branla sa tête rousse, pour approuver, puis m'écarta du coude.

« Ne te serre pas contre moi, Céline. Je suis plein d'huile.

— Si c'est pour nous débiter des sornettes de cet acabit-là qu'Armand nous a convoqués ce soir, moi, je m'en vais, reprit Papa, toujours à mi-voix.

— Tu as vu le juge ? »

De l'index, Papa fit signe que non. Du menton, Troche lui indiqua la direction de l'escalier, et nous allions nous éclipser quand M. Heaume, dédaignant le capitaine, réclama l'avis du sergent :

« Ah ! monsieur Colu ! Ne partez pas, monsieur Colu. Je disais à l'instant que la première chose à faire était d'acheter une sirène et une motopompe plus puissante. Qu'en pensez-vous ? »

Lucien s'effaça pour laisser Papa qui ôta son chapeau, par politesse, mais surtout pour se donner une contenance, car il ne savait jamais quoi faire de ses mains. Il n'ignorait pas au surplus que, déchapeauté, son crâne de drap en imposait, tyrannisait l'œil des gens, conférant à son propriétaire l'importance que prend toujours dans le décor un objet insolite.

« Messieurs ! » dit-il, pour saluer tout le monde à la fois.

Il y avait là une bonne moitié du conseil. La moitié importante. Et, tout d'abord, les trois piliers de la sagesse à Saint-Leup, les trois membres du trium-

virat directeur de la « liste indépendante d'action
municipale », tous bridgeurs de Mme de la Haye et
rivaux secrets de son mari, qu'ils considéraient comme
un aventurier, sans trop oser le dire dans une région
où la moitié des châteaux sont aux mains d'une noblesse d'occasion, adoptée par une paysannerie qui
admet fort bien que la fortune fournisse la tourelle,
que la tourelle donne droit au titre et le titre à la
considération. C'est pourquoi, tout près de M. Heaume,
figuraient le bouc blanc du notaire, Me Besin, le
nœud papillon du vétérinaire Rébèle et la barbe
très noire du docteur Clobe : bloc apparemment
uni et électoralement invincible puisqu'il mono-
polisait les quatre éléments indestructibles du prestige villageois dans l'ouest (qui, dans l'ordre d'importance et la cure mise à part, sont le château,
l'étude, la médecine des bêtes, la médecine des
gens). Auprès de ce quatuor, Ralingue, Caré et
les autres « populaires » faisaient piètre figure, se
rengorgeaient en vain.

« D'accord pour la sirène, dit lentement Papa.
Quant à la pompe, si vous n'achetez pas aussi une
rivière, je ne vois pas très bien à quoi elle pourrait
servir. Ce sera une belle mécanique, peinte en rouge,
pour défiler le 14 juillet.

— M. Colu a raison. La première chose à faire,
c'est de construire un château d'eau. »

Le bouc de Me Besin — grand argentier — s'agita,
M. Heaume hocha la tête, indécis. Son œil vivant
vira dans la direction de Marceau Calivelle, élu
socialiste dont l'audience à ce titre était nulle, mais
qui se trouvait malheureusement être aussi direc-

teur de « l'autre école » (l'école, tout court, chez nous, c'est l'école libre), où il jouissait, du fait de sa voix pointue, du surnom de Perce-Oreille.

« Un château d'eau, bien sûr, fit-il, mais comment le payer ?

— M. Calivelle va profiter des circonstances, dit sévèrement le notaire, pour faire de la surenchère.

— Il ne s'agit pas de surenchère, maître, il s'agit de nécessité.

— Si la commune avait acheté la tour en temps utile, il n'y aurait pas de problème », murmura le docteur Clobe.

Le ton monta, la discussion devint désagréable et confuse. Papa, une fois de plus, en profita pour disparaître. On l'avait vu, cela suffisait. Les parlotes l'ennuyaient et, bien qu'il fût agent d'assurances, l'éloquence n'était pas son fort.

« Calivelle a raison, mais Besin n'a pas tort », dit-il en m'entraînant.

Ce qui n'était pas un jugement de Pilate, mais tenait compte de ces deux aspects que présentent beaucoup de problèmes pratiques et dont la politique ne voit jamais qu'un seul. A Saint-Leup, comme dans maints pays où l'eau affleure, elle était partout et elle n'était nulle part. Les gens n'éprouvaient pas le besoin de creuser des puits profonds, ni des mares importantes, puisque avec le minimum de capacité elles restaient toujours pleines. Innombrables, les ruisseaux drainaient mal une terre saturée, mais aucun ne parvenait sur le territoire communal à la dignité de rivière et n'offrait un débit intéressant. Aucune dénivellation, au surplus, pour assurer de la

pression, sauf la Queue-du-Loup, trop éloignée, et
la butte de la Haye, où Mme Heaume ne tolérait
pas qu'on installât un réservoir. Un château d'eau
s'imposait. Et pourtant le notaire, adversaire acharné
du projet, présentait des arguments valables : la perspective d'alimenter correctement la motopompe et
d'offrir en même temps l'eau courante aux habitants
du bourg, soit à peine le quart de la population, ne
tenait pas contre l'obligation d'imposer des centi-
mes additionnels au reste de la commune, composée de fermes que les canalisations n'atteindraient
jamais. Problème insoluble. Evitant le reporter du
Petit Courrier qui louchait encore de notre côté,
nous montions l'escalier en compagnie de Lucien
qui nous avait emboîté le pas. Comme nous allions
arriver au palier, le juge déboucha de la salle des
séances transformée en cabinet d'instruction. Long,
mince, le nez impertinent, mais l'œil à terre, M. Giat-
Chebé entraînait son greffier et le brigadier Lamorne. Tous trois semblaient de fort méchante
humeur.

« Des pompiers, disait le juge, je n'entends que des
pompiers ou des gendarmes ! Les uns ont vu du feu
et jeté un peu d'eau dessus; les autres ont vu des
cendres et jeté un peu d'encre sur du papier régle-
mentaire... Des rapports, des rapports... Pas un témoin ! Avec ça, brigadier, nous trouverons l'incendiaire ! Il peut dormir tranquille... Qu'est-ce encore ? »

Papa, chapeau bas, lui barrait le passage.

« Le sergent Colu, fit le greffier. Vous savez, celui
qui...

— Celui qui... celui qui... Ah ! oui. »

Une certaine considération se peignit sur le visage du magistrat, dont le regard monta, d'une secousse, des pieds de « celui qui » jusqu'à son crâne de drap noir.

« Encore une fois mes compliments, monsieur, dit-il. Mais ce que vous m'avez dit ce matin, sur les lieux, me suffit. Vous pouvez disposer... Oh ! la jolie fillette ! »

Je le détestai pour ce « fillette » et m'aplatis contre le mur, lui laissant le côté de la rampe. Il descendit deux marches et soudain se ravisa :

« Un mot, tout de même. »

Son nez, qui découpait l'air en tranches, s'immobilisa. Le bout d'un bel index rose vint se poser sur le gilet de Papa.

« Vous êtes agent d'assurances et, comme tel, obligé de faire toutes observations utiles à votre compagnie... Au cours des différents incendies, ou seulement au cours de l'un d'entre eux, n'avez-vous vraiment rien noté qui vous ait paru insolite ?

— Mon Dieu... non ! répondit Papa d'une voix si traînante que le juge, intéressé, lui poussa l'index au creux de l'estomac.

— Cherchez bien.

— Non, je n'ai rien remarqué, répéta mon père... Rien, sauf une coïncidence qui ne signifie sans doute pas grand-chose.

— Mais dites donc ! » glapit M. Giat-Chebé.

Impatient, il tapotait de la semelle l'arête de la troisième marche. Le dialogue du juge et de Papa, juste au sommet de l'escalier d'honneur, n'avait échappé à personne, si bien que, dans la grande salle du rez-de-chaussée, les conversations restaient suspendues, les bouches bées. De pilier en pilier, le journaliste s'était rapproché et commençait à crayonner. Un flash illumina le visage de Papa juste au moment où il se résignait à dire :

« Excusez-moi, monsieur le Juge, j'ai seulement remarqué que tous les incendies avaient eu lieu le soir d'une noce. »

*

Un ange passa. Le menton rentré dans le cou, les mains nouées, le juge expédiait de tous côtés ces petits coups d'œil de l'homme qui se consulte et se demande s'il ne risque pas le ridicule en prenant au sérieux un gros mystère enfantin. Il murmura :

« Hum ! On m'a dit aussi que toutes les fermes incendiées appartenaient au maire de ce pays. Vingt personnes sont venues me le répéter. Ce qui est inexact, d'ailleurs, car la ferme Daruelle n'appartient pas à M. Heaume. »

L'assistance, elle, semblait beaucoup plus impressionnée. Certains faisant de visibles efforts de mémoire, dépliaient les doigts, un à un, jusqu'à quatre. Puis, leur contrôle opéré, ils regardaient leurs voisins en haussant les sourcils, avec gravité, presque avec respect, tout prêts à franchir le pas qui sépare l'incompréhensible du fabuleux.

« Ça alors, ça ! fit Ralingue, exprimant à peu de frais le sentiment de tous ceux qui ne prétendaient pas avoir de lumières.

— Curieux ! Vraiment curieux ! dit presque aussitôt le docteur Clobe, au nom des autres. Si vraiment il y a rapport quelconque entre ceci et cela, il faudra que je revoie la théorie des correspondances... Aurions-nous hérité, dans ce trou, d'un étonnant sadique ? »

Il empoigna sa barbe et resta songeur, tandis que brusquement tout le monde se mettait à parler. Immobilisé sur la troisième marche, le juge prenait l'avis du brigadier. Nous n'attendîmes pas leur permission pour dégringoler l'escalier. Toujours flanqué de sa fille et de Lucien Troche, Papa franchit les grilles d'un bon pas et piqua droit sur les quatre fermiers qui, très entourés, discutaient sur la place. Il saisit Martial Oudare par la manche et lui souffla dans le nez :

« Attention ! N'oublie pas de me prévenir que tu as brûlé, par lettre recommandée, demain au plus tard. Toi aussi, Binet... »

Puis il me lissa les cheveux : geste qu'il faisait toujours quand il allait me quitter.

« J'ai un client à voir avant de rentrer. Va aider ta mère. »

Il sauta sur son vélo. En reprenant le mien, je m'aperçus que les deux pneus étaient crevés. Dans l'un d'eux, une aiguille était restée plantée.

« Ça, c'est un coup d'Hippo ! dit Lucien en jetant la machine sur son dos. Tu n'as qu'à remonter à pied, je te la ramènerai ce soir. »

Je l'accompagnai jusqu'au garage, où il me quitta pour se glisser sous une B-14 dont la tripe métallique était éparse sur le ciment huileux. Je rentrai seule, furieuse, et me retournai trois fois

pour crier : « Salaud ! » à ce garnement d'Hippolyte qui me suivait de loin, s'esclaffant, soufflant
entre ses pouces : « Houhouhou ! » selon la vieille
méthode des bracos et des chouans dont le signe
de ralliement était le cri de la chouette.

VII

Dans la chaleur, la vapeur, l'odeur du linge chaud et de l'amidon cuit, nos bras nus glissent en cadence, comme des bielles. Julienne tire de long, aplatit à toute allure serviettes et torchons. Maman, qui s'est réservée à la jeannette et ses difficultés, travaille surtout de la pointe, triomphe des entournures de manches, des angles de col, des replis de dentelles, par de savants et prestes pivotements du poignet. Avec une régularité d'horloge, toutes les cinq minutes, elle troque son fer contre un des autres fers, qui attend sur les rondelles du centre de la cuisinière, l'approche de sa joue pour l'apprécier, à quelques degrés près, et de la main gauche saisit dans le tas une nouvelle pièce. Quant à moi, qui n'ai droit qu'aux mouchoirs, je travaille au fer électrique, sur une petite table contiguë, torturant d'ailleurs mon « Calormatic », dont je manipule sans cesse le thermostat pour le seul plaisir de voir s'allumer ou s'éteindre la petite lampe rouge. Et le linge repassé s'entasse lentement sur la commode, disposé en deux piles : la pile Colu un peu plus haute que la pile Troche,

tandis que s'allonge le silence, à peine troublé par
le tintement des repose-fer ou par de brefs pétille-
ments franchissant le crible du cendrier. Pas un
mot. Au bout d'une heure, je n'y tiens plus, je
me campe devant Julienne et je crie, les bras croisés sur ma combinaison de pilou blanc :

« Vous êtes drôles, aujourd'hui ! »

Personne ne répond. Ni Julienne ni Maman qui
baisse le nez, bougonne. Je sais ce qu'elle a : Lucien
a dû faire allusion à ma présence au feu devant
Julienne, qui s'est empressée de s'étonner, de prêcher
prudence « pour le bien de cette petite » qu'elle déteste depuis qu'elle se sent percée à jour, surveillée,
suivie par mes yeux vairons. D'où ce malaise. Pourquoi n'en sortons-nous pas ? J'aime bien que les ma-
laises finissent au plus vite, même s'ils doivent finir
comme les assiettes : par des éclats. Elle ferait mieux
de dire, ma mère : « A propos, ne dis pas à ton père
que tu ne m'as pas vue en rentrant. Ça ferait des histoires. » Et ce serait fini, car, des histoires, ce n'est pas
moi qui lui en ferai. Ici, moi, je suis la seccotine qui,
désespérément, cherche à tout recoller, même l'enfer.
Mais il y a autre chose dans l'air qui fume plus fort
que la patte-mouille : Maman fait une crise de jalousie. Ma course au feu, elle en connaît bien le sens.
L'angoisse, la vigilance, la chaleur que cela suppose,
elle ne peut pas les supporter. Comment cet homme
qui n'existe plus pour elle peut-il m'occuper tant ?
Comment puis-je avoir si peur pour lui ? Comment
puis-je aimer cet ennemi ? Elle sait bien que je
l'aime, elle aussi, mais, je m'en aperçois tous les jours
un peu plus, la tendresse que je lui voue lui semble

souillée par celle que je réserve à mon père. Si encore je me contentais d'avoir un peu d'affection, un peu de pitié, pour lui !... J'ai dans l'oreille une de ses remarques, jetée à Julienne devant moi : « Après tout, c'est sa fille ! » et je vois encore sa tête quand Julienne, toujours à l'affût du mal qu'elle peut nous faire, lui répondit : « *Avant tout*, c'est sa fille ! » La préférence ! Voilà sa plaie, qui vient de se rouvrir. Une plaie inguérissable, car cette préférence, dès qu'elle ne l'estime plus assurée à mon père, elle en réclame aussitôt le bénéfice. Elle n'admettra jamais ce partage équitable qu'admet fort bien Papa. Il est vrai que lui — et voilà pour moi son auréole — il est vrai que lui ne la hait pas. Non, mon pauvre père, il ne la hait pas...

*

J'ai abandonné mon fer et c'est moi, maintenant, qui boude, le nez sur un livre, lorgnant du coin de l'œil ma mère et Julienne qui se sont mises à chuchoter, à chuchoter. L'une en face de l'autre et si semblables avec leurs coudes en l'air, leurs aisselles dévorées par de noirs frissons, leurs seins vivants fortement partagés par ce val tendre qui s'enfonce loin sous la chemise. De grands coups sourds martèlent la table sur laquelle Julienne plaque son fer avec force. Maman commence à repasser un pantalon, et ses lèvres bougent, tandis que fuse l'humide et brûlant refrain de la patte-mouille. De la commode, où il jaunit dans son cadre posé de travers entre les deux piles de linge, un très beau Bertrand Colu de vingt-deux

ans, en tenue de fantaisie spéciale pour militaire-
qui-doit-une-photo-à-sa-fiancée, écoute patiemment.
Moi aussi. Au plus fort de sa crise, Maman ne se
retient plus, se laisse exciter par la Troche. On ne
chuchote plus, on se moque de ma présence, on se
moque de mes oreilles, on feint de les croire complices...

« Et qu'est-ce que tu vas faire maintenant ? dit
Julienne.

— Qu'est-ce que tu veux que je fasse ? Rien n'est
changé. Je ne peux toujours pas m'en aller. Bertrand garderait Céline. Ah ! si j'avais quelque chose
contre lui... Je ne resterais pas un jour de plus à lui
repasser ses pantalons ! Mais qu'est-ce qu'il a, ce fer ? »

Le fer s'envole, vient renseigner la pommette
de ma mère, qui le remet sur la cuisinière. Le suivant est trouvé trop chaud et refroidi sur la patte-
mouille, arrosée de frais, qui fume de plus en plus
belle. Ce pantalon n'est qu'un pantalon de Papa.
Les affaires de Papa se repassent en dernier lieu,
s'il reste du temps et du feu. Mais Mme Colu ne
sabote jamais aucun travail, elle tient à sa réputation de ménagère de première classe, et n'importe
quel pantalon, même celui du diable, même celui
de son mari, a droit à un fer ni trop chaud ni trop
froid. Lissant un pli parfait, avec un zèle sévère
d'infirmière qui se force à soigner un blessé ennemi,
elle continue, rageuse et, j'en jurerais, ravie de
m'offenser :

« Mais rien, tu penses, rien ! Ce que je trouve
le plus odieux, dans cet homme-là, c'est justement que je n'aie rien à lui reprocher, que j'aie

toujours l'air de m'acharner sur un mari modèle.
Pour tout le monde, le martyr, ce n'est pas moi,
c'est lui. Monsieur est la patience même, la douceur, la fidélité, la morale incarnées ! Tu le ver-
rais, tous les soirs... Jamais il ne s'en va se coucher le premier, même s'il n'a plus rien à faire,
il reste sur le pas de sa porte, il attend, c'est recta.
Il attend que je m'en aille, il me suit des yeux,
comme un chien qui, dans un pays où il n'y aurait
pas de viande, espérerait quand même son os et,
quand je tourne le bouton, il dit : « Bonsoir, ché-
« rie. » D'abord, est-ce que ça se dit, chez nous,
des bêtises pareilles ? Et puis, ça fait des mois, ça
fait des années que je ne lui réponds rien. Eh bien,
tu peux me croire, pas une seule fois, pas une
seule, il n'a manqué de me le dire son : « Bonsoir,
chérie. » Tu l'entendrais ! Il a cent façons de le
dire... et, d'après celle qu'il emploie, je suis
fixée, je sais si ça va ou si ça ne va pas, si Monsieur a du vague dans l'âme, si j'ai fait quelque
chose qui ne lui a pas plu... Bonsoir, chérie !
Du grave, du sec, du gentil... Mais toujours *Bonsoir* et surtout toujours *chérie*. Chérie, sans ma
permission ! *Chérie,* jusqu'à la gauche ! »

J'ai pu l'écouter jusqu'au bout. C'est un miracle, mais il faut que ce miracle se prolonge.
Jamais elle ne s'était laissé aller jusque-là devant
moi. Comme elle doit souffrir ! Je la vois retourner le pantalon d'un geste brusque. Sa voix monte :

« Je lui en ficherai des *bonsoir* ! Je lui en ficherai des *chérie* !

— On lui en fichera ! » dit Julienne d'une

voix creuse, sans ralentir le souple va-et-vient de
son bras, dont luit la peau fraîche.

Plus calme que celui de ma mère, son visage
n'exprime qu'une aversion têtue, organisée, défi-
nitive. L'aversion de la pierre pour l'herbe, de
l'huile pour l'eau. Placée juste en face de la commode, elle est forcée de subir la photographie de
mon père jeune chaque fois qu'elle lève les yeux
et son regard durcit en butant dessus. « Chérie,
chérie !... » répète Maman, outrée, écrasant
le mot entre ses dents, faisant la grimace comme
s'il s'agissait d'une de ces horribles dragées sous
lesquelles s'enrobent les pires amertumes de la
pharmacopée. Et, soudain, elle sourit, de son plus
méchant sourire. Un léger fredon traverse le nez de
Julienne. *Bonsoir, chérie...* La bonne idée ! Les prunelles des deux amies se rencontrent, les fers chô-
ment un instant. Encouragée, Julienne entrouvre les
lèvres, lâche un filet de voix, à peine modulé, puis
ouvre peu à peu la bouche pour chanter bientôt à
pleine gorge, utilisant son agréable soprano d'ex-
enfant de Marie avec assez de science pour le rendre
acide et charger la chanson d'un sens secret :

> *Bonsoir, chérie, dormez, soyez sage,*
> *Bonsoir, chérie...*

Et la chanson se brise net, se disperse en éclats
de rires coupants comme des éclats de verre. Dé-
chaînée maintenant, Julienne miaule :

« Soyez sage, hein ! Soyez sage, surtout... Si j'étais
à ta place, Eva, je lui chantonnerais ça, le soir,

quand il fait le joli cœur, ton Bertrand. Mieux...
Je lui sifflerais !

— J'achèterai le disque », dit Maman.

Sa voix est froide, son fer glisse de nouveau. Tiens !
La haine serait-elle, comme l'amour, un bien sur qui
la jalousie s'exerce ? Ma mère, qui peut déchirer son
mari pendant des heures, s'associe mal aux fureurs
de Julienne. Bien sûr, l'origine de celles-ci — soigneusement tue, mais connue de tout le monde à
Saint-Leup sauf peut-être de cet innocent de Troche
— est plutôt flatteuse pour Maman qui, très impa-
tiente de se débarrasser de mon père, demeure
femme et cultive l'ombrageuse satisfaction d'avoir
été préférée jadis à Julienne. Elle dit encore, pour
masquer ce sentiment :

« Et le bonsoir, il l'aura ! Je ne sais pas quand,
mais il l'aura. »

Je me lève et Maman se tait, encore frémissante,
déjà un peu honteuse. Je me lève. Parce qu'il est
bon qu'un abcès crève, parce que cela lui faisait du
bien, je l'ai laissée me faire mal. Mais ça suffit. Elle
pourrait s'en faire à elle-même. Non, je ne sortirai
pas, raide comme la justice, en claquant les portes. Je me suis levée, je m'avance vers elle, douce,
douce, douce. Je m'avance, armée de ce seul regard
qui est aussi l'arme de mon père et dont il m'a enseigné le maniement. Qu'ils me ressemblent, mes yeux !
Qu'ils soient les deux tampons placés à l'avant
d'une locomotive en manœuvre ! Qu'ils la poussent,
qu'ils la poussent sur cette voie de garage... Bien
sûr qu'on s'aime, toutes les deux ! Maman, Maman,
comme c'est malin ! Embrassons-nous, mais sanglo-

tons le moins possible. Julienne se pourlèche...

Sa crise est finie — jusqu'à la prochaine. Dans
un silence entrecoupé de soupirs brefs — que la
Troche affecte de répéter et qui ressemblent chez
elle aux crachements d'air des chats —, nous ne
nous occupons plus que du tas de linge frais, très
blanc, sur qui saignent les C.T. de coton rouge, les
initiales des Colu-Torfoux brodées au point de croix.
La grande aiguille du cartel électrique fait un
demi-tour et, se poussant par saccades, se rapproche
de la perpendiculaire.

*

Six heures sonnent, dans le grave au cartel,
dans l'aigu à la pendule de ma chambre. Un coup
de sonnette vient achever la cacophonie. Il ne peut
s'agir de Papa qui a ses clefs. Nous nous précipitons
sur nos blouses et, dans une tenue plus décente,
Maman et moi allons ouvrir la porte derrière laquelle la médaille de Ralingue et les palmes acadé-
miques de M. Calivelle nous attendent.

« Bertrand est là ? » demandent-ils ensemble.

Maman ne me laisse pas répondre. Comme je
ne lui communique jamais rien de ce que Papa
me confie, même quand il s'agit du plus banal
détail, elle ignore qu'il est sorti du *colonnoir* avec
moi.

« Colu est à la mairie, dit-elle.

— Il n'y est plus depuis au moins une heure,
reprend Ralingue. J'en viens. Le conseil s'est
justement réuni dans l'intervalle et a pris une déci-

sion que nous devons lui communiquer d'urgence...

— Eh bien ! attendez-le. Ça m'étonnerait qu'il tarde ! » conclut ma mère, pointant le doigt dans la bonne direction.

Le jour commence à tomber. Elle allume et s'efface pour laisser passer les deux hommes qui depuis longtemps connaissent les êtres. Sans hésiter, ils s'enfoncent dans le couloir qui partage la maison — digne reflet du ménage — en deux parties égales : le domaine de Maman comprenant la salle commune et notre chambre, le domaine de Papa, comprenant également une chambre et une sorte de bureau, situé tout au fond. Ralingue ouvre la porte, manie le bouton situé contre le chambranle et referme. J'hésite, mais, comme je trouve tout de même la politesse de ma mère un peu courte, je l'abandonne pour tenir compagnie à nos visiteurs. Un coup de peigne, et me voilà derrière la porte qui n'est pas épaisse.

« Toujours aussi aimable, dit Ralingue.

— On la comprend un peu, dit Calivelle. Si nos femmes étaient scalpées, essorillées, ignobles à voir, je me demande combien de temps nous tiendrions le coup auprès d'elles. Ce ne doit pas être très drôle pour Mme Colu.

— Vous croyez que c'est drôle pour Bertrand ? »

Un bon point pour Ralingue. Attendons une seconde pour qu'ils ne supposent pas que j'ai entendu : ça les gênerait. Puis entrons. Ralingue, somnolent, est effondré sur une chaise. Calivelle considère la pièce. Il l'a bien vue cinq ou six fois, mais elle l'étonne encore, et il faut avouer qu'il y a de quoi,

« l'antre » — comme je l'appelle — ne ressemblant
à rien d'autre. Ni plinthes, ni boiseries, ni parquet,
ni papiers peints, ni tapis, ni rideaux. Rien que du
carreau et de la chaux. Un téléphone mural, dont
les fils ne rencontrent nulle part ceux de l'installa-
tion électrique modèle, entièrement faite sous tube.
Un bureau, une armoire à dossiers et quatre chaises métalliques. Seul élément combustible : une cen-
taine de livres, rangés toutefois sur des rayons faits
de plaques de Saint-Gobain. Professionnellement
attiré par l'imprimé, Calivelle s'approche, examine
les titres qui proclament tous la préoccupation majeure de leur propriétaire. *La lutte contre le feu,*
Manuel du fumiste, Manuel du pompier, Les Pyro-
gènes, Petit Traité de pyrométrie, Les Falariques,
La Théorie plutoniste, Du feu grégeois à la bombe
au phosphore, Les Supplices du feu, Arts du feu,
Dieux du feu (Vulcain, Svarojicht, Agni, Chen-
Noung, Nina), Corps réfractaires, Calories et Frigo-
ries, Les Lampes de sécurité voisinent avec *Les Lé-*
gendes de la salamandre, Il Fuoco, de Gabriele
d'Annunzio, *Le Feu,* de Barbusse, *La Rôtisserie de*
la reine Pédauque, et des formulaires, et des barèmes, et des revues d'assurances, des annuaires, des
catalogues de maisons spécialisées dans la vente des
ignifuges et du matériel de protection. Au pied de
l'étagère gisent deux « Sicli », une crépine, des raccords, des bouts de tuyaux de section différente, des
échantillons de laine de verre, d'amiante, de toile
coupe-flamme, une pile de dépliants édités par la
Croisade de la prudence... Dans la lutte contre le
feu, Papa cumule : sergent des pompiers, agent local

de la Séquanaise, il représente aussi une firme pour
le compte de laquelle il cherche à placer dans toutes
les granges ces petits extincteurs rouges, de maniement facile, et une société de produits chimiques
qui lance une composition miraculeuse destinée à
imprégner le bois des poutres, à le rendre incombustible. Enfin il est le secrétaire de la Ligue des
Prudents (trois adhérents à Saint-Leup : Ralingue,
Troche et Besson) et chargé comme tel de fulmi-
ner contre les campeurs, les jouets en celluloïd, les
installations électriques volantes interdites par l'Elec-
tricité de France.

« Ça vous intéresse, monsieur Calivelle ? »

Surprise ! Pour eux, comme pour moi. Papa sort
de sa chambre sur deux silencieuses charentaises.

« Je parie que ma femme et ma fille vous ont dit
que je n'étais pas là, explique-t-il (à si haute voix
qu'il pourrait bien s'adresser aussi aux occupants
de la cuisine.) Elles ne m'ont pas entendu rentrer.
J'étais si fatigué que, après avoir donné un coup
d'œil à mes abeilles, je me suis recouché. Asseyez-
vous, je vous en prie.

— Vous avez une curieuse bibliothèque, dit l'instituteur en posant sur une chaise la moitié d'une
fesse, selon la méthode qui permet à tous les pions
de se retourner aisément pour pincer le chahuteur.

— J'essaie de connaître mon affaire. Tous les problèmes du feu m'intéressent.

— Le feu, le feu ! reprend Calivelle, qui ne déteste pas étaler sa petite culture. Dire que le feu
n'est qu'un mot, une apparence, une réaction chi-
mique, une simple accélération du mouvement

brownien !... Le feu et Dieu se ressemblent. Ils sont partout et nulle part. On ne peut se passer d'eux et ils n'existent pas. »

Papa sursaute.

« Hein ? Que me chantez-vous là ? Le feu n'existe pas ! Vous plaisantez ! On voit que vous n'avez jamais eu affaire à lui. Si vous étiez comme moi... »

Déjà il touche à son passe-montagne. Ralingue intervient :

« Parlons de choses sérieuses, dit-il. Tu sais ce qu'il en est, Bertrand. La gendarmerie est sur les dents. Les gens gueulent : ils ont une trouille abominable. Cinq minutes après ton départ, le conseil s'est réuni, et nous sommes tombés d'accord pour l'achat de la sirène et pour celui d'une motopompe à grand rendement, capable d'inonder le sommet du clocher. »

Le sergent Colu se retrouve, prend son air compétent :

« J'ai dit ce que j'en pensais. La sirène, bravo ! Mais une pompe sans eau — ou presque — c'est une ruche sans essaim. Moi, j'aurais d'abord acheté l'essaim.

— Tout à fait mon avis, dit Calivelle.

— La commune fait ce qu'elle peut, dit Ralingue. Si le département nous aide, nous aurons aussi le château d'eau. En tout cas, le vote de principe est acquis, le conseil a nommé une commission — M. Calivelle et moi — pour s'enquérir du type souhaitable, de la marque, des prix. Bien entendu, nous venons... »

Papa l'interrompt :

« Je vois !... A la rescousse, Bertrand ! Eh bien, c'est entendu. Vous n'aurez qu'à signer le rapport. J'ai déjà pensé à la Burton 52. »

A peine plus poli que ne l'était ma mère tout à l'heure, il se lève, écourtant l'entretien.

« Je vous soumettrai aussi quelques suggestions pour assurer la sécurité. Il faut absolument que la série noire s'arrête. Ces histoires coûtent très cher à la Compagnie.

— Bah ! fait Ralingue, bonasse. D'un autre côté, ça incite les gens à s'assurer.

— Vous avez là de beaux chandeliers anciens », dit Calivelle, qui n'est plus du tout à la question et lorgne deux Louis XV de cuivre guilloché, placés de chaque côté de la cheminée.

Ralingue, qui ne doit pas être féru d'antiquailles, leur jette un coup d'œil distrait, puis s'approche, intrigué. Non par ce qui est au-dessous, mais par ce qui est au-dessus des bobèches. Ce sont nos bougies qui l'intéressent, ces belles bougies d'un brun vivant, un peu marbré, que nous fabriquons nous-mêmes, à la mode ancienne, avec la cire brute du rucher.

« Drôles de chandelles ! dit-il. Je n'en ai jamais vu de pareilles. »

VIII

Il y avait le dîner en silence, réduit à une mécanique de fourchettes et que je redoutais plus que tout. Il y avait le dîner en fanfare, un peu moins pénible, car la dispute tient moins bien que le silence et connaît des rémissions, ne serait-ce que pour reprendre souffle, pour retrouver des arguments. Il y avait le dîner avec un convive invisible. Papa ignorant Maman, Maman ignorant Papa, et chacun d'eux ne daignant s'apercevoir que de ma présence. Il y avait enfin le dîner de trêve, le plus fréquent tout de même, au cours duquel, pour ménager mes nerfs — et les siens —, ma mère consentait à prononcer quelques phrases banales, quelques phrases de service, telles que : « Du pain, s'il te plaît... Tu reprends du veau ?... Passe-moi le sel », ou même : « Es-tu passé chez un tel ? », embryon de conversation qui se développait parfois jusqu'à l'échange d'une dizaine de répliques et amenait une certaine détente, sans quoi les habitants de la maison Colu eussent depuis longtemps été mûrs pour l'asile de Sainte-Gemmes.

Ce dîner avait été pire que tout autre, avait rassemblé une mère gelée, émiettant nerveusement son pain, ne servant même pas sa fille, un père lointain, si distrait qu'il avait salé machinalement sa compote de pommes et l'avait avalée sans sourciller, une Céline au bord des larmes, assise sur une fesse, appuyée sur un coude et chipotant vaguement dans son assiette. Les serins eux-mêmes n'avaient pas eu le droit de troubler cette méditation générale : comme ils s'agitaient, Maman était allée étendre une serviette sur la cage pour les empêcher de chanter. Quant au chat, qui comme tous les chats avait des antennes, il ne s'était pas senti tranquille sous le buffet : il rasait les murs en guettant le premier bâillement de porte.

Aussi, le dessert expédié, je n'éprouvai aucune envie de m'attarder à table ni même dans la salle commune. Ces noirs silences crevaient trop souvent comme des orages après le dîner, et j'aimais mieux mettre entre eux et moi l'épaisseur d'une cloison. Je m'étirai du bout des bras au bout des jambes, je me décrochai deux ou trois fois la mâchoire et je pus décemment annoncer :

« Fatiguée !... Je me couche.

— Et la vaisselle ? Ta mère aussi est fatiguée, dit Papa, pour la forme.

— Tu ne vois donc pas qu'elle ne tient plus debout », répliqua vivement cette bonne Mme Colu, qui m'eût contrainte à demeurer si Papa avait été (ou avait fait semblant d'être) d'avis contraire.

*

Bonsoir l'un, bonsoir l'autre, un baiser à chacun, au vol, près du menton (signe de presse : le baiser ou plutôt les baisers ordinaires, picoti picota, explorent toute la région centrale de la joue). Puis, sur une pirouette, qui transforme en tutu ma jupe plissée et découvre deux maigres cuisses culottées de rose, je ne fais qu'un bond vers mon lit. Quelle meilleure retraite et quel meilleur poste d'observation ? L'armoire à glace est juste en face de la porte qui reste toujours grande ouverte jusqu'à ce que ma mère vienne me rejoindre. Comme, une fois l'électricité éteinte, je suis dans l'ombre et *eux* dans la lumière, rien ne m'échappe. Il vaudrait mieux, bien sûr, il vaudrait mieux fermer la porte ou au moins fermer les yeux. Mais comment pourrais-je me défendre et surtout les défendre l'un de l'autre, si je ne les surveille pas ? De plus en plus les rôles sont renversés, c'est l'enfant ici qui surveille ses parents. De si loin que je me souvienne, ils se sont toujours déchirés, mais ils y mettaient des formes. Depuis trois mois, ils ne respectent plus rien. Regardez-les ! Ecoutez-les !

Contrairement à son habitude, Maman, qui met son point d'honneur à ne jamais laisser traîner une vaisselle d'un jour à l'autre, ne saisit pas la lavette, se contente d'empiler les assiettes sur l'évier, et Papa, lui, s'empare du journal, se dirige vers le couloir, tournant délibérément le dos à sa femme. C'est elle qui doit l'interpeller :

« Ne mets pas le verrou, je sors. »

Réponse négligente :

« Ah ! tu sors...

— Eh bien, oui ! quoi, je sors ! hurle Maman,
feignant de répondre à la protestation qu'elle a
espérée. Je sors, et, si tu n'es pas content, Colu, c'est
la même chose. »

Ponctuant la phrase, une assiette (une assiette
dépareillée, il est vrai) embrasse bruyamment le dal-
lage. Geste impensable chez cette ménagère ! Papa,
une seconde, en suspend son pas. Mais il refuse de
se retourner et, contraignant la jambe fautive à
reprendre sa marche, dit de sa voix la plus calme,
la plus horripilante :

« Tu sors... Bon. Il n'y a vraiment pas de quoi
casser une assiette. »

Une seconde assiette — une assiette de service, cette
fois — vole dans sa direction, rase le passe-montagne et, franchissant la porte en même temps que
lui, va s'écraser sur quelque chose qui, d'après le
bruit, doit être un sous-verre du couloir.

« Coup double ! » fait la terrible voix calme.

La main de ma mère reste suspendue. Jusqu'ici,
les scènes se faisaient surtout à sens unique. Voilà
que « Colu » ose répondre ! Pis : voilà qu'il nar-
gue ! Un flot de sang lui monte aux pommettes.
Scandée par le pas de son mari qui s'éloigne vers
son bureau, la chanson, la chanson qu'elle devait
chanter à titre de provocation, jaillit du couloir :
Bonsoir, chérie, dormez, soyez sage...

« Oh ! fait-elle, dans un effort rauque qui vide
d'un coup toutes ses bronches. Il écoute aux portes,
maintenant ! »

Il ne lui vient pas à l'idée que de toute façon
Julienne la braillait bien haut, sa rengaine, que
toute la rue pouvait en profiter. Secouant ses cheveux, crispant les doigts, elle cherche la parade. Je
connais ce rictus. Il proclame : « Que pourrais-je
faire qui lui soit vraiment très pénible ? » Son regard
tombe sur le plat ancien accroché au mur, le plat
de la grand-mère Colu, le plat-charade auquel Papa
tient beaucoup à cause de ce texte idiot dont, à huit
ans, j'interprétais correctement les images, y compris les deux lettres russes :

Soue - Veau - Trempe - Hie - Rat d'eau - Râble, -
*   [Inhume - Aine,*
2 - Puits - I - Taon - Queue - Mont - Cœur - Rade -
*   [Œufs - Pène !*
2 - Mat - Soufre - Anse - Haie - Ié - Kehl - Queue -
*   [Pythie - E :*
Geai - Trot - Dame - Ours, - Preux - Nez - An - Lame -
*   [Ouate - Ié.*

Mon Dieu ! elle sait pourtant que M. Heaume
a dit un jour en l'examinant : « Belle pièce ! Ma
femme le pousserait bien jusqu'à cinq mille francs
dans une vente aux enchères sous le colonnoir. »
Elle sait aussi que j'y tiens plus encore que Papa.
Je crie : « Non ! » Trop tard. Le plat est arra-
ché, avec son fixateur triangulaire et son clou. Il
saute au plafond, respecte l'ampoule, mais pulvé-
rise la rondelle de porcelaine blanche tuyautée
qui sert d'abat-jour et se brise lui-même sur le
plâtre. Le tout redescend, pour s'émietter en me-

nus, menus morceaux, sur le carreau de la cuisine.

« Sous votre empire adorable ! » fait la voix lointaine de Papa.

Déplorable défi ! La vaisselle se met à voler dans tous les sens, le buffet de cuisine, la table, tout ce qui est dedans, tout ce qui est dessus, sont renversés dans un fracas de catastrophe. Piétinant parmi les débris, achevant à coups de talon la soupière qui miraculeusement n'avait qu'une anse cassée, Maman s'acharne, donne encore un coup de poing dans la glace. Ce sera son dernier exploit. Un morceau de verre lui est rentré dans la paume, le sang jaillit, elle pousse un ridicule petit : « Ouille ! », secoue la main et, soudain, abandonne tout, se jette dans le couloir, dans la cour. Le portillon métallique tinte : elle s'est réfugiée chez Julienne.

Silence. Long silence. Je n'ai pas bougé. Je regrette même mon cri. Car je n'ai rien vu, rien entendu. Ceux qui dorment n'ont pas à choisir. Officiellement, je dors. Et c'est pourquoi dans la salle — comme si le fracas de la vaisselle ne m'avait pas réveillée — évolue avec précaution une paire de charentaises. Qu'est-ce qui t'a pris, ce soir, mon petit père ? Je n'aime pas ces gestes mécaniques, ce calme pire que la pire colère.

Ah ! le portillon bat. Maman revient. Je t'en prie, ne dis rien. La table est relevée, le buffet en place, les tessons dans la poubelle. Avec des gestes lents, tu ranges les cuillers, les couteaux, les casseroles et autres objets incassables qui ont échappé au massacre. Bien. Mais fais mieux. Maman rentre. Ne la vois pas.

Hélas ! Papa se retourne, esquisse un insupportable sourire.

« Tu sors, chérie ? » demande-t-il.

Et Maman devient toute blanche, arrache son manteau de la patère, se jette de nouveau dans la cour où le vent brasse la nuit et fait claquer les draps.

*

Une demi-heure de plus. Mon père vient d'achever de tout remettre en ordre. Il s'approche, il entre dans cette chambre où il ne pénètre jamais, il allume la veilleuse. Je dors. Dans ce grand lit — qui a été le sien —, je dors sur le dos, la bouche entrouverte, le nez en l'air, bras et jambes jetés un peu partout. Mon soutien-gorge noir pend à la poignée de la fenêtre, ma combinaison est jetée en travers d'une chaise. Il se penche. Je dors, vous dis-je, parmi mes cheveux et les paupières bloquées sur la joue, la chemise ouverte sur une gorge où s'accélère le faible palpitement des carotides. A l'angle d'un œil perle cette stupide petite goutte qui n'a pas séché.

« Tu ne dors pas, tu fais semblant, Céline », dit mon père à voix basse.

Ne bougeons pas. Soyons bien détendue. Que notre haleine continue, sans changer de rythme, à faire voleter une mèche égarée sur notre nez !

« Ta mère et moi, nous nous sommes un peu accrochés. Ce n'est rien. Dors, mon poulet. »

Papa ramène la couverture sur mes épaules. Il éteint la veilleuse et s'en va sur la pointe des pieds, après avoir jeté un coup d'œil circulaire qui ne peut rien lui apprendre qu'il ne sache déjà. Cette pièce est entièrement purgée de lui, tout objet susceptible de rappeler une certaine époque a été rigoureusement banni : la chambre de sa femme est devenue une chambre de fille mère. « Dors, mon poulet ! » répète-t-il avec une bouleversante douceur, tandis que se ferme la porte et que s'efface dans la glace son visage ravagé.

*

Sur mes pieds, vite ! Sautons par la fenêtre. Il est sorti par-derrière, et sa lampe tempête se balance dans la nuit. Après sa fille, ses abeilles : ce grand vent peut avoir bousculé un chapeau. Par la petite allée de ciment, il gagne le fond du jardin où, dans un clos séparé bien pourvu de plantes mellifères, reposent les douze ruches Colu, six modernes à cadres mobiles, six anciennes de paille tressée, très pointues, qui prennent dans l'ombre l'aspect de grandes cagoules. Il se penche sur elles comme il se penchait sur moi tout à l'heure : son oreille avertie les ausculte, apprécie la qualité du bourdonnement intérieur, de la vibration continue qu'émettent les abeilles au repos, serrées autour de leur reine ou vaquant aux besognes sucrées qu'exige le couvain. Il se relève. Tout va bien. Par acquit de conscience, le rond blanc de sa lampe s'attarde sur les trous de vol. Un papillon nocturne qui traîne sur une planchette et doit ressembler à un sphinx est saisi et, dans le doute, exécuté.

Disparaissons sous les couvertures : il rentre ! Mais c'est pour ressortir aussitôt de l'autre côté, le gravier de la courette crisse, le portillon bat. Je retombe sur mes pieds et me voici dans la salle, postée à la fenêtre. Le vent enfile la rue avec plus de violence que partout ailleurs, secoue les persiennes, traîne des papiers gras d'un caniveau à l'autre. La tremblante lumière du lointain lampadaire vient mourir par ici. Cette masse, oui, c'est Papa qui piétine dans l'ombre, sous les fenêtres des Troche, dont tous les volets sont fermés, à l'exception de ceux de la cuisine. L'ombre de Julienne, par intervalles, passe devant le rideau. Celle de Lucien aussi. Pas celle de Maman. La voix de Julienne traverse les vitres, étouffée, mais bien reconnaissable. Celle de Lucien aussi. Pas celle de Maman. A quoi bon insister ? Cette nuque est la nuque rousse de Lucien, cette autre, la nuque noire de Julienne. Il n'y a pas de tierce personne. Papa le voit bien, mais, juste au moment où il s'en va, Julienne se retourne et surprend ce profil inquiet, qui glisse derrière ses carreaux.

« Qu'est-ce que c'est ? » crie-t-elle, effrayée. Puis, elle le reconnaît et vient ouvrir.

« Tu n'as pas vu Eva ? demande Papa, gêné.

— Ah ! vous, avec vos sérénades ! s'exclame Julienne. Non, elle n'est pas là. Pourquoi serait-elle là ? Et même si elle était là, tu as besoin de t'embusquer sous mes fenêtres ? »

Lucien élève la voix :

« Elle est peut-être chez sa tante.

— Oh ! sa tante... », balbutie Papa.

Je n'entends plus rien. Il a glissé le long du mur,

d'un pas mou, tandis que Julienne ramenait ses volets. Il descend la rue, s'immobilisant devant certaines maisons pour tendre l'oreille. Il tourne, et je ne le vois plus. Mais je devine le programme : il va atteindre la place, l'inspecter, s'engager dans la grand-rue, qu'il remontera lentement jusqu'à l'endroit où elle devient route et s'enfonce dans la campagne. Alors il fera demi-tour et se rabattra sur le quartier bas, par les venelles. Il fera des stages sous chaque lampadaire, dansant d'un pied sur l'autre et se frottant nerveusement les mains. Et de temps en temps, trompé par quelque pas de femme talonnant le pavé, il se précipitera, il rentrera en coup de vent, pour voir, laissant le portillon secouer sa ferraille.

Pas de manteau à la patère, non, pas de manteau. Rallume un instant la veilleuse, Papa, constate que je dors et va ! Sors, tourne en rond, rentre, ressors. Le portillon ne fait que tinter. A minuit, quand la lumière s'éteindra dans les rues, il tintera pour la dernière fois.

IX

Ce vent ! Tout près de moi, il secoue le rideau de fer de la cheminée, les tôles des cabanes à lapins et, s'engouffrant par les lucarnes du grenier, y fait bruire les fanes de haricots qui sèchent sur de longs fils. Je dors, je me réveille, je me rendors, enfoncée dans mon inquiétude et dans ce monde trouble du demi-sommeil où la conscience lutte contre le rêve.

Ce vent ! Un peu plus loin, il torture les frênes et les rouvre, il rebrousse le poil des chiens errants dans la nuit... Je n'y suis pas, vous n'y êtes pas, nul n'y est, sauf l'ombre et ce qui vit dans l'ombre. Mais nous le saurons, mais nous le savons « comme Luc et Marc » qui, eux non plus, n'y étaient pas et qui ont vu, plus tard, les yeux fermés, avec une inspiration plus sûre que la présence. *En ce temps-là,* disent-ils... Formule sœur de celle qui me souffle encore à l'oreille : *Ecoute-moi, Céline...*

Ce vent ! Au loin dans la campagne, il déporte les chouettes en leur grand vol feutré. Dense comme une écharpe, il enveloppe, il étrangle les souches à grosses têtes qui simulent et qui sont peut-être,

celle-ci un braconnier à l'affût, celle-là un homme
aux aguets. Ce vent ! Ce vent ! Depuis la côte, il
s'étire, il file de long, rasant l'herbe de haie en haie,
butant contre des remparts de ronces et d'ajoncs,
secouant le genêt, faisant grêler les prunelles, siffler le trou de mésange foré dans un tronc de pom-
mier. Renouvelé sans cesse, il repart, important,
exportant — avec un bruit de billets froissés —
les derniers pétales, les premières feuilles mortes.
Et surtout les odeurs. Ces innombrables odeurs de
l'automne, plus compactes que les frêles parfums
d'avril, mois sans poil et sans plume.

Les odeurs ! Les chiens errants — et chez nous,
où l'on n'attache guère les chiens, ils le sont presque tous —, les chiens errants s'en gavent. Voyez
celui-ci ou plutôt celle-ci qui trotte, l'oreille sur l'œil,
prenant tout son temps, flairant ici, humant là, reniflant ailleurs avec insistance. Petite quête. Xantippe
ne chasse pas, elle bricole, elle s'amuse. Une voie
chaude, et la voilà tout de même lancée en flèche
dans la nuit, le nez à fleur de terre et la gorge encombrée d'abois suraigus. Mais le garenne se jette au
hallier, et la chienne, qui a l'oreille sensible, n'aime
pas la bourrée. Crochet. Divagations. Une touffe
qui sent bon a dû servir de gîte. Plus loin, le pied
d'un cormier offre un fumet qui se prolonge sur
l'écorce : un jeune écureuil est sans doute tapi à
l'aisselle d'une branche, narguant les chiens, mais
non le hibou. La chienne salue d'un coup de gueule
et repart, longe le chemin de Noisière, bordé d'ajoncs
qui lui cardent le poil. Circuit habituel. Au bout,
il y a le bois de sapins, avec ses terriers élargis par

d'acharnés grattis. Nous y sommes ! Malgré les pluies
récentes, le vent a tout ressuyé. Aiguilles, brindilles
et broussailles sont aussi sèches qu'au cœur de l'été.
Tout craque, tout se froisse. Le moindre pied, la
moindre patte se trahit aussitôt... Stop ! On bouge
là-bas.

On bouge. On vient. Serait-ce le damné garde-
chasse qui déteste les chiens et sait tailler dans les
noisetiers de si longues badines ? Non. La patte en
l'air, tenant l'arrêt, Xantippe est formelle. Ceci n'a
rien à voir avec l'odeur Besson, qu'accompagnent
toujours les relents accessoires du gros drap, du cuir
brut, de la poudre et du vin rouge, sans compter
l'agaçant fredon. Ceci est tout autre... Amicale éma-
nation ! La rencontre, au moins hebdomadaire, est
inoffensive, souvent profitable, surtout depuis quelque temps. On peut trépigner des quatre pattes,
gémir de joie, goupillonner de la queue. L'odeur
augmente, un léger sifflotement l'accompagne, qui
est de bon augure, car d'ordinaire il s'agit d'une
sorte de tic, et aujourd'hui cela ressemble à un appel.
Quoaillant de plus belle, dans l'ombre, la chienne
pointe la truffe, écarquille les yeux, jappe faiblement. Voici le melon, la houppelande et les bottes.
Le sifflement s'arrête, une main s'avance... Xantippe, au jugé, d'un claquement de mâchoire, happe
le morceau de sucre.

Un second suit, puis un troisième. S'il n'est pas
bavard, le noctambule, cette nuit, est prodigue.
La chienne ondule sous les caresses, couche la tête
dont une main savante gratte les endroits les plus
sensibles et lisse les grandes oreilles au bord des-

quelles les tiques se sont accrochées comme des perles.

Mais quoi ? Quelle est cette traîtrise ? Solidement coincée entre deux genoux, la chienne cherche vainement à se dérober. Aucune défense possible. Aucune ressource; pas même celle de donner, de biais, un coup de croc. Son bienfaiteur, pour commencer, vient de nouer autour de son cou une sorte de muselière. Puis il l'entraîne. Son pas lourd, mais qui sait se poser sur les touffes molles, les tapis d'aiguilles, s'enfonce dans l'intérieur du bois, s'étouffe vite, s'éteint, tandis que le remplace peu à peu — deux minutes trop tard; pas de veine, Xantippe ! — ce pas clair, calme, net, qui vient du chemin de Noisière et qu'accompagne un léger nasillement ! *Ohé ! la paludière, lala, lalalala...*

*

Un hasard, du reste, Besson ne sort guère la nuit. Il est de ces gardes qui pensent que les braconniers aiment leur lit autant qu'eux-mêmes, que leur plaque de cuivre et les initiales du patron peintes en blanc sur chaque barrière sont de suffisants porte-respect. Né au village, il ne redoute rien tant que de verbaliser : sa femme a des ennuis, ensuite, avec les femmes des délinquants, tous plus ou moins cousins. Dans ses tournées diurnes, il s'arrange toujours pour faire beaucoup de bruit et, si un acharné ose tirer un lapin trop près de lui, il crie très fort : « Attends un peu que je t'attrape ! » et se met à courir quand l'autre a sauté trois haies. Une fois, pour justifier son emploi, il a tout de même arrêté un poseur de collet : opération moins dangereuse car le gars n'avait pas de fusil et moins impopulaire car il s'agissait d'un ouvrier segréen, donc d'un étranger. Mais M. Heaume n'a pas donné suite, M. Heaume non plus ne veut pas d'histoires : s'il est maire de Saint-Leup, il est aussi candidat au Conseil général. Au surplus, Mme Heaume, membre de la S.P.A., lui interdit de chasser, et il y consent volontiers, la vénerie, passion héréditaire de la noblesse, n'étant pas plus que celle-ci ancrée dans son sang. M. Heaume a un garde-chasse, comme il a des chambres superflues, de l'argenterie inutile. Question d'apparat ! Du reste, Besson a ses avantages : il sert aussi de chauffeur, il bricole un peu partout et sait perdre aux boules, jeu préféré de M. Heaume. Enfin il connaît le pays à fond : c'est un cadastre ambulant et un excellent agent électoral.

*

Un hasard !... Un hasard que le garde ait été pris dans l'après-midi d'une si belle rage de dents et soit allé fouiller dans la pharmacie pour s'administrer deux comprimés, puis deux autres une demi-heure plus tard ! Un hasard qu'il se soit trompé de tube et ait avalé, au lieu d'aspirine, quatre comprimés de corydrane ! La rage de dents a disparu, Besson est devenu frais et dispos, si frais et si dispos qu'il lui a été totalement impossible de dormir et que, de guerre lasse, à minuit passé, il s'est décidé à en profiter pour faire une tournée. Le samedi et le dimanche, il se manie beaucoup de fil de laiton, et la nuit du dimanche au lundi est souvent fatale aux lapins. Besson a un coup d'œil étonnant pour repérer la moindre coulée et il ne dédaigne pas de relever les collets. C'est sa manière de garder et, dans un sens, elle limite les dégâts en décourageant les braconniers qui se disent : « Inutile de colleter chez M. de la Haye : Besson passe avant nous. »

Comme d'habitude, le garde a traversé le parc et se dirige tout droit sur la sapinière, le fusil — un vieux Damas — retenu sur l'épaule droite par une bretelle de fortune, faite d'une tresse de ficelle de faucheuse-lieuse. Le vent s'engouffre dans sa blouse à poche qui se gonfle dans son dos comme un ballon. Il marche sur un demi-cent de bons clous qui rabotent la terre et, pour le mieux signaler encore à l'attention d'éventuels clients, sa culotte-à-choux de grosse toile, jetée par-dessus ses houseaux, imite le bruit de la râpe à betterave. Mais qu'importe ? Besson ne cherche personne. A la hauteur de la Genestière, il quitte le chemin, fait un crochet, se baisse trois fois devant trois coulées, invisibles dans l'ombre pour tout autre que lui. Quand il regagne le chemin, sa blouse à poche a changé d'aspect, lui fait sur les reins une sorte de bourrelet, analogue à celui que fait, par-devant, le corsage des matrones. Son pas est devenu plus vif et en moins de dix minutes le mène jusqu'au bois. Il l'a déjà entraîné de plus de trois cents mètres à l'intérieur de la sapinière, sur cette baie qui la traverse de part en part, quand il s'arrête pile : un hurlement suraigu vient de jaillir, tout près, et une flèche lumineuse traverse la nuit.

*

Besson reste un instant perplexe. Un chien qui chasse, même muselé, aboie plus franchement, ne hurle pas ainsi. Une lanterne de braconnier se déplace lentement avec des tremblotements, des éclipses caractéristiques. Quant à l'association du chien et de la lanterne, elle semble incompréhensible. Un soupçon traverse l'esprit du garde qui bondit en avant. Le hurlement continue, s'éloigne, revient, suivi (ou précédé ?) de cette étrange lueur, de ce gros feu follet, qui apparaît, disparaît, fait de brusques écarts, décrit des cercles fous... Besson décroche son fusil, arme, épaule. Il était temps : une bête lancée à toute allure et qui traîne un objet enflammé passe par le travers à vingt-cinq mètres. Besson appuie sur la détente — sur la seconde : celle du canon gauche, chargé d'un bon 4 destiné aux lièvres —, et le coup de feu, le même pourtant qui en plein jour serait passé inaperçu, fend la nuit comme un coup de foudre, secoue l'écho avec une telle violence que, de proche en proche, il se répercute au moins une demi-douzaine de fois. Puis la nuit et le silence se referment. La bête ne hurle plus, ne gémit même pas. Elle a culbuté au pied d'un « replant », entraînant cette flamme qui a tournoyé trois fois comme une pièce d'artifice et qui continue à fuser près du cadavre, l'éclairant assez pour permettre de voir qu'il s'agit bien d'un chien. Besson

s'approche, tremblant, se défilant derrière les troncs.
La chose va-t-elle éclater : le hurlement, la lueur
ont surgi comme il arrivait. Le coupable a été surpris; il doit l'observer, tapi dans quelque buisson,
armé sans doute et attendant l'occasion de lui faire
subir le sort du chien. Besson se jette à plat ventre,
rampe vers sa victime... et soudain se relève. Des
branches craquent, une ombre s'enfuit, là-bas, sur
la droite, sautant de tronc en tronc, elle aussi. Besson croit distinguer un melon, une pèlerine. Les
jambes coupées, sans viser, il lâche son coup droit,
qui s'en va distribuer aux feuilles mortes une grêlée
de petit plomb. Son flegme ordinaire l'a tout à
fait quitté. Plus question de fredonner. Il recharge
fiévreusement, arrachant de sa cartouchière n'importe quelles cartouches, aussitôt percutées, au hasard, pour faire du bruit, pour montrer que lui,
Besson, le garde, a la force et qu'on peut avoir
peur de sa peur. L'ombre a disparu depuis longtemps qu'il tire encore, fusillant les baliveaux
avec du 4, avec des chevrotines, avec du 8... Il
s'arrêtera quand il aura brûlé sa dernière cartou-
che. Alors seulement, rassuré, il s'approche du
chien et comprend : à la queue est attachée une
lampe à souder de petit modèle, qui crache toujours sa flamme sèche, régulière, presque bleue.
Par bonheur, le chien affolé n'a divagué que dans
cette partie du sous-bois bien connue des gamins
et couverte de myrtilles. Il n'a pas atteint, il n'a
pas eu le temps d'atteindre cette région pleine d'aiguilles, de pommes de pin, de broussailles bien sèches qui auraient flambé comme de l'étoupe. Le

coup est manqué. Mais l'idée subsiste et surtout le danger. Une nouvelle vague de frayeur fait grelotter le menton de Besson, qui éteint la lampe en revissant la molette, charge à son tour le chien sur son épaule et s'enfuit, à toutes jambes, vers le château.

X

J'ÉTENDIS les bras : rien à gauche, rien à droite, elle n'était pas rentrée. Pas rentrée ! A sept heures ! Le réveil venait de carillonner dans l'autre chambre et s'était tu très vite, le bouton enfoncé par quelque coup de pouce. Donc il était là, lui, prenant soin de mon sommeil. Mais je refusai cette grâce dont je profitais souvent jusqu'à huit heures et me levai aussitôt pour aller, en chemise, ouvrir les volets. Au même moment, se rabattirent ceux du bureau. « Tu ne sais rien, Céline, tu n'as rien vu, rien entendu, sois gaie. sois mignonne à croquer », me souffla mon bon ange, qui a l'aile courte, mais l'auréole têtue. En vertu de quoi je chantai : « Bonjour, monsieur ! — Bonjour, mademoiselle ! » me répondit une voix dégringolée dans le fin fond du grave. J'aperçus un bout de tête qui se retira vivement en arrière : Papa n'avait pas encore mis son passe-montagne.

Mais elle ? Elle ! Le nez fripé, la joue chaude, je m'habillai en hâte devant la fenêtre ouverte, par où me parvenait l'extrême fraîcheur du matin. Le vent cédait un peu. Les choux, les scaroles étaient salés de gelée blanche et les ruches, givrées, trans-

formées en mitres d'abbé. Un grand V migrateur
traversait le ciel pur, dans la direction exacte des
girouettes : nord-sud. Les feuilles tenaient encore
bon pour les pommiers, mais tombaient sous les
poiriers, noirâtres, toutes roulées. Machinalement
tirée, la fermeture Eclair de mon éternel blouson
m'avertit que j'étais prête, quoique non lavée. Tant
pis ! Personne dans la salle. Je passai dans le vestibule. Surprise ! Au-dessus d'une paire de souliers
sales, le manteau était là. Bannière fuyante et poil
hérissé sur ses cuisses nues, mais casqué de noir, vraiment cocasse en cet étrange appareil, Papa le contemplait d'un air las.

« Ta mère dort ? demanda-t-il après m'avoir
embrassée.

— Je ne l'ai pas vue. »

Pourtant le manteau était là, accroché par la manche, comme doit le faire toute femme soucieuse de
ne point déformer son col. Il n'avouait rien de plus
que les souliers. Deux ou trois de ces capitules de
bardane, tout ronds, hérissés de petits crochets, que
les gamins appellent *boutons de pompier* et que
les rebouteux employaient jadis contre les mala-
dies de peau, s'étaient incrustés dans la laine. Mais
la bardane pousse partout, au bord des ruelles ou
des chemins. Papa n'ajouta pas un mot, alla s'habiller, se raser, ce qui fut bientôt fait. Cinq minutes
plus tard, il était dans la cuisine, où je faisais discrètement le recensement du massacre. Vendredi,
jour des poubelles : cette corvée lui avait toujours
incombé. Il empoigna une anse de la vieille lessiveuse qui servait à cet usage et murmura :

« Inutile, tu ne crois pas, de donner au boueux... ? »

D'accord. Inutile de la mettre dans la rue, de donner au boueux l'occasion de raconter à tout le village : « Ça chauffe chez les Colu. Leur poubelle était pleine de vaisselle cassée. » Je saisis l'autre anse, et la poubelle fut transportée au fond du jardin. Un quart d'heure fut nécessaire pour creuser une fosse dans le terrain réservé aux ruches, enfouir les tessons, reboucher, nous ne parlions guère. Papa dit seulement :

« C'est de la vaisselle de la Coopé, ce doit être un article suivi. »

Comme nous nous comprenions bien tous les deux ! Ma réponse compléta sa pensée :

« J'ai noté tout ce qui manque. J'irai racheter la même chose tout à l'heure. »

Le soleil franchissait la ligne d'horizon. Une abeille se risqua, remontant ce premier rayon d'un vol raide et frileux.

« Etonnant, dit Papa. Elles sortent encore ! »

Il me toucha le bras, et je me retournai : on refermait la fenêtre de ma chambre. On tirait les rideaux. Je pensai très vite : « Elle vient de rentrer. Elle se couche », et Papa, qui damait la terre à violents coups de talon, devait penser la même chose. Mais de légers chocs de casserole et le ronronnement du moulin mural nous détrompèrent aussitôt. Enfin comme tous les matins la voix de ma mère jaillit du couloir :

« Viens déjeuner, Céline. »

*

Il y avait trois bols sur la table qui n'appartenaient pas au ménage. Des bols Troche : un vert,
un blanc, un jaune. Je poussai le blanc devant Papa,
puis je rougis de cette pudeur stupide. Je n'y étais
plus du tout, je m'embrouillais : A-t-elle couché
chez les Troche ? Est-elle revenue plus tard chez
eux ? Après tout, elle est peut-être simplement allée
chez grand-mère, au Louroux. Je regarderai si le
vélo... En tout cas, elle a dormi, c'est sûr. Et mieux
que nous, il n'y a qu'à voir son air reposé. »

Nette, bien coiffée, la poitrine calme dans une
blouse fraîche, Maman ne faisait pas attention à
nous. Elle m'avait dit bonjour, comme tous les matins. Le dos tourné, très à l'aise, elle surveillait le
lait qui gonflait sur le réchaud à butane et crevait
la peau avec le manche d'une louche. Puis elle retournait son instrument et, puisant un peu d'eau
bouillante dans une casserole qui chantait sur l'autre
bec, arrosait la cafetière. Mais cette sérénité n'était
qu'un masque, qui tomba d'un seul coup.

« Bertrand ! dit-elle comme si elle ne savait pas
que son mari fût derrière elle.

— Eva ! répondit-il avec la même négligence.

— Ecoute, il faut en finir, ça ne peut plus durer
comme ça. Je pars avec Céline, tout à l'heure, chez
ma mère, la petite sera certainement d'accord.

— Ça m'étonnerait », dit Papa.

Il se leva, son bol en main, où gisaient deux morceaux de sucre, se servit du lait, se servit du café,

sans attendre que l'un fût tout à fait bouilli et l'autre
tout à fait passé. Maman tapa du pied.

« Ne fais pas l'idiot », dit-elle.

L'idiot battit en retraite et, debout, près de la
fenêtre, se mit à boire son café au lait. Je vins comme
un chat me frotter contre lui. Il osa dire, entre deux
gorgées :

« Tu me quittes, Céline ?

— Ne fais pas l'idiot ! » répondit, elle aussi, cette
fille insolente, en lui suçant la joue, au bord du
passe-montagne, là où elle commençait à se strier
de rouge.

Son regard devint une seconde bleu comme une
flamme de gaz. Puis il sortit d'un pas vif : le téléphone sonnait.

*

Laissant tomber les paillettes, je touillais mon Ovo-
maltine. Maman, qui s'en tenait au café noir, s'était
assise en face de moi et parlait sans me regarder :

« Je regrette de te le dire, mais la situation devient impossible. Nous nous en allons bien au Louroux aujourd'hui, toutes les deux. Tu emporteras
tes affaires. »

Je regardais droit devant moi. Le raclement de
ma cuiller au fond du bol ne s'arrêtait pas. Le chat
miaula. Un serin lança une trille.

« Eh bien ? réponds-moi ! » fit ma mère.

Je baissais le nez. J'étais au supplice et ravalais
nerveusement ma salive. J'eus beaucoup de mal à
balbutier :

« Moi aussi, je regrette, Maman, mais entre vous deux je ne choisirai pas. »

La main de Mme Colu bougea, et je me couvris le visage de mon coude, instinctivement. Mais la gifle ne partit pas, les épaules de maman s'affaissèrent.

« C'est injuste ! » souffla-t-elle en me regardant avec une sorte de rage tendre.

Elle n'avait pas achevé sa pensée, mais il n'était pas difficile de la deviner. N'était-ce pas injuste que les hommes, surtout un « Colu », fussent propriétaires de leurs enfants au même titre que leurs mères (voire davantage puisque ce sont eux qui leur donnent leurs noms) ? Et pourtant jamais un enfant, jamais une Céline ne serait pour son père ce qu'elle était pour sa mère : une portion de son ventre, un membre détaché d'elle ! Maman s'effondra tout à fait, murmura :

« Tu ne vois donc pas que je n'en peux plus !

— Je sais ! »

Ma main s'avança vers la sienne, s'y engagea, les doigts dans les doigts, comme des engrenages faits pour d'autres engrenages. Encouragée, elle se laissait aller, avouait ce qu'elle n'aurait jamais dû avouer :

« Ce visage ! J'ai toujours ce visage devant moi !

— Moi, je ne le vois pas, dis-je, très doucement.

— C'est que, moi, je le vois. Je le vois sans cesse. Je ne peux pas m'empêcher de le voir...

— Comment fais-tu donc ? »

Je retirai ma main, je repoussai le bol fumant.

« Comment fais-tu donc, Maman ? Comment

fais-tu donc pour le voir ? Tu ne le regardes jamais ! »

*

Quand Papa rentra dans la pièce, raide et grave, l'Ovolmaltine et le café refroidissaient, intouchés, auprès des tartines qui avaient été coupées, mais non beurrées. Papa caressa longuement mes cheveux, du front à la nuque, où leur flot se divisait sur un cou maigre, marqué d'un grain de beauté — le même, à la même place et sous les mêmes cheveux qu'avait ma mère. Ce détail dut l'attendrir, car il avança la main vers la tempe de sa femme, qui releva la tête d'un seul coup et lui jeta un regard pire que toute insulte. Il secoua les doigts comme s'il s'était brûlé et glissa vivement la main dans sa poche. Puis son visage se recomposa, devint aussi sévère que son passe-montagne.

« M. Heaume vient de me téléphoner, dit-il. Pendant la nuit, on a essayé de mettre le feu à ses sapinières. Le brigadier Lamorne et le docteur Clobe sont déjà là-bas. J'y monte.

— Je monte avec toi ! »

Moins émue par la nouvelle que par l'idée de rester seule avec ma mère, d'être obligée de feindre ou — qui pis est — de subir ses explications, je me jetais sur l'occasion.

« C'est qu'il s'agit d'une réunion sérieuse, fit mon père, hésitant.

— Va ! M. Heaume sera content de te voir », dit aussitôt Maman.

XI

Les ifs obèses faisaient leurs bouddhas, assis dans l'impur gazon d'automne. Je donnai une tape amicale sur la fesse d'une nymphe qui se lavait les pieds depuis deux cents ans dans une vasque de marbre. Déjà nous grimpions les marches de l'escalier moussu, bordé d'un précieux mur de buis que Mme de la Haye était justement en train de rectifier, au millimètre près, avec ses ciseaux à dentelle.

« Ces messieurs sont par là, Bertrand ! »

Négligent, le menton de la châtelaine indiquait la bonne direction. Quoique (ou parce que) née dans le jute ou le sisal, du côté de Calcutta (M. Heaume, alors fabricant de sacs, avait, lors d'un voyage aux Indes, épousé la fille d'un gros fournisseur), Mme de la Haye, beaucoup moins politique que son époux, ne se mettait guère en frais. Rien qu'à la façon dont elle taillait ses buis, en croupionnant solennellement, il était facile d'interpréter sa pensée matinale : une châtelaine, dont l'époux est censé posséder dix siècles de viols, de pillages et d'incendies dans sa généalogie, ne saurait s'inquiéter d'un feu de bois manqué. C'était aussi une manière de me tenir à distance. Papa salua sec — à cause du prénom, qu'il acceptait volontiers de ses égaux, mais non des autres — et lança un superbe : « Bonjour, madame Heaume » qui rendit nerveux les ciseaux à dentelles. Puis nous prîmes l'escalier suivant qui, de torsades en festons, aboutissait à une exquise porte de fer forgé et à l'esplanade, où se dressait enfin ce moignon de château fort, ce reste, représentant encore un poids considérable de pierre, de fortune et de temps. Les vignes vierges pourpres d'arrière-saison, déployées comme un système veineux, y pissaient le sang noble à pleins murs.

« A droite, toute ! »

Je pris la tête du détachement. Les palabres n'avaient pas lieu dans le salon de la tour, mais dans une ancienne grange transformée en jardin d'hiver et badigeonnée par un artiste de passage sur le thème « l'invitation au château ». En fait, « ces messieurs » n'avaient pas voulu salir les tapis et s'étaient mis au chaud dans une serre attenante où la dynastie de la Haye abritait des orangers qui parvenaient quelquefois à produire des espèces de noix verdâtres. M. Heaume, en très petite tenue, son maître d'hôtel, en frac, le docteur Clobe plongé dans sa barbe et dans ses réflexions, Me Besin, le brigadier Lamorne, Besson, Hacherol, le plombier, et Dagoutte, le menuisier, faisaient cercle autour de la victime, dont les crocs se déchaussaient et prenaient cet aspect féroce de tous les chiens crevés. La conversation semblait difficile, notre arrivée opportune. Salamalecs. Clin d'œil de parrain. Beaucoup de « Mon-

sieur Colu » longs comme le bras. Un seul « Mademoiselle », dans la bouche du notaire, qui devait
réprouver l'intrusion des petites jeunes filles dans
les affaires sérieuses. Il fronça nettement les sourcils quand je m'exclamai :

« Mais c'est Xantippe ! »

Dagoutte en convint sans aucun enthousiasme.

« Oui, tu vois, c'est mon chien. »

Pour ne pas se sentir trop seul dans le coup, sans
doute, il prit soin d'ajouter :

« Et c'est la lampe à souder de Claude : celle
qu'on lui a fauchée sur un chantier. »

Un courageux silence lui répondit. Me Besin lorgnait le bout de ses chaussures, comme s'il craignait d'écraser l'orteil de son voisin. Le docteur
Clobe triait sa barbe. Hacherol et Dagoutte roulaient
des yeux d'agneau de l'innocence menacée, cachaient
leurs mains derrière leur dos, comme s'ils les sen-
taient déjà lourdes de chaînes, et le brigadier —
un très beau Lorrain, froid, lent, méticuleux, très
peu conforme aux légendes du bicorne et qui avait
la réputation de si bien mener ses enquêtes qu'on
lui adjoignait rarement un inspecteur — le brigadier, comme un journaliste, enregistrait tout sans
prendre une note. Papa avait mis un genou en terre,
examinait la bête. Moi aussi.

« Vous avez vu la muselière ? fis-je étourdiment.

— Mais non, mon petit lapin, nous t'attendions
pour ça ! » dit le docteur Clobe.

Papa me donna un coup de coude impératif, équivalent probable d'un « Tais-toi, mère-jacasse ! »

Je me relevai, dépitée. Pourtant n'était-ce pas

un curieux indice, cette muselière de fortune, faite comme un sac ? Avec une poche, je l'aurais juré. Avec une poche arrachée d'un pantalon d'homme et grossièrement garnie de ficelle. Craignant d'être sotte, je rengainai ma petite remarque sous l'œil du brigadier qui avait ouvert, puis fermé la bouche, rengainant probablement une question. En dernier ressort, je regardai M. Heaume. Mais il y avait deux hommes en lui : l'homme privé pour qui j'étais beaucoup, l'homme public pour qui je n'étais rien. L'homme public (qui n'en sentait pas moins le whisky à cinq mètres) sourit de mes seize ans, tourna la tête et enchaîna :

« Encore un coup, c'est à moi qu'on s'attaque. Qui diable peut tant m'en vouloir et pourquoi ? Je suis flatté d'avoir un ennemi si tenace ! Et pourtant, voyez-vous, même si ma sapinière avait un peu brûlé, je me serais fait une raison. Ce qui m'ennuie, c'est ce chien, cette lampe à souder... Il est difficile de croire, maintenant, que l'incendiaire soit étranger à cette commune.

— Le petit malin ! fit Papa, qui manipulait la lampe. Une fois allumé, cet engin-là, grâce à la pression, ne pouvait plus s'éteindre. Il est astucieux, l'animal !

— Vous trouvez ? dit le brigadier avec une moue d'homme qui n'a pas sa conviction faite.

Me Besin s'agita.

« Astucieux, peut-être, mais compliqué, dit-il. Il lui a certainement fallu un temps considérable pour chercher le chien, l'amadouer, le museler, lui attacher la lampe à souder à la queue... Mettre le feu, en cinq ou six endroits, avec de vulgaires allumettes, eût été plus rapide et plus efficace. Je dis, moi : pourquoi le chien ?

— C'est un poète ! dit le docteur Clobe, émergeant de sa barbe.

— Allons, allons ! Il s'agit de choses graves, grommela le brigadier.

— C'est un poète, répéta le médecin. Un affreux poète. Pourquoi le chien ? Mais à cause de ses hurlements. Remarquez d'ailleurs qu'il s'agit d'une chienne : il n'est pas impossible que ce détail ait quelque importance. »

Ce disant, il tirait son agenda, garni d'un crayon baby, et notait quelque chose. Le brigadier se croisa les bras.

« Je ne vois pas, docteur, je ne vois pas, dit-il. Si vous voulez mon avis, je ne pense pas que nous ayons fatalement affaire au même incendiaire que l'autre jour. Je suis de l'avis de Mᵉ Besin : pourquoi se serait-il compliqué l'existence ? Cette histoire de chien ressemble trop à toutes ces histoires de chiens à la queue desquels certains garnements s'amusent à attacher des casseroles. Vous pensez si ceux du bourg ont été impressionnés par les récents sinistres ! Regardez-les : ils sont tous en train de jouer au feu. Il suffit que l'un d'eux, un peu simple d'esprit...

— Je vous vois venir ! fit M. Heaume.

— N'allons pas trop vite ! » jeta le docteur Clobe, presque hargneux et le regardant par en dessous.

Dagoutte s'empourprait peu à peu. Malgré nos yeux suppliants — et faisant, ma foi, son boulot qui

était de tout envisager —, le brigadier continuait
sur sa lancée, crevait l'abcès, sans ménagements :

« Voyons, monsieur Dagoutte... Je n'ai de pré-
vention contre personne. Je cherche. C'est pourquoi
je suis obligé de vous demander : êtes-vous sûr
que votre fils ne soit pas sorti cette nuit ? »

*

La réaction du menuisier fut inattendue. De pourpre, il devint blanc. Il flageola sur ses jambes et
alla s'asseoir sur le bord d'un caisson d'oranger.
Enfin il put rassembler son indignation.

« Merde, alors ! » cria-t-il.

Personne ne bougea. Le brigadier attendait, plus
inquiet qu'offusqué.

« Me dire ça, à moi, un pompier ! rugit encore
le menuisier.

— Enfin, ce chien est à vous, reprit le brigadier,
et nous savons tous qu'il fut l'inséparable compa-
gnon de votre fils. Comme nous savons aussi que
votre fils n'est pas... n'est pas... disons : tout à fait
semblable aux garçons de son âge, je ne peux pas
faire autrement, je le répète, que de vous poser cette
question.

— Question n'est pas soupçon », fit Mᵉ Besin,
suave.

Dagoutte se relevait, la bouche mauvaise, jaune
maintenant comme le mètre qui dépassait de sa
poche.

« Sortir la nuit, Jules ? Il n'ose même pas aller
chercher du persil dans le jardin dès qu'il fait noir.

Sortir la nuit ! Même s'il voulait, comment ferait-il ? Pour quitter sa chambre, il faut qu'il passe par la nôtre. »

Il fit une pause pour recenser les hochements de tête favorables et les douteux. Ce compte ne semblant pas le satisfaire, il claqua de la langue et recula d'un mètre.

« Ça, j'admets qu'on aurait dû mieux tenir la chienne. M. de la Haye m'excusera, elle se sauvait tout le temps la nuit par un trou du grillage pour aller s'amuser dans les garennes. Mais la pauvre bête est bien assez punie, le gosse aussi ! Pour le reste, il faut vraiment, il faut être... Tenez, j'aime mieux m'en aller. »

L'invective — qui, le soir même, au bistrot Caré, cognerait sur tous les murs ses trois lettres sonores — n'était pas parvenue, en face de la tour, à lui franchir le gosier. Mais le menuisier, l'épaule houleuse et la casquette vissée sur l'oreille, s'éloignait d'un pas sec sans avoir proféré la plus petite formule de politesse.

« Un caractère ! dit M. Heaume, en haussant les sourcils.

— J'irai tout de même interroger son fils, affirma le brigadier.

— Qu'est-ce qu'il chante ? Ecoutez ! » dit le docteur Clobe.

A la grille, Dagoutte venait de se retourner et, avec un grand mouvement du bras, expédiait un dernier argument :

« Si c'était Jules, vous pensez comme il aurait eu besoin d'une muselière ! »

Il dévala l'escalier en gesticulant, sans se soucier de Mme de la Haye qui dut s'effacer pour lui livrer passage. Puis sa casquette se perdit entre les ifs et les buis. Nous nous regardions tous, impressionnés.

« Il a raison, dit le docteur Clobe.

— Sans compter, dit Besson, que je l'ai vu filer, le bonhomme, avec sa pèlerine et son melon. Je ne peux rien affirmer, mais il m'a semblé plus grand. »

M. Heaume intervint, jovial et détaché :

« Souhaitons, messieurs, de faire fausse route... Adrien ! Allez donc nous chercher une bouteille de Corné. Et vous, monsieur Hacherol, puisque vous êtes là, soyez donc assez aimable pour aller voir le bidet dans la salle de bains. Il paraît qu'il fuit. »

Et Casimir Heaume, successeur des Saint-Leup de la Haye, retrouva un mauvais goût que ceux-ci eussent qualifié de plébéien pour ajouter :

« D'après ma femme ! Car pour l'usage que j'en fais... »

Mais il aperçut mon œil noir et se tut.

*

Le petit blanc, servi sur une table du jardin, fit diversion. Son verre sifflé, Hacherol, joli cœur de plombier, s'en alla en lissant sa chère petite moustache à la Clark Gable. Bêlant de bonnes excuses, le notaire le suivit de peu : son principal, comme n'importe quel autre principal, abattait tout le travail et lui laissait les signatures, mais le notaire avait besoin de retourner à son étude, de même que le

phoque a besoin de faire surface pour respirer.
Comme le brigadier, « service, service », ne pouvait
s'attarder et comme le docteur se déclarait obligé
d'aller « tirebouchonner la mère Pacaud qui, à
quarante-sept ans, se payait le luxe d'une gésine »,
les Colu, père et fille, se retrouvèrent seuls avec
M. Heaume, qui écarta son garde d'un magnifique :
« Vous pouvez disposer, Besson » et, sans plus attendre, m'attrapa par la jupe et m'attira jusqu'à lui.
« Là », dit-il en posant l'index sur sa joue. Je l'embrassai. Je m'assis même sur ses genoux, mais avec
une réserve suffisante pour ne pas offusquer Papa
qui n'était pas jaloux, n'est-ce pas ! mais détestait
voir sa Céline se prêter aux familiarités d'autrui.
Du reste, M. Heaume m'agaçait franchement. A la
fois digne et rigolard, privé et public, il ne parvenait pas à se retrouver, il se forçait.

« Saute, mominette, saute ! » disait-il en me faisant jouer au tape-cul sur son genou.

Comme si j'étais encore d'âge à y prendre plaisir, comme si cela pouvait rassurer le sergent Colu !

Mais, dans le même temps, il entreprenait Papa
sur ce ton mondain qui mélange le sérieux et l'insi-
gnifiant, les sépare seulement par des inflexions de
voix (ce qui est tout un art, que sa femme avait
peut-être assimilé, mais qui dans sa bouche faisait
ridicule comme une dragée).

« Que dites-vous de mon 1911, monsieur Colu ?
Pas de nom, pas de race, mais quel fruit !... Je vous
ai fait mander tout de suite alors que, vous pouvez
le constater, je n'ai pas dérangé MM. Ralingue et
Caré... Encore un doigt de Corné. Si, si ! Un jour,

je vous ferai goûter mon 1893. Il commence à se dépouiller, comme moi, qui suis de la même année, mais c'est une vraie curiosité... En toute franchise, je vous ai appelé parce que j'en arrive à m'inquiéter sérieusement et que je veux connaître votre sentiment. Selon vous, à qui avons-nous affaire ? »

Démentant la bonhomie de ses paroles, sa bouche se crispait dans un faux sourire. Papa ne se pressait pas pour répondre. Il regardait la chienne. Une mouche, de croc en croc, courait sur les babines retroussées qui devenaient noirâtres.

« A forte partie, ça m'en a l'air ! murmura-t-il enfin.

— Vous craignez que ça continue ?

— J'en ai peur.

— Peur, peur... »

M. Heaume répéta le mot, le savoura. Puis son grand corps se tassa, me tassant sur lui par la même occasion. Son menton lui rentra dans le cou, ses yeux disparurent sous un excès de paupières. Sa voix reprit de l'épaisseur, redevint commune, redevint celle du marchand de sacs.

« Le brigadier enquête comme un brigadier, dit-il, le docteur Clobe fait de la littérature, tous ces messieurs ont leur petit avis. Moi, j'avoue que je ne comprends pas, que je ne vois pas de mobile... La folie ? C'est vite dit. La vengeance ? Mais pour se venger de quoi, de qui ? Quant à l'intérêt, depuis l'application de la règle proportionnelle en matière d'assurances, on ne voit pas du tout comment un incendie pourrait enrichir quelqu'un. Alors quoi ? Quoi ?

— Un peu de tout et autre chose encore, probablement, dit Papa. S'il le sait lui-même, le type s'expliquera le jour de son arrestation. L'important, pour le moment, n'est pas de le comprendre, mais de le prendre.

— C'est que le comprendre permettrait de le prendre », murmura M. Heaume avec un sourire insolent.

Il se tassa un peu plus. Son sourire se fit plus prudent. Son œil vivant se referma, tandis que son œil de verre s'écarquillait.

« Figurez-vous, monsieur Colu, que cet excellent Ralingue, qui ne pèche pas pourtant par excès d'imagination, m'a soumis l'autre soir un projet. Un projet qui lui a sans doute été soufflé. Je l'avais écarté... Mais il est possible que la tournure des événements m'oblige à le soumettre à l'approbation du conseil. Je veux parler de la création d'une sorte de garde qui ferait, chaque nuit, à une heure différente et tenue secrète, une tournée de sécurité. Ce serait en somme l'équivalent, sur le plan municipal, de ce qui se fait en ville sur le plan privé : nous aurions nos vigiles. »

Parrain rouvrit le bon œil et parut satisfait : Papa ne disait rien, son crâne de drap noir oscillait d'arrière en avant, avec lenteur, mais avec conviction.

« Il y a bien quelques objections. Nous risquons de ne pas être très chaudement soutenus à la sous-préfecture et surtout de vexer la maréchaussée en ayant l'air de la considérer comme insuffisante. D'autre part, nous ne pourrons en aucun cas rétribuer les volontaires. Pourtant, je ne crois pas que ces difficultés puissent nous arrêter. »

Papa restait toujours muet. Mais le crâne noir maintenant se balançait d'une épaule à l'autre. L'affaire était dans le sac. Me projetant devant lui sans façon, M. Heaume jaillit de sa chaise et vint se pencher sur l'épaule de son hôte.

« Bref, avant d'alerter mes collègues, je voulais votre accord, monsieur Colu. Sauf vous, personne n'est capable ici d'organiser cette garde qui, à mon sens, devrait être composée d'au moins trois patrouilles de deux hommes opérant par roulement. Je sais que vous aimez rendre service, mais que vous n'aimez pas être mis en avant. Tranquillisez-vous ! Nos vigiles n'auront point d'uniformes et ne défileront pas comme les pompiers. La réussite de l'opération exige qu'ils restent obscurs et fassent parler d'eux le moins possible. Je peux compter sur vous, n'est-ce pas ? »

Papa se rétractait sous un tir nourri de postillons. Peut-être aussi sous la pression. Se faire un peu supplier par M. Heaume, malgré son château, son écharpe et ses terres, ne lui était pas désagréable. Mais il dut céder, plus vite qu'il ne voulait, à la méchante haleine de M. Heaume qui insistait, qui lui soufflait dans le nez :

« Vous acceptez, monsieur Colu ? Vous acceptez ?

— O...u...i, lâcha Papa, par voyelle.

— Merci. Merci mille fois ! »

Aussitôt, passant de la chaleur à la simple courtoisie, M. Heaume se redressa, très de la Haye.

« A propos, il faudra que je fasse enterrer ce
chien », dit-il, presque en aparté.

Je fus sur le point de répondre : « D'accord, mais
gardez la muselière. » Je n'osai pas. Mon père avait
certainement senti la rupture de ton, qui lui donnait congé, mais ne bougeait pas. Massif, il lorgnait
le gilet de M. Heaume constellé de taches de sauce
et sa cravate fripée dont un vacher n'aurait pas voulu, mais que transperçait une épingle de platine
à tête de diamant. De cette épingle, son regard fit
un bond jusqu'aux girouettes, s'y attarda. Enfin il
daigna se lever.

« Vos vignes vierges sont d'un rouge ! dit-il
d'une voix pointue, très étudiée. A propos, cher
monsieur, ma remarque de l'autre jour ne tient
plus. Vous n'avez marié personne hier. »

M. Heaume, qui ouvrait la porte de la serre,
lâcha la poignée.

« Sapristi ! Vous m'y faites penser. Non, je ne
me suis pas servi de mon écharpe hier, mais mon
collègue de Segré a dû ceindre la sienne pour marier
le fils Stafilet, qui épousait une Segréenne. On ne
peut pas dire que la série continue. On ne peut pas
dire non plus qu'elle s'arrête... »

Le vent s'engouffrait par la porte, secouant les
orangers, rebroussant les quelques cheveux blancs
de parrain qui paraissait soucieux. Le rire brusque
de Papa nous fit sursauter. Il relevait son col, bou-
tonnait sa veste en disant :

« Bah ! je ne crois pas que cela signifie grand-
chose. Au revoir, monsieur le Maire. Viens, Céline. »

Me prenant par la main, il m'entraîna si vite que M. Heaume ne put me dire au revoir et dut se contenter de crier dans mon dos :

« Monte me voir un peu plus souvent. Tu m'abandonnes ! »

*

J'avais du mal à suivre ce grand pas rude, nullement assorti aux courbes des allées. Pour gagner du temps, Papa traversait le parc en diagonale, foulant froidement les pelouses, sautant par-dessus des corbeilles de chrysanthèmes. Pourtant, à ma connaissance, il n'avait aucun travail urgent. Réflexion faite, il ne devait pas être pressé, mais furieux. Pour quelle raison ? Mystère. La nuit suffisait, certes, mais, à certains signes, il m'apparaissait clairement que cette colère, qui n'était pas précisément de la colère, mais une forte humeur silencieuse, persuadée de sa propre injustice, était dirigée contre moi : cette façon de me remorquer, poigne sur poignet, m'interloquait. Mais je n'en cherchais pas trop la cause. Quand on habite une maison Colu et que votre ambition est d'y rester en maintenant autour de vous tous les Colu, l'article premier de la sagesse, c'est de ne pas trop faire la subtile, de ne pas chercher à comprendre, à discuter, de travailler des lèvres plutôt que de la langue.

Il marchait. Je trottais. Franchies les barrières blanches, le chemin offrait ses boues et ses trognons de choux. Une rumeur de surabondante volaille montait de la ferme Gaudian, où la petite bru, vaillante et ferme de partout, la croupe en l'air, battait du linge dans l'eau de la mare bleuie par le savon. Une flaque rousse de purin marinait contre le mur, alimentée par deux filets, l'un plus foncé (prédominance de la vache, ferme d'élevage, assurance contre la grêle inutile), qui venait de l'étable Gaudian, l'autre plus clair (prédominance du cheval, ferme à blé), que Papa remonta pour arriver à l'écurie Binet. Il se calmait, et l'agent d'assurances, en lui, fit le reste.

« Puisqu'on passe devant chez Binet, expliqua-t-il, profitons-en. L'expert de la compagnie viendra d'un jour à l'autre, mais il est prudent de jeter un coup d'œil de temps en temps sur la grange. Des sinistrés qui font de la récupération avant l'expertise, ça s'est vu. Et des malins qui maquillent, qui poussent dans les cendres de vieilles machines pour se les faire rembourser au prix du neuf, ça se voit aussi. On m'a fait le coup une fois, mais, minute ! On ne me le fera pas deux. »

Je secouai mes cheveux, heureuse de retrouver mon intraitable père. Il inspectait l'aire déserte, abandonnée aux roues des dindons, aux ventres traînants des oies grasses qui, s'étirant le cou, écrasant à pleine palme leur propre fiente, cacardaient toute la bêtise du monde. Des bâches avaient été jetées sur les ruines de la grange. Une pintade fouillait les cendres, grise comme elles, et seules paraissaient vivantes les taies blanches de ses oreilles. Quelques objets métalliques, outils, bidons, flambés mais récupérables, avaient été mis en tas, bien en évidence.

« Bon. Binet n'est pas vicieux. Filons chez Sigismond. »

Pourquoi pas ? Nous allions aussi passer devant la bourrellerie où, depuis les feux, paraît-il, le bourrelier ne dormait plus. Assuré pour des sommes ridicules, il avait fait part de ses inquiétudes à sa femme, qui l'avait répété à sa cousine, qui l'avait répété à sa belle-sœur Troche, qui l'avait répété à Maman, alliée maussade, mais vigilante, dès qu'il s'agissait d'argent. Il fallait, d'urgence, prendre un premier contact avec Sigismond pour griller l'agent segréen de l'Angevine, rival éloigné, mais dangereux, car il disposait d'une voiture, ce qui lui donnait de la surface et lui permettait d'enlever des contrats à plus de trente kilomètres à la ronde, en plein fief ennemi, là où n'aurait jamais dû s'infiltrer sa petite compagnie de rien du tout.

Cent mètres. Un double plongeon du menton pour saluer le curé en train de faire du porte-à-porte pour le denier du culte. « Chantagasse » était dépassé. Cinquante mètres. Les premières maisons du haut bourg se mirent à défiler, les fenêtres à vomir des draps, des langes auréolés de jaune, les coins de rideaux à bouger sur de vieux profils à besicles, le graillon à prospérer dans l'air. Chez Sigismond, bientôt, la profonde odeur du cuir... Non ! Objectif raté. La 201 de Perrodière était rangée contre le trottoir.

Inutile de s'arrêter, ni même de ralentir. La sacoche attendait là-bas, avec le courrier, les primes à encaisser, les fiches à mettre à jour. Mais, depuis une heure, la nouvelle avait fait des ravages. Une atmosphère d'état de siège régnait sur le centre du

village. Dans tous les magasins, sous les crochets à
viande, au-dessus des casiers de pois chiches et de
haricots rouges, entre deux mottes de beurre, se tenaient des conciliabules, circulaient les jugements
téméraires. Des dizaines de personnes rasaient les
murs en jetant à quiconque de longs regards de
biais. Nous étions suivis, contrôlés, mètre par mètre.
Agacé, Papa décida de couper par la ruelle du Roi-
René, où habitait Dagoutte, et nous ne fûmes pas
autrement étonnés de voir le brigadier, suivi de deux
gendarmes, sortir de la menuiserie. Ils n'avaient pas
l'air triomphants. Ni l'air penauds. Ils s'en allaient,
têtus, sur leurs six bottes, continuer une enquête
qui ne tournait pas rond comme leurs képis. Dagoutte, campé sur son seuil, les bras croisés, les regardait partir. Bien entendu, il nous harponna.

« Vous parlez d'une andouille ! Il a enquiquiné
le gosse pendant une heure, il lui a posé des tas
de questions idiotes... Est-ce qu'il n'a pas été lui
demander s'il suivait les noces, si ça lui donnait des
idées ! Le gosse riait, il n'a pas cessé de rire, il rit
toujours quand il ne comprend pas. Entrez, les enfants. J'ai à te parler, Colu. »

Papa se laissa faire et bien lui en prit. Dans une
salle basse où trônait l'inévitable buffet Henri II,
où parvenaient, amorties, l'odeur de la sciure de
sapin et la haute chanson d'une scie circulaire
attaquant un cœur de bille, il s'expliqua tout à
fait :

« Je m'agrandis. Je viens de faire rentrer deux
millions de bois et de machines. Dans un foutu pays
comme le nôtre, où les gens jouent un peu trop

avec les allumettes, mieux vaut ne pas prendre de risques. Je ne suis plus assez assuré. Tu vas m'établir un avenant. J'espère que tu n'as pas augmenté tes tarifs ?

— Les barèmes de la Séquanaise ne dépendent pas des petites catastrophes de Saint-Leup », dit Papa.

Affaire inattendue. Matinée gagnée. Il s'assit. Dagoutte bousculait un tiroir de commode, à la recherche de son contrat. Un presse-purée fonctionnait dans la cuisine attenante. On entendit :

« Jules, n'allume pas le gâteau. »

Presque aussitôt l'idiot parut, reniflant, la tête fendue en deux par son sourire et ses longues mèches d'un jaune très pâle, rabattues sur les oreilles. Sur un plateau de buis, bricolé par son père, il portait cérémonieusement un étouffe-chrétien garni de dix-huit petites bougies multicolores et de trois cornets porte-bonheur en sucre candi contenant ce « billet-surprise », plié en huit, qui ne surprend jamais personne et n'emploie que des formules de tout repos. Dagoutte donna un coup de genou dans le tiroir et se retourna, son contrat en main. Il sourit à son fils, d'un sourire triste, parti de l'intérieur, du plus creux de sa tendresse pour cette larve.

« Pauvre môme ! Ils me l'auront secoué pour son anniversaire.

— Naniversaire, oué », fit l'idiot.

Il posa le plateau sur la table, s'agenouilla près de lui, toucha chaque bougie, chaque cornet, d'une main sale aux doigts trop courts, aux ongles épais comme des cailloux. Il riait, il jubilait, il salivait.

« Moi qu'allume, oué, oué, moi qu'allume, hein ?

— Mais oui, c'est toi qui les allumeras », dit son père en tendant le contrat à mon père immobile, intensément immobile comme le chat qui guette son oiseau.

XII

QUATRE heures. Bientôt un jour de moins. Tant
mieux ! Pour m'éloigner de tout cela, j'aimerais
qu'il en passe cent, qu'il en passe mille d'un
coup. Malheureusement, pour passer d'un jour
à un jour, il faut une nuit, et c'est ici que bute
mon absurde souhait. Les nuits sont devenues la
terreur de ce village, qui n'ose plus s'endormir et
dont toutes les femmes grelottent dans leur lit.
Ma peur à moi n'est pas moins forte, bien qu'elle
soit d'une autre nature. Nous ne vivrons pas longtemps ces nuits étranges de fugue et de poursuite
sans que le pire arrive. Tout à l'heure, je regardais Papa... Au moment de repartir — pour aller
solliciter des volontaires —, il s'est arrêté devant
ce cadre qui fait pendant au sien sur le buffet où
resplendit le sourire (Souriez, mademoiselle ! Souriez !) d'une délicate Eva Torfoux qui ressemble
à ma mère, c'est sûr, mais comme une bouteille ressemble à la bouteille qu'elle a été avant d'avoir
changé d'étiquette et de contenu. Il était rouge,
congestionné, il oscillait sur place de droite à gauche,
de gauche à droite, comme un fauve qui attend sa
part, derrière la grille; il est parti en coup de vent en

écrasant son chapeau sur son passe-montagne. Quant
à ma mère, elle a, toute la journée, été sous pression. Tandis que je repassais mon cours d'anglais
de l'Ecole Universelle dans le bureau de Papa,
pour être tranquille, je l'entendais déblatérer dans
la salle avec Julienne — avec Julienne, bien entendu !
Elle a parlé d'abord de l'incendie, elle criait : « C'est
une mise en scène ! Ça ne trompe personne, cette
lampe... » Puis je ne sais comment elle est passée
de l'incendie à nos affaires, elle a fait une de ces
sorties frénétiques dont elle devient coutumière et
qui ne respecte absolument plus mes oreilles... « Autant pour le Louroux ! Non, *je m'en vais chez
ma mère,* ce n'est pas une solution. Ce n'est pas
la solution. » Et le ton montait; j'écoutais, épouvantée : « Qu'est-ce que tu veux, il faut voir les
choses comme elles sont. Monsieur vient de me
faire livrer de la vaisselle neuve, la même. Tout
exprès, la même. J'ai compris... Rien de changé,
Eva ! Tu es là, tu y restes, tu mangeras toute ta
vie dans la même assiette aux mêmes dessins ! Eh
bien, si ce n'est pas l'assiette qui casse, ce sera
autre chose ! Là aussi, j'ai compris. A force d'asticoter une amorce, on finit toujours par la faire
péter, mais on n'a aucune chance d'en faire autant avec un confetti. Et Colu, c'est du patient,
c'est du plat comme un confetti. On dit : *Tout
lasse, tout passe...* Proverbe à reviser, ma vieille !
Il y a des gens qui ne se lassent pas, qui vous
contraignent à leur souhaiter la seconde partie du
programme. Oh ! là, là ! Glas, joli glas ! Joli
crêpe ! » Le ton montait toujours, elle devenait

complètement folle, elle hurlait : « Dépêche-toi, curé, de racheter des cloches ! J'ai un client pour ton glas d'inauguration. Un bon client ! A pleine corde, sonneur, pour le grand mutilé ! Que nous en ayons tous les oreilles cassées ! » Et soudain elle s'est jetée dans le couloir, elle s'est jetée dans le bureau. Ça sonnait, ça sonnait...

« Le téléphone ! Laisse. C'est pour moi, Céline. » J'avais déjà l'écouteur en main.

« Donne, donne... et va dans la cuisine, allons, va ! »

*

Dans la cuisine, il y a Julienne qui coud, qui coud, qui me regarde par en dessous, une horrible satisfaction répandue sur le visage. Celle-là ! Celle-là ! Je sens que je vais retrouver dans ma gorge l'accent, la formule, la fureur des conjurations puériles qui se lancent à voix pointue, tandis que les deux mains de leurs dix doigts lancent le sort à l'ennemie :

> *Je conjure*
> *Sacripi*
> *Qu'il t'assure*
> *Goutte au nez,*
> *Crotte sous le pied,*
>
> *Peine au cœur,*
> *Corde au cou,*
> *Corps aux vers*
> *Et l'âme au diable !*

Mais quel enfantillage ! Céline, ce qui se passe est
trop grave. Ce qu'elle a réussi, cette guenon qui
pousse, qui pousse ta mère au pire, mérite bien plus
qu'une petite rage. Ecoute, Céline. La sonnerie s'est
arrêtée. *Allô ! Allô ! Non, il n'est pas là, il n'y a que
Céline...* Charmante petite mère ! Taisez-vous, mon
ami, méfiez-vous, des oreilles ennemies m'écoutent.
Pourquoi tant de prudence ? Et pourquoi répond-
elle, d'abord ? Depuis trois mois, décidément, toutes
les habitudes sont bousculées. D'ordinaire, Papa ne
pénètre jamais dans sa chambre, et Maman ne met
jamais les pieds dans le bureau. En cas d'absence,
seule, je suis habilitée à répondre, à décrocher l'appareil, à noter le nom, le numéro, le motif de l'appel
avec un crayon qui pend au bout d'une ficelle près
d'un bloc « Memoranda » en porcelaine lavable. Et
voilà que chacun de mes parents fait des incursions
dans le domaine de l'autre, sans l'en informer, cela
va de soi. Pourquoi Maman de temps à autre fouille-
t-elle le bureau ? Je le sais : le papier froissé, cela
s'entend. Pourquoi Papa se risque-t-il dans la chambre
à des heures indues ? Ah ! s'ils veulent ainsi pénétrer dans la vie de « l'autre », rêvant de raccommo-
dage et nourrissant le secret espoir de redevenir ce
qu'ils devaient être, je me rendrais volontiers sur
les mains jusqu'à Notre-Dame du Chêne pour l'en
remercier ! Mais ce n'est qu'une sorte d'effraction,
et je sais, à mille signes, je sais que le temps des cha-
mailleries est passé, qu'il fait place à quelque chose
de plus grave, comme une petite infection chronique
se transforme brusquement en infection aiguë.

« Une vacherie, moi aussi, j'en suis sûre... »

Là-bas, Maman parle peu. Une personne inconnue lui tient d'interminables discours, qu'elle ponctue seulement d'interjections. Je ne peux pas m'empêcher de tendre l'oreille et, comme c'est toujours moi qui suis punie de ce qu'ils font, me voilà châtiée. Ça y est. Ils sont tombés, les deux mots, les deux seuls mots que je n'aurais pas voulu, pas dû entendre :

« Oui, chéri. »

Elle les a prononcés très, très bas, en réponse à je ne sais quelle question, mais sur ce ton et avec ce degré de douceur qui m'appartient, qui n'appartenait qu'à moi. Julienne baisse le nez, baisse le nez. Et, soudain, j'ai trop chaud, je saute dans ma chambre, je me mets à déboutonner mon chemisier, en comptant machinalement les vingt-huit boules de fausse nacre. J'ai seulement fermé les yeux, faute de pouvoir fermer les oreilles. Sept, huit, neuf, dix. *Chéri.* Le mot. Le seul mot qui, au masculin, n'ait jamais été prononcé à la maison Colu. Onze, douze. Un mot citadin, peu employé dans les meilleurs ménages de Saint-Leup, mais qui chez eux est *possible.* Un mot un peu louche avec son *i* planté au bout comme un bougeoir allumé. Treize, quatorze, quinze. *Chéri,* est-ce que cela force les gens qui l'emploient à être... Tais-toi, Céline, file de quinze à vingt-cinq, très vite. Vingt-cinq, vingt-cinq, vingtcinq... On sait ce que c'est, la première page des journaux est pleine de ces choses-là, mais on y parle aussi de lèpre, de cancer et d'accidents, toutes saletés qui ne se sont jamais produites à la maison Colu. Vingt-six, vingt-sept. Sans me le dire, je sens confu-

sément que si je n'ai jamais trouvé mon père et ma
mère couchés ensemble dans ce grand lit, c'est un
détail que j'ai fini par trouver tout à fait normal et
qui ne leur a pas nui dans mon cœur. Au contraire.
Ainsi s'éloignait de moi ce mystère humiliant pour
l'enfance qui se découvre née d'une sorte de souil-
lure. Vingt-huit. Chemisier déboutonné. Pourquoi ?
Je le reboutonne très vite. N'est-ce pas Céline qui
dans la glace regarde Céline ? Quelle drôle d'allure !
Je ne la voyais pas faite ainsi. Quelque chose a
changé, quelque chose s'est effacé sur son visage. Un
rien. Un duvet de papillon. Une certaine qualité
naïve du trait. Peut-être bien l'enfance même.

*

A côté, dans la salle où ma mère est rentrée, on
se concerte. Elle me déteste, Julienne, mais, tout de
même, elle est femme, elle a le génie qui permet aux
femmes de deviner les plaies et le réflexe qui les
pousse à les soigner.

« La petite a dû t'entendre. Ça lui a fichu un coup.
— Tu crois, tu crois... »

La voix de ma mère est toujours tremblante, et ses
chaussons se rapprochent. Ah ! non, non ! Ses bras,
sa bouche, ses « Comprends-moi »... non ! Je le
sais bien qu'elle m'aime ! Qu'elle m'épargne sa
tendresse, ce soir ! Sa tendresse sale ! Qu'elle me
laisse le temps de couler ma lessive dans cette salive
et dans ces larmes qui ont toujours raison des péchés
des nôtres. Quatre heures et demie. On mange à sept.
Par la fenêtre, Céline ! Saute. Va faire un tour.

XIII

Tu t'en doutais, Céline. Mais voilà la preuve.
L'irrémédiable preuve. Ce dont tu es née n'existe
plus, et c'est un peu comme si tu étais morte. Morte
et souillée : ma mère, ô vestibule du monde ! Tu
t'appartiens, mais tu m'appartiens : qui allume le
feu lui promet son charbon, qui donne le jour en-
gage ses nuits. Ma vie, qui procède de la tienne,
est atteinte par tout ce qui t'atteint; ce qui me gêne
en toi me gêne en moi... Petite, quand tu changeais de linge, je changeais de linge aussitôt. Puisque
le tien n'était plus propre, le mien ne devait plus
l'être, et c'est exactement ce que j'éprouve, ce soir,
en rougissant. Comme il est difficile d'être pure
toute seule ! Comme la simple connaissance d'une
faute nous empêche de le demeurer vraiment.

Je marche. Je comprends M. Heaume, je comprends Papa, ces grands marcheurs qui s'épuisent
sur leurs pas, qui cherchent leur fatigue pour trouver ensuite leur repos. Et puis la marche — cette
vieille nécessité militaire qui précède l'attaque —
décide en vous le combattant. Allons ! Céline ! Un
peu d'humilité. Toutes les petites jeunes filles

confondent Maman et la Sainte Vierge. Ta mère
aime un autre homme que ton père, voilà. Au bout
de quinze ans, elle est excusable, et il n'y a pas de
quoi pousser de tels cris, de quoi t'arracher ton
petit duvet d'oie blanche. Regarde-le, ton père ! Que
tu l'aimes, toi, malgré... malgré sa tête, rien que
de très normal. De fille à père, ce n'est pas difficile.
Si l'on te donnait pour époux le beau Simplet...

Je marche. Comme par hasard, j'ai pris le chemin des Cormiers, puis celui de Bon-Retour; je
monte vers les sapinières, vers le château. Au croisement, route de Candé, il y avait, bien entendu,
les gendarmes. On ne peut plus faire un pas sans
les trouver. Leurs motos pétaradent de tous côtés.
« Deux par deux comme des nonnes » (dit Ruaux),
ils sillonnent toutes les routes. A la Croix-Tous-
saint, calvaire qui marque l'endroit où le chemin
de Bon-Retour rencontre le chemin de Noisière,
j'en croise encore un qui furète sous les sapins.
C'est dans ce coin-ci que Besson a fusillé Xantippe.
Tout est calme aujourd'hui, la sapinière embaume
la résine. Dans un mois et demi, les gens viendront
ici — saccageant les replants malgré les cris de Besson — couper de petits sapins de Noël, peut-être
celui-là même au pied duquel la chienne est crevée.

« Hou ! On va-t-au bois seulette ? »

Déboule un grand corps aux grands gestes, aux
fortes effusions. M. Heaume. Parrain. Il ne pouvait pas être loin.

*

Il renifle, m'examine, me fait pivoter la tête comme un médecin et décide :

« Ça ne va pas. »

Mais il ne me demande pas pourquoi. Il me connaît. Il sait que je ne répète jamais rien. Je suis là pour plaindre, non pour être plainte : d'ailleurs, les ennuis d'autrui, c'est encore le meilleur médicament contre les siens. Il peut m'examiner, ce sauvage ! Poches sous les yeux, bajoues flasques, plis sur plis au front que sa grosse main vainement repasse... M. Heaume ne respire pas la quiétude, lui non plus. C'était visible l'autre jour; ce l'est plus encore aujourd'hui.

« J'allais aux nouvelles à Saint-Leup. »

Par le chemin des écoliers. D'accord. Redescendons. Je ne tiens pas tellement à plonger du derrière devant Mme de la Haye (car je lui tire ma révérence. Je ne l'appelle pas « Mme Heaume », moi. Je suis pour l'autre méthode, pour celle qui consiste à en faire trop, à mettre les gens en boîte en utilisant leur propre carton). Comme prévu, M. Heaume, qui me torture un bras et met mes jambes à rude épreuve, commence à grogner.

« Ces histoires d'incendie, j'en ai la tête cassée ! Giat-Chebé harcèle les gendarmes de fiches vertes et de commissions rogatoires. Les gendarmes harcèlent les romanichels, les chemineaux, les ivrognes et même la bande à Hippo. Et tout le monde me harcèle, moi, me supplie de faire ci, faire ça, et

mille autres choses encore. J'ai fait adopter la création des vigiles : ça n'a pas suffi ! Calivelle a en-
doctriné les pécores, il leur a fichu une telle frousse
qu'ils ont voté le projet de château d'eau et une
prime de vingt-cinq mille francs à « toute personne
susceptible de fournir des renseignements pour faire
aboutir l'enquête »... Au dénonciateur, si tu pré-
fères : mais on ne peut pas employer le mot dans
un pays où la dénonciation est considérée comme
un devoir légal et le dénonciateur comme un salaud. »

Je me redresse : en général, M. Heaume me fait
part de ses tourments privés, non de ses tourments
officiels. Il continue :

« Et les lettres anonymes ! Bigeord en a plein son
sac. Ces dames sont déchaînées. Pas les paysannes,
bien sûr, celles-là ont l'orthographe trop lourde, et
une lettre, pour elles, c'est une telle corvée qu'elles
préfèrent la médisance. Mais la boutiquaillerie donne
à fond : ce pauvre Simplet, qu'est-ce qu'il prend !
Rien qu'à la mairie, sans parler de la brigade, nous
avons reçu trente-cinq dénonciations qui le taillent
en pièces. Résultat : les gendarmes ont été morale-
ment obligés de l'interroger une seconde fois, et, las
de rire, le malheureux a piqué une bonne crise d'épi-
lepsie. Le voilà à Sainte-Gemmes... »

Protestation du bras droit qui exécute un furieux
moulinet. Parrain s'échauffe :

« Des folles ! Bien plus folles que Simplet, qui est
un pauvre bougre d'idiot inoffensif... Ecoute ça. »

Il tire de sa poche une de ces missives écrites sur
le classique papier quadrillé des pochettes à vingt
francs, il déclame :

« *Avez-vous pensé à la mère Bouvet, impotente le jour, qu'elle dit, mais qui court la nuit comme une sorcière ?*... Ahurissant ! Et dire que, très probablement, la bonne femme qui écrit ça est une voisine aimable, une ménagère sérieuse, que, seule, la vue d'un porte-plume commence à faire délirer ! Mais il y a encore mieux, et, d'après l'écriture, il ne s'agit pas d'une corneille, il s'agirait plutôt d'un corbeau ! »

Autre geste vers sa poche, autre lettre, sur papier bleu celle-là. Parrain lit, dans le jour qui tombe, en affectant de rire à chaque ligne :

« *Monsieur le Maire, l'incendiaire, c'est vous. Toujours vos fermes, vos bois qui brûlent. Un zèbre aussi étrange, pourri de manies, qui se balade la nuit sans raison, qui s'est enrichi Dieu sait comme, j'aurais arrêté ça tout de suite. Mais la justice est aussi plate que vos culs-terreux*... Hein ! qu'en dis-tu ? Je rigole, je rigole, mais soyons franc, je rigole jaune. Lamorne s'est déjà permis, avec mille précautions, touchantes, tu penses ! de poser de petites questions à mon garde, à ma cuisinière... »

Dieu merci, je n'ai qu'à écouter, je ne suis pas forcée de répondre, voilà qui simplifie bien les choses. Car je suis toute saisie. M. Heaume soupçonné ! Rien, même l'affection que je lui porte, ne peut m'empêcher de penser que, si l'auteur de la lettre anonyme le connaissait comme je le connais, il pourrait fournir de terribles arguments : cette admiration pour les violents, ce goût d'inquiéter, de faire peur... Ah ! il faut avouer qu'il ferait un bel incendiaire et le soin qu'il aurait mis à brûler de préférence son propre

bien, achèverait de le peindre ! Je n'en crois rien, je
n'en crois rien, et ce n'est pas ce qu'il est en train de
dire qui m'en convaincra :

« On me fait beaucoup d'honneur ! Il a beau
m'attirer des tas d'ennuis, cet incendiaire, je ne peux
m'empêcher de le trouver bougrement sympathique.
Quel tempérament ! Mais, bon sang, qu'il nous
débarrasse, qu'il les grille tous et qu'on n'en parle
plus ! »

*

De chemin en rue, nous voici dans Saint-Leup
(petite satisfaction assez sotte à défiler en compagnie
de M. Heaume), nous voilà sur la place. Nous
passons devant le café Belandoux, où M. Heaume
fait une apparition, de temps en temps, à titre
électoral, mais qui ne saurait rivaliser dans ses fa-
veurs avec *La Couleuvre* de Caré. L'apéritif y réu-
nit au moins trente consommateurs dans les deux
salles : la grande, où s'incurve le comptoir d'étain
prolongé par la guérite de verre des tabacs; la petite,
où ne s'aventurent guère les siffleurs de rouge et
qui possède en tout cas un renfoncement garni d'une
table réservée, « la table » en un mot. M. Heaume,
à pas lents, distribuant de polis coups de menton,
traverse une foule beaucoup plus dense et plus
bruyante que d'ordinaire.

« Un perroquet, un, à la table ! crie Caré en
l'apercevant. Et toi, Céline, une grenadine ? »

La petite salle elle-même est pleine. Me Besin
se recueille devant son verre de Vichy. En face de

lui, le vétérinaire sirote une tomate, et le docteur Clobe, hilare, raconte ses exploits :

« La dernière femme en coiffe capable d'accoucher, la dernière ! Toutes les autres sont trop vieilles. Quelle matrone ! Je me disais : « A qua-« rante-sept ans, voilà une femme qui n'a plus les « tissus élastiques, aidons-la. » Mais j'avais à peine sorti ma seringue qu'elle s'est mise à brailler : « Non, « dame ! Avec vos piqûres, vous allez me gâter le « sang. Faut que le travail se fasse. » Cinq minutes après, la Pacaud pondait une fille de neuf livres, avec une tête comme ça, qui est passée mieux qu'une lettre à la poste. Ah ! voilà notre maire. »

On déblaie la banquette que M. Heaume refuse, pour s'installer à califourchon sur une chaise, avec la familiarité solennelle des grands. C'est moi qui vais trôner sur la moleskine. Caré, prenant le plateau des mains de Michou, la serveuse, apporte lui-même les consommations, s'approche avec des airs de conspirateur.

« Vous savez qu'ils l'ont arrêté ? »

*

Sensation. Mais qui dure peu. Un certain Quelinet s'avance et explique qu'il sort de la gendarmerie, où il est allé chercher un casier. Lamorne venait de ramener un trimardeur, surpris à deux communes de là en train de faire du feu à proximité d'une meule; il avait l'écouteur à l'oreille et assommait son homme à coup de précisions... « Dix-huit condamnations pour vol ! Une inculpation pour incendie volontaire ! Voilà ce qu'Angers m'annonce. Qu'en dis-tu, Gaspard ? »

« Ah ! c'est Gaspard ! »

Le docteur Clobe se pose un doigt sur l'œil.

« Si je n'aime pas le chou vert, ils aiment le chou blanc. Gaspard ! Il est de Vern. Il a, en effet, été soupçonné d'avoir mis le feu à une baraque en planches, la sienne, après la mort de sa femme et avant de prendre définitivement la route.

— Il se défend mal », dit encore Quelinet.

Un cercle s'était formé autour de nous : toute la clientèle refluait vers la table.

« Pardi, voilà l'hiver, le vieux se met au chaud, dit Ralingue.

— Simplet, je vous dis que c'est Simplet ! fit une voix de femme, probablement celle de Mme Caré.

— Je me demande ce qu'ont toutes ces femelles contre le petit Dagoutte, grogna M. Heaume.

— Ce qu'elles ont ! Je vais vous le dire, reprit le docteur Clobe. Simplet, c'est l'enfant qu'elles ont peur d'avoir et qu'elles ont pourtant mérité pour la punition de leurs vertus. »

XIV

Journées courtes, longues nuits. Le bourg entier continuait à se passionner, à répéter : « Qui ? Qui ? » à se diviser sur le cas Simplet, toujours interné à Sainte-Gemmes, et sur celui du chemineau, expédié au Pré-Pigeon sous la faible inculpation de vagabondage.

Mais, surtout, il continuait à trembler : l'opinion, qui, en général, n'aime pas les longues alertes et ne dédaigne pas de retrouver son moral aux frais de quelque pauvre bougre, refusait de se rassurer, et la peur demeurait intacte : une peur bête, du genre pousse-verrous, tire-volets, aidée par l'automne, ses vents, ses pluies, ses grands gémissements d'arbres, ses tourbillons de feuilles bruissantes, ses nuits humides où prospère comme un champignon la tête blanche de la trouille. M. Heaume s'en était si bien rendu compte que, pour ne pas affoler les gens, les essais de la sirène — posée en un temps record sur le toit de la mairie — avaient été faits en plein midi et après que Ruaux nous ait dûment prévenus de l'expérience. Malgré tout, elle n'avait rassuré personne. Cadenas, ser-

rures, chaînes de sécurité s'enlevaient chez le quin-
caillier comme des petits pains. Une forte immi-
gration de bons gros chiens de garde surpeuplait
toutes les niches.

Un peu partout, pour éloigner l'incendiaire,
pour lui faire croire que tout le monde n'était pas
couché, on laissait une lampe allumée : une quinze
watts, si possible, parce que, tout de même, pour
des villageois si chatouilleux de l'interrupteur, pour
des gens qui ont toujours concentré leur esprit d'économie sur le luminaire, c'était bien pénible de
dormir en se disant qu'on laissait brûler pour rien
la lumière, quand elle vaut des vingt francs soixante-
quinze le kilowatt. Un peu partout également,
et chez nous comme ailleurs, les femmes remplis-
saient chaque soir tous les seaux de la maison pour
avoir le plus d'eau possible sous la main. Enfin,
dans la pénombre des chambres, luisaient les canons
de fusil chargés à blanc, à sel, à plomb ou à balle
selon l'état d'âme, le degré de férocité de leur propriétaire, tandis que dans la nuit leur répondaient
d'autres lueurs vagues, d'autres canons de fusil :
ceux des vigiles qui commençaient à tourner.

                    *

Mon père avait rapidement mobilisé son monde et
dans le plus grand secret — de polichinelle. Troche,
par amitié, Dagoutte, parce qu'il tenait à montrer son zèle, Gaétan Quelinet, ouvrier agricole
au faire-valoir dépendant du château, pour com-
plaire à M. Heaume qui allait l'installer dans sa

métairie de Mortefille, offraient une nuit sur trois.
Léon Blac, retraité de la S. N. C. F., qui gui-
gnait un poste de conseiller, et Besson, vexé par
l'histoire du chien, en offraient une sur quatre.
Enfin, sans doute par ressentiment, les « Mar »,
provisoirement logés dans un baraquement mis à
leur disposition par la commune, promettaient de
déléguer un des leurs une fois par semaine, en
remplacement, le samedi soir excepté, le fils et
le valet se réservant cette nuit-là pour aller danser.
Les mobiles auxquels obéissaient nos croisés semblaient un peu disparates, un peu personnels, assez
éloignés du mobile idéal qui (selon M. Heaume)
« était de n'en point avoir, d'appartenir au genre
Colu, un dévouement de cette nature ne se laissant
ni rebuter par l'échec ni alourdir par le succès ».
Mais ces divers concours permettaient d'avoir à
peu près chaque nuit des hommes disponibles sans
leur imposer un trop fréquent tour de garde. Com-
plétant cette organisation, Papa — qui se réservait de
boucher les trous —, avait divisé Saint-Leup en
trois secteurs, où les trois vigiles que leur profession
laissait plus libres que les autres et qui disposaient
d'un téléphone, Besson pour « Chantagasse »,
Dagoutte pour le haut bourg, lui-même pour le
bas bourg, devaient exercer, même en plein jour,
une surveillance discrète et servir d'agents de liaison. Enfin des lampes de poche, des sifflets à
roulette avaient été distribués, un local aménagé
dans une dépendance de la mairie pour permettre
aux hommes de se reposer entre les rondes, dont
l'itinéraire n'était jamais fixé d'avance et qui pou-

vaient aussi bien fouiller l'intérieur du bourg, former le cercle autour de lui ou donner des coups de sonde jusqu'aux extrêmes limite du finage.

Je suivais ou plutôt je vivais tout cela, faraude d'avoir été bombardée secrétaire des vigiles : ce qui consistait à taper, sous la dictée paternelle, une note de service donnant l'itinéraire du soir et à porter le pli à la mairie. Ce petit rôle m'occupait, comme l'activité de mon père le détournait un peu de plus sombres soucis. Maigre dérivatif, d'ailleurs, qui ne changeait rien à une situation chaque jour plus précaire, plus tendue, plus fertile en scènes. Pour les éviter, pour ne pas voir mon tendre bourru se transformer en bloc de glace et ma mère-bécotte en harpie, pour ne pas entendre Julienne siffler ses affreux petits conseils, je sortais la moitié de la journée, avec l'assentiment tacite de mes parents qui cherchaient sans doute à me ménager et avaient une robuste confiance en mes seize ans (et demi), d'ailleurs peu exposés dans le bocage. Un cache-nez de laine rouge autour du cou, la fermeture Eclair du blouson tirée haut et les pieds dans mes bottillons de caoutchouc noir, je courais les jonchères et les taillis, je sautais les haies, les échaliers et les rottes. Seule quelquefois; souvent avec M. Heaume qui, pendant dix minutes, me faisait un cours d'anglais et le reste du temps me parlait des tourments de son âme. Ma mère était réticente pour me laisser sortir le soir, mais ses propres absences, qui se multipliaient, me laissaient le champ libre, et la Chouette peu à peu s'abonnait aux promenades nocturnes, jamais solitaires, celles-là — je ne suis pas si brave —, et toujours effectuées en compagnie de M. Heaume ou encore de mon père, quand ses tournées n'étaient pas trop tardives.

*

Celles-ci du reste n'avaient donné jusqu'alors aucun résultat. Mais elles n'avaient pas été exemptes d'incidents comiques. Un soir, l'équipe Vantier-Blac suivit de loin pendant une bonne lieue deux inquiétants noctambules dont l'un finit par se retourner et leur crier : « Ne faites pas tant de bruit : vous ne prendrez jamais personne ! », tandis que l'autre éclatait d'un beau rire. C'était M. Heaume et moi qui, depuis une heure, nous amusions ferme. Un autre soir — et je regrette bien d'avoir manqué le spectacle —, au coin du chemin des Cormiers et de la route de Candé, le tandem Dagoutte-Quelinet, opérant pour la première fois, tomba sur les gendarmes, tapis derrière une haie (à l'affût des vélos sans plaque et sans lumière beaucoup plus que de l'incendiaire). Les deux camps, réfugiés derrière les talus, échangèrent pendant deux minutes de furieux : « Halte-là ! », puis finirent par s'identifier et allèrent boire une fillette de rosé au café Belandoux qui n'était pas encore fermé.

XV

Toujours ces feuilles. Je finis par les reconnaître rien qu'en marchant dessus, sans les voir. Celles du chêne, qui font des résilles, celles du peuplier et du bouleau, plates et vite consumées, ne sont pas trop à craindre. Mais celles du marronnier, recroquevillées sur leurs nervures, celles du platane, qui pourrissent si mal et demeurent longtemps craquantes, vous rendent aussi discret que si tous vos boutons étaient remplacés par des grelots.

Toujours cette brume de terre, si différente du vrai brouillard qui tombe d'en haut et s'étale partout uniformément. Toujours cette brume épaisse comme purée en certains endroits, légère comme tulle un peu plus loin, inexistante ailleurs ou déchiquetée par des jeux flous, de molles fantaisies, transformée en colonnes torses, en haillons pour fantômes, en petits tas d'ouate. Allez reconnaître quelqu'un, allez donc seulement vous aviser de sa présence, quand tout cela bouge, se déchire, étire de longues ombres blanches, quand une demi-lune noyée dans son triple halo se charge de parfaire la confusion en allongeant au sol de longues ombres noires !

Et toujours ce silence, toujours cette cadence, depuis que nous avons quitté la maison. Est-ce ma
faute si Troche est arrivé, vers sept heures, en pleine
scène de ménage, au moment où mon père, giflé à
la volée, marchait sur ma mère et, sans un mot, sans
un geste, sous la seule pression de son regard, la forçait à reculer jusqu'au mur ? Est-ce ma faute si ce
pauvre Lucien, plein de bonnes intentions, mais
gaffeur comme pas un, n'a pas su retenir sa langue
et a osé lui dire dans la courette :

« Tu ferais mieux de la laisser, cette garce ! »

*

En principe, il devait venir avec nous : nous de-
vions passer le prendre chez lui après dîner; mais
du coup Papa a préféré l'oublier et partir seul avec
moi. Nous tournons depuis deux heures. Nous avons
bien abattu nos huit kilomètres. Salués par les chiens
de *Bon-Retour,* de *L'Elmeraie,* de *La Devansette,* de
La Merlière, sifflant trois petits coups brefs devant
chaque ferme — signal adopté depuis l'accrochage
avec les gendarmes et qui devient en quelque sorte
l'équivalent du « Dormez, bonnes gens » des veil-
leurs médiévaux — nous avons fait le grand tour et
sommes redescendus sur *La Ravardière* par le chemin
du Grenier-aux-Chouans, le plus classique, le plus
détestable chemin creux du pays, véritable cañon de
glaise aux ornières insondables, aux talus hérissés
d'énormes souches évasées, mortes depuis longtemps
et toutes rhabillées de gros lierre. Nous marchons,
silencieux, mais l'oreille saturée par les grenouilles

et par les vingt espèces de chouettes qui se disputent
l'empire nocturne du bocage. Nous marchons, entourés par les ricanements du petit-duc, les huées du
hibou, les cris perçants d'écorché vif de l'effraie, et le
« hou-hou-j'imite-le-loup », des hulottes qui s'enlè-
vent à tout moment, de leur vol large et mou, fatal
aux taupes. Enfin, comme nous approchons de *La
Ravardière,* un glapissement de renard en chasse
jaillit à moins de cinquante mètres. Le déboulé du
fauve et de sa proie, qui remontent au hallier entre
deux rangées de choux, font grêler les gouttes d'eau
qui roulent toujours sur leurs grandes feuilles ver-
nissées. On distingue très bien un double plongeon
dans les épines. Le glapissement devient tout proche.
Un léger trottinement passe sous les ronces, au creux
du fossé, suivi par la ruée du renard qui brousse avec
fureur. Papa abaisse son fusil instinctivement, puis le
relève. Le glapissement s'éteint. Sur un coup de gueule
qui happe, un faible cri expire dans l'épaisseur
de la haie, vite remplacé par un bruit de mâchoire
broyant de petits os.

« Il l'a eu », dit Papa d'un ton satisfait.

Il se frotte les mains et, presque aussitôt, lâche cet
étonnant coq-à-l'âne :

« Après tout, tu sais, ta mère, c'est une pauvre fille.
Si elle était heureuse, elle ne serait pas aussi méchante. »

Rire étouffé d'une fille qui s'appelle Céline, qui
se colle contre son père et lui murmure dans l'oreille :

« Je te trouve épatant ! Tu es donc heureux,
toi ?

— Hein ?

— Eh bien, tu dois être heureux, puisque toi, tu n'es pas méchant. »

Papa repart sans répliquer, la tête basse, les épaules tombantes. Il tire la jambe, semble soudain très fatigué, s'accroche à mon bras, renifle à petits coups, nerveusement. Le coup de trompette d'un très lointain butor opérant quelque part dans les marécages de l'Argos, au-delà des limites de la commune, le fait sursauter. Il hâte le pas comme s'il avait peur. Le chemin d'ailleurs s'élargit, remonte au niveau des champs, se flanque de nombreuses barrières. Derrière un bouquet de pommiers, bien reconnaissables à leur tête ronde, qui se profile sur un fond de ciel plus clair, côté lune, surgissent les bâtiments de *La Ravardière*. Un premier chien gronde, lance deux ou trois avertissements graves. Un second le relaye, dans l'aigu. Puis tous deux, le bas-rouge comme le roquet, se jettent contre la barrière qui les sépare des « vigiles » et, dressés sur leurs pattes arrière, se mettent à hurler de concert. Papa siffle trois fois. De l'étable où veille une lanterne sourde, le vacher lui répond trois notes qui chantent dans la nuit :

« Ho ! hé ! ho ! »

A moi de crier, de mon plus clair soprano :

« Colu, père et fille ! »

— Tais-toi donc, est-ce que cela te regarde ? Est-ce que tu devrais être là ? » proteste Papa.

Eloignons-nous, poursuivis par l'odeur chaude de la paille et du fumier. Après avoir longé la ferme, le chemin continue. Mais il change de nom pour devenir le chemin des Alises et il change d'aspect en traversant de plain-pied, la « plaine à Bouvet »,

territoire de trois cents hectares dont toutes les haies
ont été rasées par un marchand de bestiaux pour
le transformer en pâturage permanent et sur
lequel la brume s'étend uniformément, très plate,
très blanche, contrastant avec le ciel qui en devient
noir, et pourtant si peu épaisse qu'elle parvient tout
juste à la hauteur des genoux. Vus de loin, nous
devons avoir l'air de marcher dans une mer de lait.
Mais nous n'en buvons guère... Répondant enfin
à l'exclamation de Troche, avec deux heures de
retard, Papa gronde entre ses dents :

« La laisser, la laisser... Il en a de bonnes ! Une de
perdue, dix de retrouvées, n'est-ce pas ? Surtout avec
ma gueule... »

Il s'est croisé les bras et s'avance ainsi, le menton dans la cravate, le regard surveillant les pieds,
dans l'attitude d'un homme qui remonte l'allée centrale de l'église le jeudi saint, pour aller faire ses
Pâques. Un peu plus loin, il avoue :

« D'ailleurs, je ne veux pas. Eva, c'est Eva. Et puis
il y a toi. »

Il m'attire contre lui et gronde plusieurs fois de
suite : « Eva, c'est Eva... » Pas un mot, Céline !
Oreille ouverte, bouche cousue. Il faut le laisser
se vider, se délivrer de ce qui l'étouffe. Il ne me
parle pas vraiment, il se parle, et, quand on commence à se parler de cette façon-là, le moindre sourire, la moindre objection vous hérissent, vous rejet-
tent aussitôt sous les verrous du silence. Si Maman
n'a aucune discrétion et lance n'importe quoi à mes
pauvres oreilles (beaucoup plus vieilles que moi, il
faut croire), si M. Heaume a la confidence plus

facile, Papa est de la race des contractés qui ont la langue courte, la salive rare, et qui n'admettent personne à contempler la collection secrète de leurs sentiments. Parmi les refuges : la confiance, le mutisme ou l'humeur, il ne connaît que les derniers. Voilà justement que l'humeur reprend le dessus.

« Je ne suis pas fou, je sais ce qu'elle cherche, ta mère. Elle veut m'asticoter jusqu'à ce que je la frappe. Si jamais je lui poche un œil, si j'ai seulement le malheur de lui faire un bleu, tu la verras sauter chez Clobe pour lui réclamer un constat, et hop ! Elle filera demander le divorce à son profit... La frapper ? Pas si bête ! »

Papa décroise les bras et considère ses mains. A l'annulaire gauche brille cette alliance épaisse comme un anneau de rideau qui se porte à la campagne. Pour la seconde fois, il avoue :

« D'ailleurs, je ne peux pas. »

Abandonnant la « plaine à Bouvet », le chemin oblique sur la gauche, vers le bourg, devient une sorte de ceinture desservant un lotissement de jardins aménagés par les ardoisières de Gravoye pour ceux de leurs ouvriers qui habitent Saint-Leup. La brume recouvre les plates-bandes. Cabanes à outils et arbres fruitiers semblent suspendus entre ciel et terre.

« Quand j'ai la tête qui éclate, reprend-il, quand je rage trop, je fous le camp, je sors, je marche. »

Chanson connue. Mais Papa ne m'en a jamais tant dit. Il toussote, il crache, il se racle la gorge, où quelque chose semble s'être mis en travers. Puis son fusil le gêne : il le change d'épaule. Enfin, il me saisit le coude :

« Toutes ces histoires finiront mal. Eva est capable de tout. Veux-tu que je te dise... ?

— Non ! »

Mon père s'arrête. Son regard me creuse, sa main pèse, pèse sur mon épaule.

« De quoi as-tu donc peur ? » dit-il.

Comme s'il ne le savait pas ! Comme s'il pouvait ne pas le savoir ! Sa voix se réduit, n'est plus qu'un filet. Il chuchote :

« Tu ne penses pas que ta mère pourrait nous cacher quelque chose au sujet des incendies ! Moi aussi, ça m'ennuie qu'elle soit une des rares personnes qui aient assisté à toutes ces noces. Mais, en somme, c'est un peu son métier... »

Ouf ! Hypothèse absurde ! Ce n'est pas du tout ce que je craignais. Pourtant je n'aime pas cette haleine frémissante, ce regard provocant, tendu comme un piège. Que veut-il me faire dire ? Et quel rapport entre ces trois phrases et cette colère qui le détourne de moi ?

D'un coup de pied magistral, il fait sauter une motte à vingt mètres. Une branche de prunier qui pend au-dessus d'un treillage est happée, cassée, épluchée, transformée en badine qui se met à fouetter l'air, à cingler les orties. Puis elle s'envole, retombe dans le clos. Papa, avec effort, trouve un pas calme, un ton gouailleur :

« Comme le maire ! Comme le curé ! Eux aussi ne ratent pas un mariage. Avoue que M. Heaume est un curieux zigoto. Quant au curé, eh bien, Besson prétend avoir vu une houppelande, un melon. Le curé, en hiver, porte toujours sa grande pèlerine

noire, et un chapeau de curé ça ressemble à un melon. Oui, tu vois, je soupçonnerais plutôt le curé ! »

Le voilà qui éclate de rire.

*

D'un rire faux. Depuis l'âge de cinq ans, je sais
que cette façon de se gratter le cou contre son col
signifie qu'il est furieux. Non pas contre quelqu'un
(en ce cas son cou se raidit et devient de marbre),
mais furieux contre lui-même. Quand, faute d'avoir
à temps mis à profit son droit de suite, il perd un
essaim, quand il manque une grosse affaire, quand
il lâche — c'est rare — une phrase qu'il aurait mieux
fait de ne pas prononcer, il a toujours ce tic. Rien
d'étonnant à ce que son rire se transforme en ricane-
ment, puis en une sorte de chevrotement.

« Pas méchant, pas méchant... Si, Céline, si !... Je
suis méchant, mais pourquoi me pousse-t-elle à
bout ? »

Ses deux poings se dressent. Il crie soudain :

« A bout ! A bout ! »

Puis ses poings s'ouvrent, ses mains touchent son
passe-montagne, retombent d'un seul coup, molles,
au bout des bras. Mon ange me dit : « Ne le touche
pas. Ce n'est pas le moment de faire ta câline, Céline,
avance ! » Et j'avance, troublée, dans le brouillard
qui se resserre. Les chouettes se sont tues, mais un
matou en chasse hurle quelque part sa mélopée,
entrecoupée de crachements d'air rageurs. J'ai sommeil et j'ai froid. Soudain Papa s'immobilise, se plie
en deux, m'expédie au fossé d'une bourrade :

« Planque-toi ! Planque-toi ! »

Aplatie dans un bouquet de chélidoine, la plante
à verrues que je reconnais à l'odeur, je relève le nez.
Mon chef est allongé de l'autre côté du chemin, à
proximité d'un tas de crottin. Dans la direction
exacte du clocher de Saint-Leup sur qui s'empale la
lune, un point rouge se déplace. Il passe entre deux
jeunes pruniers, à hauteur de greffe, donc à hauteur
de tête. Aucun doute : ce point rouge qui, à chaque
bouffée, augmente d'intensité, est une cigarette, plantée au milieu d'un visage qui, malheureusement,
bénéficie du contre-jour. L'homme arrive droit sur
nous, probablement sur des talons de caoutchouc,
car son pas n'est pas sonore, ne produit qu'un léger
froissement d'herbe. Au moment où apparaît une
masse noire et trapue, le point rouge saute en l'air
et, décrivant une courbe élégante, va s'enfoncer dans
la brume. Papa se méprend et, ne comprenant pas
que l'inconnu vient seulement de jeter sa cigarette,
crie, beaucoup trop tôt :

« Hep ! toi, là-bas ! »

Résultat : une jolie galopade ! L'ombre a aussitôt
fait volte-face, s'est lancée à corps perdu dans la direction d'où elle vient, c'est-à-dire vers le bas bourg.
Sa remarquable détente, qui signale de bons muscles
jeunes, n'a rien à craindre de mon père, alourdi par
son fusil, ni de moi, propriétaire de mollets minces.
Nous ne suivons qu'avec peine et perdons du terrain.
Mais Papa donne un strident coup de sifflet qui peut
s'interpréter comme un signal, invitant quelque lointain acolyte à barrer la route au fuyard. Celui-ci
crochète, fait un bond magnifique par-dessus une

rangée d'échalas et disparaît de l'autre côté dans un grand fracas de verre brisé. Il a dû tomber en plein sur une couche. Blessé — car il a crié —, il se dégage lentement des débris, nous donnant le temps d'arriver jusqu'à la clôture. Ni Papa ni moi ne sommes capables de la franchir en voltige comme il vient de le faire et, protégé par elle, il peut repartir en boitillant. Mais, comme il disparaît derrière une rangée de hauts topinambours, il a le tort de tourner la tête une seconde. Il n'est pas à plus de vingt mètres et cette fois la lune l'éclaire de plein fouet.

« Tu l'as vu, Papa, tu l'as vu ? On dirait que c'est Hacherol.

— Oui, c'est Claude, dit mon père sans s'émouvoir. Maintenant que nous le savons, nous pouvons le laisser filer. De toute façon, il n'ira pas plus loin que chez lui.

— Voilà qui pourrait bien rendre plus claire l'histoire de la lampe à souder !

— Possible, pas certain. »

Poussant un genou, poussant l'autre, Papa repart sans se presser. C'est moi maintenant qui suis fébrile, excitée, qui ne comprends pas sa réserve et son calme.

« Mais enfin, s'il n'a rien à se reprocher, pourquoi se sauve-t-il ?

— Peut-être n'a-t-il aucune envie de faire savoir de quels draps il sort, ce coureur ! »

Un geste pudique clôt l'incident. La brume se laisse traverser par de faibles halos qui sont les lumières du village. Des bruits indéfinissables troublent l'ordre froid du silence. Le chemin va déboucher dans la rue des Franchises-Communales, là où il de-

vient route du Lion, avant le tournant dangereux,
au pied même du poteau qui porte le grand S. Un
pinceau de lumière avance d'est en ouest, balayant
la départementale, illuminant un pan de mur, dont
deux immenses garçons de café, l'un rouge et l'autre
blanc, occupent toute la surface. Comme l'auto passe,
je mets le pied sur le macadam et murmure :

« Tu vas tout de même téléphoner aux gendarmes ?

— Est-ce bien la peine ? » répond Papa, hésitant.

Il hésitera jusqu'à la maison, et c'est moi qui, très
fière, toute heureuse de mettre en émoi la brigade,
aurai le malheur de décrocher.

XVI

Lève les bras, tourne-toi ! Je pivotais devant la glace
de l'armoire, hanche à gauche, hanche à droite, le
menton sur l'épaule, la prunelle dans l'angle de
l'œil, pour m'admirer de dos, de face ou de profil.
Elle avait bien quelque chose de villageois, ma robe,
dans le choix du tissu et surtout dans la coupe visiblement opérée par d'honnêtes ciseaux sur l'un de
ces honnêtes patrons de papier de soie, qui, après
usage, finissent où-le-roi-va-t-à-pied. Mais nul n'aurait pu m'en convaincre alors, et encore moins ma
mère qui, la craie en main, la bouche pleine d'é-
pingles, contemplait son œuvre sans trouver le moindre défaut dans les empiècements ni dans ce terrible
arrondi, qu'elle venait de vérifier une fois de plus au
millimètre.

« Tu te tiens tranquille, oui !... »

J'esquissai un dernier entrechat, retombai sur mes
bas. *Tourne-toi... lève les bras...* Dernière inspection. Peut-être l'épaule gauche était-elle un peu
haute ? Non, c'était moi qui ne me tenais pas droite...

« Ça va, enlève ta robe », dit une voix étouffée,
filtrée par un coin de lèvre.

Mme Colu retirait les épingles de sa bouche, les fichait, une par une, dans la pelote de velours bleu. Je dis bien : Mme Colu. Pas l'autre, cette personne capable de casser la vaisselle (la vaisselle de Mme Colu, justement). Morne et soupirante, enfermée dans sa blouse, on eût dit qu'elle la surveillait, l'autre, qu'elle l'observait dans la glace, debout derrière moi — derrière leur fille. Moi aussi, je l'observais, hostile et tendre, déguisant mon inquiétude sous les enfantillages. Mme Colu ! Elle dormait cette nuit, quand, après avoir téléphoné à la brigade, je m'étais glissée dans la chambre, mais cette chambre — dans une maison où personne ne fume ! — empestait le tabac. Et c'était elle, pourtant, qui, au petit déjeuner, aussitôt après le départ de Papa pour sa rituelle tournée d'encaissement, s'était offert le luxe d'une petite crise de jalousie :

« Tu n'es pas rentrée trop tard, au moins ? Je me demande quel plaisir tu peux prendre à trotter derrière ton père. Dieu sait ce qu'il peut te raconter contre moi pendant ce temps-là ! Tu ne comprendras donc jamais qu'il t'exploite ! Tant qu'il te tient, il me tient... Où avez-vous été traîner ? »

Question insidieuse. Réponse vague : « Nous avons été par là et puis par là. » La prudence m'avait enseigné à ne jamais rien répéter à l'un de ce que l'autre disait ou faisait en ma présence. Inutile de parler d'Hacherol. Son cas, du reste, ne devait guère l'intéresser, et la rumeur publique se chargerait de le lui apprendre.

*

Dernière naïveté ! Comme j'enlève ma robe, la rumeur publique se signale par une talonnade précipitée, et Julienne fait irruption chez nous, flanquée de Lucien qui devrait normalement, à cette heure, s'occuper de ses boulons, chez Dussollin.

« Qu'est-ce qu'on raconte ? Claude est arrêté ! On vient de le dire à Lucien, au garage... »

Une secousse ébranle ma mère de la tête aux pieds. Elle a failli avaler les dernières épingles qui lui restaient dans la bouche, elle les crache en roulant les yeux, elle finit par articuler :

« Claude !... Tu es folle ! Pourquoi ? Par qui ?

— Mais par ton mari, pardi ! Demande à Céline : elle y était. »

Blanc pour blanc, c'est encore moi la plus blanche. L'odeur de tabac, l'endroit où nous avons trouvé Hacherol, l'exclamation paternelle, le visage bouleversé de ma mère, le sourire si ravi-d'être-navré de Julienne, l'ébahissement de cette gourde de Lucien, tout ça se relie. Compris. *Et il tomba de ses yeux comme des écailles...,* dit l'histoire sainte. J'ai l'impression que tous mes cils me tombent sur les pieds. Claude ! Ce misérable que le père Havault a sommé d'épouser sa fille enceinte, l'an passé, et qui s'est défilé en disant que la petite Chaisel était dans le même état, que ne pouvant prendre les deux il n'avait aucune raison de préférer l'une à l'autre ! Ce joli museau dont on comprend à la rigueur qu'il aille chiffonner les écharpes des enfants de Marie !

C'est lui ! Ma pauvre Maman, il est pour toi, ce
« Lui » auquel nous pensons toutes, auquel je pense
déjà quand je me demande ce que je serai dans cinq
ans... ce « Lui », ce pronom qui précède le prénom et
veille en nous comme une lumière ! Je suis sans doute
ridicule, mais l'amour m'est encore précieux comme
le bonhomme Noël l'est aux enfants et ce qu'il recouvre, ce qu'il semble être ici et dont j'ai bien l'idée,
tu sais ! me fait palpiter les narines, comme si l'air
pour elles devenait trop épais. Et le pire, le pire,
pour le moment, ce n'est même pas cela, c'est ce
silence qui nous sépare, c'est ce visage qui change
à vue d'œil, ce regard qui m'accuse d'être complice
de je ne sais quelle machination. Ah ! vos histoires !
Si parler m'expose, si me taire m'expose, que dois-je
faire ? Est-ce que je savais, moi ? Et Papa savait-il ?
Et, s'il savait, pourquoi m'a-t-il laissée téléphoner,
n'est-ce pas lui qui... Mon Dieu, quel tourbillon noir !

« Eh bien, Céline ? » fait la voix de Maman, tendue comme une corde.

Une seule solution. Feindre l'ignorance. Ramener l'incident aux plus petites proportions qu'il
puisse avoir. A celles qu'il avait encore tout à l'heure.
Je bougonne :

« Qu'est-ce que c'est que cette histoire ? Papa
n'a arrêté personne : il n'a pas pas qualité pour le
faire. Nous avons seulement signalé qu'un individu,
en qui nous avons cru reconnaître Hacherol, s'est
enfui à notre approche. Papa ne voulait pas prévenir
les gendarmes. C'est moi qui ai téléphoné...

— C'est malin ! fait Julienne. Et tu oublies de
dire qu'il est blessé.

— Blessé, hurle ma mère. Ton père a tiré dessus ? »

Elle trépigne. Ses seins se gonflent, roulent, se heurtent l'un contre l'autre. J'en ai assez. A mon tour de me fâcher :

« Il a dû s'abîmer les jambes en sautant sur la verrière d'une couche. Je vous trouve extraordinaires ! On a institué des tournées de sécurité, c'est pour signaler ce qu'elles voient. Pourquoi Hacherol s'est-il enfui ?

— Et sa lampe, crie ma mère. Pourquoi est-ce sa lampe qu'on a retrouvée l'autre jour ? »

Julienne prend le relais.

« La lampe, d'abord. Ce traquenard, ensuite. C'est clair.

— Ne vous montez donc pas le bourrichon, fait Lucien. Moi aussi, je dis comme Céline : pourquoi se sauvait-il ? Et pourquoi refuse-t-il de s'expliquer ?

— Imbécile ! »

Julienne et ma mère lui ont jeté le même mot en même temps. Ce bon rouquin en reste médusé, tandis que Maman se précipite vers le portemanteau.

« C'est bon, je sais ce qui me reste à faire. Surveille le ragoût, petite sotte. Tu remettras de l'eau sur le couvercle de la cocotte de temps en temps.

— Où vas-tu, Eva ? » demande Julienne.

Nulle réponse. La porte claque. « Eva » galope déjà dans la rue : elle a pris son manteau, mais gardé ses pantoufles et oublié son sac. Julienne soulève le rideau. Ma mère court, faisant sauter une poitrine violente et bondissant avec une belle impétuosité de jambes, à croire que, se partageant son âge, chacune d'elles n'a plus que dix-sept ans.

« Va, ma chatte ! » fait Julienne, doucereuse et
la langue glissant sur la pointe d'une dent.

L'intonation est si hostile que son mari la regarde,
étonné. Pauvre Lucien ! La mécanique des sentiments est vraiment trop compliquée pour ses pattes
noires qui connaissent pourtant tous les rouages d'un
changement de vitesse.

« Où file-t-elle, ta copine ? » murmure-t-il.

Julienne sourit de toutes ses dents. Du mot copine,
sans doute. Ma mère est sûrement quelque chose
pour elle, et d'abord la femme de mon père. Depuis
le temps, il y a vraiment une couche d'amitié là-
dessus. Comme il y a une couche de chocolat sur les
esquimaux qui sont si froids, si froids et qu'on mor-
dille longuement. Elle feint, la Troche, de ne pas
s'apercevoir que je suis là, muette, raide, plantée
comme un piquet. Elle pivote en disant : « Ma soupe ! »
avant d'avoir atteint la porte et ajoute :

« Tu comprends vite, mais il faut t'expliquer
longtemps. Eva et Claude... »

Affreux petit geste de l'index, glissant au creux
du poing gauche. Troche, outré, lui saisit le bras.
Mais il ne pourra pas lui saisir la langue.

« C'est le dernier, quoi ! » siffle celle-ci.

Inutile, Julienne ! C'est fini. A mesure comble, nul
n'ajoute du poids. Ma main s'allonge vers le robi-
net de cuivre, remplit un verre d'eau. Cette eau est
pure, claire, tremblante. J'en bois une gorgée, j'en
verse quelques gouttes sur le couvercle de la cocotte
et, d'un geste brusque, j'expédie le reste sur l'évier.
Il y a plus urgent à faire qu'à rêver. Il faut rejoindre Maman avant qu'elle n'ait atteint la gendarme-

rie — car c'est là qu'elle est partie, j'en suis sûre. Elle
est à pied. Je la rejoindrai peut-être à vélo.

*

Non, je ne la rejoindrai pas. Elle a pris trop
d'avance. Elle est à vingt-cinq mètres de l'affiche
tricolore. Elle court, elle court sous le regard répro-
bateur des commères pour qui une femme, sauf cas de
force majeure, ne doit jamais courir. (« Ça secoue
les avantages », n'est-ce pas ! Et puis les démarches
lentes font sérieux, semblent liées à l'usage de la
réflexion, à une bonne discipline de la jambe, ce
membre louche.) Mais Maman s'en moque. Elle
court. Elle ne marque même pas un temps d'arrêt
sous le rituel : *Engagez-vous, Rengagez-vous*, et,
traversant le jardinet où s'alignent militairement
cinq cents poireaux frais repiqués, disparaît dans
le poste de garde. J'hésite à la suivre. De toute
façon, sa présence suffit, tout le monde a compris,
il est trop tard. La vérité, c'est la vérité : Hacherol,
qui se taisait, qui pour une fois faisait son chevalier,
y a peut-être droit. Mais on aurait pu la rendre
plus discrète. J'enrage. Je passe devant la gendarmerie, je fais demi-tour un peu plus loin, je repasse,
je fais une boucle sur la place, je reviens... Enfin
j'entends ce que je craignais le plus : un rire. Il
tombe par la fenêtre, il s'enfle, il devient insupportable, tandis que ma mère ressort, très rouge,
et me crie pour masquer sa confusion :

« Que fais-tu là ? Le ragoût va brûler. »

XVII

Je tourne en vain à la recherche de mon père et
surtout à la poursuite de ce rire qui se fige un instant devant moi et renaît derrière mon dos. En
quelques minutes, il a fait le tour du village, il
est entré partout, il est parvenu jusqu'à ceux
qu'une épidémie de grippe retient dans les lits de
plume. Colporté par le facteur, par l'épicier ambulant qui pousse de ferme en ferme sa camion-
nette-boutique, par les valets qui, le fouet disposé
en cravate, ramènent leurs chars pleins de pulpe de
pomme, il envahit la campagne. Quelle bonne diversion ! Qui rit un peu tremble moins. A-t-on jamais
vu, à Saint-Leup, affaire plus cocasse. « Le chemineau, Simplet, Hacherol... En voulez-vous du boutefeu ? Nous en avons pour tous les goûts ! Ces bons
vigiles, quand même ! Ils ne *s'achalent* pas, dame !
Un soir, ils ont failli arrêter les gendarmes, un
autre soir, ils ont pris le maire en chasse, aujour-
d'hui Tête-de-Drap « pique » un type, et c'est
l'amant de sa femme. » Dans tous les coins, je bute
sur des bouts de phrase de ce genre qui n'ont
pas eu le temps de rentrer dans les gorges, et j'en

oublie d'autres qui m'étrillent les oreilles. Impossible de trouver mon père. Je risque du côté de l'église et, désastre ! je tombe en plein sur un cortège qui s'est formé autour d'Hacherol et le ramène chez lui, sur la place, dans cette boutique qu'il vient d'hériter et où il vit avec ses deux sœurs, vieilles filles farouches à la langue intraitable, mais qui réservent à leur frère une indulgence inépuisable. L'air avantageux, les chevilles bandées, Claude boitille, donnant un bras au docteur Clobe et l'autre à sa sœur aînée, la pire des deux, qui parle de la gentillesse de son frère « dont profitent les mauvaises femmes ». Celle-là ne se tait pas en m'apercevant et, bien au contraire, hausse le ton pour lancer des invectives contre Papa, « ce jaloux », contre ma mère — j'aime mieux ne pas répéter — et même contre moi, « cette petite rôdeuse qui, ça se voit, ne tardera pas à faire la même chose ». Au même instant, Ruaux — qui, lui, ne m'a pas vue, j'en suis sûre, car ce n'est pas un méchant homme — met les mains en porte-voix et imite le crieur de journaux :

« Sen-sa-tion-nel ! Nouvel incendie à Saint-Leup. Une femme du village avait le feu au cul... L'incendiaire est arrêté. »

Le clocher tangue. J'appuie sur les pédales et je m'en vais en zigzaguant. Il me semble qu'une auto, faisant crier ses freins, m'a évitée de justesse, qu'une voix a crié par la portière : « Céline ! Arrête ! Arrête ! petite idiote ! » Non, je redresse mon guidon et je fonce. La grand-rue. « Chantagasse ». La route du Louroux. La côte de la Queue-du-Loup. Je m'arrêterai seulement à trente mètres du sommet, les jambes sciées, pour faire demi-tour et me laisser glisser en roue libre, à toute vitesse, vers ce lointain, vers ce détestable amas de toits d'ardoise au-dessus duquel, très haut, virent et craillent les choucas.

XVIII

Je le trouvai devant la gendarmerie. Il enfourchait son vélo et me cria :

« Du nanan, ma cocotte ! Beau temps et bonnes affaires. »

Tout de suite — sans me regarder —, il m'expliqua qu'il avait réussi tout son programme. Du château où il était allé s'entretenir avec M. Heaume des indemnités proposées par la compagnie, il avait fait irruption chez Sigismond qui hésitait à signer le contrat de l'Angevine et qui, au bout d'une demi-heure, apposait son paraphe sur une police de la Séquanaise. Même satisfaction pour le reste : six quittances payées sur six présentées, une dotale et deux séries de *Capi* placées à l'improviste. Bonnes nouvelles, enfin, à la gendarmerie... Aïe ! Je serrai les dents. Mais non, Papa glissait, disait de la voix la plus naturelle :

« C'est bien ce que je pensais. Hacherol sortait de chez une femme. Le brigadier ne donne pas son nom, bien entendu... Je passe chez le boulanger et je remonte. »

Il pédalait en père tranquille, distribuant d'im-

perturbables « bonjour » aux gens qui le lorgnaient
d'un air narquois et se retenaient à peine d'afficher devant lui une intolérable gaieté. Il ne cilla
même pas quand Hippo et sa bande passèrent devant
lui à la queue leu leu, les index pointés au-dessus
du front. Bien qu'elle lui fût coutumière, cette
impassibilité même avait quelque chose d'irritant
et surtout d'inquiétant. Ce fut bien l'avis de Troche quand il le vit mettre pied à terre, devant
la boulangerie, poser son vélo contre un marronnier et entrer, tout raide, chez la mère Gourioux.
Il sortait du garage et se hâta de relever sa machine,
couchée contre le trottoir, pour la mettre sur les
nôtres. Puis il nous rejoignit dans la boutique où,
sauf une baguette, il ne restait plus que des miches
et du six-livres dans les grandes panetières verti-
cales d'osier blanc. La boulangère, une de ces grosses
et grises qui ont le lard méchant comme les vieux
gorets et ne ratent pas une occasion d'aggraver le
châtiment des victimes, glissait un pain sous le cou-
peret en jouant les étonnées :

« Une femme du bas bourg, tu vois qui c'est,
toi, Bertrand ? »

Troche lui jeta un regard intrigué. Mais rien
n'apparut sur le visage de Papa, lisse comme un
mur.

« Une femme du haut bourg, rectifia-t-il simplement. Le brigadier vient de me le dire. »

Gras sourire ! Voyez, disait-il, comme j'essaie de
ne pas laisser voir que je me retiens de m'esclaffer !
La mère Gourioux d'un coup sec guillotina un large
croûton et, l'œil au plafond, le jeta sur la balance,

comme si elle voulait peser toute la bêtise du monde.

« Bon poids ! » fit-elle.

Mais, avec un calme horripilant, Papa déplia une serviette, y mit son pain, sa pesée, la noua soigneusement, puis attendit Troche qui empoignait la dernière baguette. Ils sortirent ensemble, sans payer, tandis que Mme Gourioux ajoutait une encoche sur le bâton Colu et sur le bâton Troche, pendus avec beaucoup d'autres le long de la cloison. Ils enfourchèrent ensemble leurs vélos et, leur pain sous l'aisselle gauche, tenant d'une seule main leur guidon, ils pédalèrent de concert jusque chez nous, sans dire un mot.

*

Julienne était en train de désherber sa courette et retirait les pissenlits d'entre les pavés avec un couteau de cuisine. Elle battit en retraite en nous voyant arriver. Il y eut une seconde difficile, puis mon père se débarrassa de son vélo et, me prenant contre lui, se dirigea vers la maison en me caressant les cheveux. Troche suivit, sans donner aucun prétexte, mais personne ne lui en demandait; nous le remorquions comme notre ombre, secrètement soulagés par cette présence. A la porte, nouveau temps d'arrêt, hésitation du genou, suivie d'un sursaut des hanches, caractéristiques des timides qui se violentent. Je me serrai un peu plus contre lui, me laissant entraîner sur des jambes molles. Dans la cuisine, Maman battait une mayonnaise en écoutant distraitement les informations. Elle se retourna, aperçut

son mari, sa fille, son voisin, et sourit aux deux
derniers, tandis que ses prunelles s'esquivaient. A
ce détail près, elle avait l'air parfaitement à son
aise.

« Un petit coup de blanc, Lucien ? » proposa-
t-elle.

Offre inattendue, car, en principe, on ne servait
chez nous ni vin ni alcool. Papa ne dit rien. Il
s'était assis, la chatte lui avait sauté sur les genoux,
je m'étais blottie contre son épaule, et il continuait
à me caresser les cheveux de la main droite, tandis
que de la main gauche il lissait le poil de la chatte.
Lucien souriait, rassuré. Un peu plus et ça allait
tourner au charmant tableau de famille. Mais Papa
se mit à parler de ses réussites du matin, Maman
d'un certain plat de riz aux moules, dont le fumet
embaumait la pièce, et cela donna deux conversations séparées qui se chevauchaient sans tenir compte
l'une de l'autre. Trois verres furent remplis. Trois et
non pas quatre. Ceci pouvait s'expliquer, le maître
de maison ne buvant jamais que de l'eau. Mais
était-il normal qu'il n'y eût que deux couverts sur
la table : le mien et celui de ma mère, reconnaissables à leurs ronds de serviette de plastique, l'un vert,
l'autre bleu ? Manquait le rouge, celui de « Colu ».
Etait-il normal que ma mère — la coupable — eût
cet air insolent, amusé, analogue à celui qu'affichait
tout à l'heure Mme Gourioux, avec quelque chose
en plus dans le regard : une assurance cruelle, une
lumière impitoyable ? Etait-il normal que Papa —
la victime — poussât l'inconscience jusqu'à répéter
au moment où Troche se levait :

« Du nanan, oui. Aujourd'hui, tout le monde avait le sourire. Pourvu que ça continue ! »

Ma mère en resta bouche bée une seconde, et les paupières de Lucien battirent trois fois sur ses bons yeux de veau. Pauvre bluff ! La chatte sauta, abandonnant les genoux de son maître, et je vis qu'ils frémissaient, qu'ils se secouaient, comme ceux des enfants qui se sont retenus pendant des heures et vont d'une minute à l'autre pisser dans leur culotte.

XIX

Premier vendredi de décembre. Premier gel. L'air
a une pureté coupante, la nuit est nette. Le ciel
dur et brillant comme une cassure d'anthracite.
Nulle empreinte. La boue du chemin a pris la consis-
tance du marbre, l'herbe fait brosse sur le bord du
soulier. Ni grenouilles, ni chouettes : les unes ont
plongé bas sous la pellicule de glace qui ternit toutes les mares, les autres se recroquevillent, transies,
dans leurs plumes au creux des souches ou dans les
greniers perdus. Le silence est d'une qualité rare,
il refuse le bruit, et nos pas n'y peuvent rien : ils se
brisent contre lui, ils ne l'entament pas, ils ne parviennent qu'à l'accentuer, à fournir une preuve de
sa force et de sa profondeur.

« Eh bien, Céline, ça boume ?... »

A côté de moi, M. Heaume respire long, respire
frais, puis fait la locomotive et souffle chaud, hô !
livrant à l'hiver qui la condense un jet de vapeur
bleue.

« C'est le temps idéal, hein ? Quand il pleut,
les distances sont faussées, la terre vous mange les
pieds. On peut toujours se forcer, ma fille, mais

forcer son plaisir, est-ce encore le goûter ? Ce soir, tout va bien. »

Tout va bien pour M. Heaume, oui. Pour M. Heaume. Son pouls pousse vivement son sang dans ses artères, comme son pas le pousse dans les chemins, et la clef de la tour pèse au fond de sa poche gauche, tandis que pèse au fond de la poche droite le podomètre qui ne le quitte jamais et fournit après chaque randonnée un chiffre scrupuleux destiné à enrichir un total précis, proche des quarante mille bornes. Le tour de la terre en quarante ans de marche contrôlée, nous savons cela. Poème du talon qui est aussi une sorte d'expérience, nous le savons aussi. Additionner des distances ne suffit pas, il ne faut rien oublier de ce qui justement les a empêchées d'être seulement des distances, de ce qui les a rendues vivantes, à chaque mètre, à chaque tournant. Si les églantines embaument, le dire au carnet; si les fumiers puent, le dire encore. Et savoir ainsi que les parfums l'emportent. Nombre des nuits avec ou sans lune, avec ou sans pluie : à noter. Comportement des chaussures en terrain sec, en terrain mou, durée des semelles de corde, de cuir ou de caoutchouc : à noter. Nature de tous les bruits, de tous les cris qui ont besoin de l'ombre pour être ce qu'ils sont, depuis la frissonnante confidence de la rainette jusqu'au cri terrifiant de la proie éventrée par un rapace nocturne : à noter. Fréquence et réactions du passant (et, mieux, de la passante) surpris dans la nuit noire du bois ou la nuit claire de la plaine, forme et qualité de sa peur : à noter; à noter. Cela surtout, à noter. Car la peur,

pour peu qu'on en ait le goût, on peut s'en faire
une vraie spécialité dans ce pays sinistre aux haies
impénétrables, aux oiseaux lugubres, aux souches
façonnées comme des monstres, aux cimetières humides où prospère sur les tombes de chouans la flamme
bleuâtre des feux follets. Car la peur — pas la vôtre,
vous ne pouvez plus l'éprouver, mais celle des autres —, voilà votre étude préférée, n'est-ce pas, monsieur Heaume. Et cela ne date pas d'hier. C'est la
faute de cette patrouille... A propos, notez toujours
que j'ai peur, parrain, que j'ai terriblement peur,
ce soir. Le pire, je le sens, se rapproche de moi. Mais
qu'est-ce que ça peut bien vous faire ? Et comment
le devineriez-vous ? J'ai tellement l'habitude d'entendre les plaintes des autres que je ne connais plus
les miennes. Vous dites ?

Il dit, M. Heaume, qui, lui, ne parle pas en
dedans, mais en bon français un peu écrasé par un
accent indéfinissable, il dit :

« Tu es une petite charogne, Céline, ou tu me
prends pour un vieil imbécile. Ça fait dix fois que
je te demande si ça va.

— Mais ça va, parrain, ça va. »

On vous dit que ça va, monsieur Heaume. Marchons. Vous n'étudiez pas le chagrin, mais la peur.
Nous disions ? Ah ! oui... C'est la faute de cette patrouille qui — vous me l'avez raconté vingt fois —
ne devait être qu'une vadrouille et qui s'égara, voici
trente ans, dans les lignes ennemies d'où il vous fallut toute une nuit de marches et de contremarches
à travers une forêt truffée de casques à pointes pour
réussir à vous échapper sans autre mal que la peur,

mais après avoir subi cette peur à l'état pur, à l'état
verdâtre (où l'on est si sûr de sa mort qu'on en a
déjà la couleur), après vous être dissous dans la
colique et délivré, une fois pour toutes, dans cet
accès de panique suraiguë des menues frayeurs du
pékin. Oui, monsieur Heaume, vous pouvez marcher
la tête haute, indifférent à tout ce qui peut surgir,
recherchant en vain le petit coup au cœur, le froid
dans le dos, l'émotion blanche de l'insécurité. Ainsi
ne marchait pas le caporal Heaume, chargé de s'assurer que le bois était vide et qui aurait sans doute
sauvé sa compagnie s'il n'avait sombré dans la ca-
cade, s'il n'était rentré sur le ventre huit heures
après l'attaque. Passons. Marchons, parrain. Les
temps sont changés, vous êtes solide, riche, important, vous sortez de la tour où ronflèrent quinze
générations féroces, et la nuit, au surplus, cette nuit,
toutes les nuits, sont de bons pansements noirs pour
ceux qui, sans raison, ressentent comme des blessu-
res dans le dos. Pour moi aussi, d'ailleurs. Alors,
quoi, on s'arrête ? C'est une grande scène tendre ?

« Masque de bois, tu es bien comme ton père !
Est-ce que tu te figures que je ne sais rien quand
tout le village est au courant ? Si tu t'appelais Marie-
Ange, je t'apprendrais à me faire une tête pareille. »

Attention, Céline ! le nom de sa fille ne se prononce pas deux fois par an. Il est vraiment ému.
Et ce ne sont pas des détails qu'il réclame : il demande à partager. Ce dessous de bras où tu enfouis
ton nez ne vaut pas le sillon chaud entre les seins
de ta mère ni même le gilet de ton père dont les
petites poches sont toujours pleines de calendriers-

réclames de la compagnie. Mais ailleurs que là, ce
soir, il n'y a pas de refuge, pas d'endroit pour y
aller de ta larme, tandis qu'une grosse voix bête te
souffle dans l'oreille :

« Mon petit bouchon... Va ! On les étripera tous,
tous... Tous ceux qui te font du mal. »

Allons maintenant. Le froid gerce mes paupières
humides. Pour se rassurer, M. Heaume sort son
flacon. Et, glou ! (c'est du marc de pommes aujour-
d'hui). Mais, par pudeur, au croisement, il va oublier une de ses plus constantes manies. D'ordinaire,
le choix n'appartient qu'à ses pieds, et, comme ils
sont deux, il est obligé de procéder à une expertise :
si le pied gauche est pointé vers la gauche d'une
façon plus nette que le pied droit n'est pointé
vers la droite, il l'emporte. (Il l'emporte souvent,
car M. Heaume tourne du pied gauche.) Cette
fois, sans hésiter, à droite toute, il a pris le chemin de Noisière. Par pudeur, également, il cherche à meubler le silence.

« Noisière, Noisière... Calivelle qui se pique de to-
ponymie assure que Noisière ne vient pas de noix,
et c'est vrai que la glaise d'ici a toujours détesté
le noyer. Elle ne porte vraiment que les arbres en
mier. Tu connais l'adage, hein ? *Cent pommiers,*
un cormier, fais ton cidre, fermier. Noisière vien-
drait de noise qui, dans les temps, voulait dire
tapage... »

M. Heaume rit, brusquement, comme un sou-
dard. Ses deux bras me soulèvent et m'emportent à
hauteur de poitrine, tandis qu'il achève son cours :

« Tout simplement, ma fille, parce que le chemin pique droit sur Saint-Leup. C'est par là que les hommes de Gontran allaient pinter et chahuter Goton à la *Taverne de la Couleuvre*. Quand je pense que Caré, ce minable, a osé en reprendre le nom ! »

Je reprends contact avec la terre. C'est un fait, le chemin de Noisière file au bourg. Pourquoi le bourg ? Qu'allons-nous faire au bourg ? M. Heaume, souriant, suit ses pieds, s'enfonce vers le village dont les toits semblent avoir des arêtes plus vives, comme si elles s'aiguisaient sur cette matière dure faite de froid, de silence et de nuit.

XX

M. Heaume m'a quittée avec sa brusquerie habituelle : « Onze heures, Céline ! Va te glisser dans
les toiles. Si tu rentrais trop tard, tes parents pour-
raient m'en vouloir. » En fait, tandis que son pas
décroît, je me glisse sous le colonnoir et j'escalade
ce petit escalier qu'empruntent le secrétaire de mairie, logé au second, Ruaux, titulaire d'une soupente, et les vigiles, dont le local est constitué par
la soupente voisine qu'on a débarrassée d'un pous-
siéreux amas d'archives pour y mettre une table,
deux chaises et un lit de camp. Comme la plupart
des maisons de Saint-Leup n'ont pas d'étage ou n'en
ont qu'un, c'est — très relativement — un poste de
guet, d'où l'on domine une partie des toits.

Me voici sur les briques du palier. La porte du
local est fermée. C'est étonnant, car Blac a déclaré
forfait « les résultats obtenus étant vraiment trop
ridicules », et Papa, encore une fois obligé de boucher un trou, n'est pas l'homme à se servir du
lit de camp entre deux rondes. Mais, souvent, il
va chez Ruaux, qui dort peu et perd rarement une
occasion de dépendre sa langue. Un rai de lumière

affirme qu'il n'est pas couché. Un coup, deux coups, trois coups : c'est mon signal. J'y ajoute un cri de souris :

« Céline !

— Cette chouette ! fait Ruaux, en ouvrant la porte. Je disais tout à l'heure à ton père : « Pour « ses étrennes, achète-lui trois tubes de somni- « fère. »

Il fait riche, le père Ruaux ! Une couverture jaunâtre de l'U.S Army sur les épaules, le poing gauche enfoncé dans une chaussette (de même provenance) et la main droite brandissant une longue aiguillée de laine brune, il me regarde par-dessus les lunettes de fer qu'il chausse pour lire ou pour repriser.

« Ton père n'est pas là, ajouta-t-il, mais il ne va pas tarder. Comme Vantier non plus n'est pas venu ce soir, il est seul, il a décidé de ne faire qu'un petit tour. Si tu veux attendre là, tu auras moins froid qu'à côté. »

Son derrière tombe sur le bord du lit de fer, et l'aiguille se remet à fonctionner, poussée par de gros doigts que ne saurait coiffer aucun dé. Installons-nous derrière la fenêtre, qui n'a pas de rideaux, sur cette unique chaise, seconde pièce de cet étonnant mobilier qui compte encore un poêle gringalet incapable de dévorer plus de trois bûchettes à la fois, une crasseuse commode de bois blanc et ce téléphone inattendu, annexe du numéro de la mairie, le 2 à Saint-Leup (le 1, pardi ! c'est le château), dont le secrétaire manipule chaque soir l'inverseur pour expédier au vieux les appels noctur-

nes. Pendu à son clou, le clairon rutile, non loin
des tambours des criées. Je me détourne, j'écrase
mon nez sur la vitre. Chez le coiffeur brille encore
le peigne lumineux des persiennes. On veille aussi
chez Caré, dans cette chambre qui fait le coin de
la rue, en face de nous, et dont les volets sont percés
de deux cœurs. Partout ailleurs, les contrevents,
les rideaux de fer, les stores, donc les paupières,
sont fermés. La place est une sorte de cirque, aux
murailles uniformément sombres et d'égale hauteur
qu'interrompent seulement la faille de la grand-rue
et le pic du clocher. Un train qui n'en finit pas de
lisser son rail, très loin, vers l'ouest, porte à Nantes
l'ardoise de Noyant ou le minerai de fer de Segré.
Pourquoi rester ainsi, bâillante, inutile ? J'attrape
une chaussette.

*

Je n'aurai pas le temps de rafistoler un talon.
L'un des volets à cœur se rabat brusquement.

« Ambroise ! Ambroise ! Viens voir l'église »,
crie Mme Caré.

Le second volet se rabat. Caré s'accoude à la
barre d'appui, et la silhouette de sa femme, éclairée
comme la sienne par une ampoule nue qui pend au
bout d'un fil, oscille derrière son dos. Pas facile
de distinguer ce qui se passe au fond de la place : les
feuilles des tilleuls sont tombées, mais leurs gros moi-
gnons hérissés de petites branches forment une sorte
d'écran. Ruaux s'est levé et se penche sur mon
épaule.

« C'est peut-être le curé », murmure-t-il.

Mais l'étonnante luminosité des vitraux s'amplifie : même quand l'église est éclairée au maximum, pour la messe de minuit par exemple, ils n'ont pas un tel éclat. Seul le soleil est capable de les faire rutiler ainsi : du dehors et non du dedans. Les saints se détachent comme des apparitions. Saint Joseph, en vert intense, hume ses lis; saint Louis, vêtu de bleu, est assis sous son chêne; saint Leu, traînant son manteau violet, tient sa crosse à deux mains comme s'il la disputait encore à Clotaire II. Et des taches de couleur, toutes semblables à celles que les rayons vont d'ordinaire plaquer sur les dalles du transept, jouent dans les arcs-boutants et sur les murs voisins. Ruaux ouvre la fenêtre, et Caré lui lance :

« Qu'est-ce que tu attends ? Tu ne vois pas que ça brûle ? »

Ruaux hésite encore : le silence est absolu, on n'entend pas le moindre craquement; il n'y a ni flamme, ni fumée, l'air sent l'air, très pur, très froid, sans la moindre trace de brûlé ni même de roussi. Il hésite jusqu'à ce que l'église devienne comme une lampe, qui sort de l'ombre toutes les façades de la place, les badigeonne de toutes les nuances de l'arc-en-ciel. Mais c'est Mme Caré qui, la première, ouvre un four pavé de fausses dents pour hurler :

« Au feu ! Au feu ! »

*

Les persiennes du coiffeur claquent aussitôt. Puis
d'autres. Dix, vingt, trente visages apparaissent au-
dessus des barres d'appui, tout autour de la place,
tandis que s'entrecroisent les exclamations rogues
des hommes et les exclamations gémissantes des femmes, pour la plupart en chemise de nuit de pilou
blanc (à qui l'espèce de lanterne magique qui fonctionne à plein au fond de la place prête des nuances chatoyantes). On se dirait dans un théâtre dont
les balcons seuls seraient pleins. Ruaux a sauté sur
son clairon — l'habitude ! — puis s'est jeté dans
l'escalier pour aller manier l'interrupteur de la sirène. Je grelotte à la fenêtre, mais comment détacher les yeux du spectacle, de plus en plus réussi,
de plus en plus étonnant ? L'église, d'un seul coup,
s'est embrasée. De grandes ondulations pourpres,
qui, cette fois, ont leur source à l'extérieur — ce
qui semble absurde, car l'extérieur, c'est le cimetière
— lèchent les murs, les arcs-boutants, les piliers du
clocher. Toutes les maisons sont rouges, les toits
d'ardoise violet sombre, la vasque de la fontaine
communale transformée en flaque de sang, et pourtant cette lueur intense, qui ne fait pas torche, qui
se répand plutôt comme une teinture, ne s'accompagne toujours d'aucun bruit, d'aucune odeur, d'aucune chaleur appréciable. Un peu de fumée s'est
enfin répandue sur le cimetière, mais elle ne monte
guère, elle n'a aucune violence, sauf dans la couleur, qui est d'un pourpre impressionnant, vraiment

sinistre et qui arrache des cris aux sœurs Hacherol
pressées l'une contre l'autre à la lucarne de leur grenier. D'ailleurs, très vite, l'inquiétude tourne à l'affolement. De tous côtés retentissent des appels au
secours, des plaintes, des imprécations. De stridents
coups de sifflets à roulette, sans doute lancés par
les vigiles, jaillissent du fond de la grand-rue, sans
discontinuer. Et voici la sirène qui débute solennellement, s'énerve, grimpe du grave à l'aigu, bascule sur la pointe d'une note insoutenable et, « de-
gueulando », crispant les nerfs, redescend au plus
creux pour repartir sur son élan, pour atteindre de
nouveau ces notes haut perchées, pires que tous
les cris. A travers cette voix de catastrophe, se fau-
filent de maigres titati. Pauvre Ruaux ! Il n'a pu
se résigner à se contenter d'enclencher la sirène.
Démuni comme un sonneur devant un carillon électrique, il crache dans sa trompette, à titre de com-
plément. Après les fenêtres, les portes commencent
à claquer. Dans toutes les rues adjacentes retentissent de lourds galops ferrés lancés à toute allure
sur les pavés. Voici deux, trois gendarmes qui dé-
bouchent de la grand-rue : cette fois, ils ne ratent
pas l'incendie, ils arrivent les premiers. Il me semble bien... Mais oui, c'est M. Heaume qui les accompagne. Derrière lui, presque aussitôt, surgit Papa,
le sifflet aux dents. Puis le curé, emmitouflé dans
sa pèlerine, et le docteur Clobe, un manteau jeté
sur son pyjama. Descendons, descendons... Mais que
se passe-t-il ? On s'exclame dehors, on rit... Je reviens
à la fenêtre et demeure interloquée : en une demi-
minute, le spectacle a complètement changé. Comme

sur un coup de baguette, cet incendie saugrenu a changé de couleur : l'église, les façades, la place, tout est vert. D'un beau vert-moutarde qui rend les visages livides et répand sur le cimetière un nuage d'ypérite. Sur la place, il y a bien maintenant cinquante personnes tassées autour du brigadier et de M. Heaume, dont les voix sont faciles à identifier. Le premier crie à la cantonade :

« Ne vous inquiétez pas : ce sont des feux de Bengale ! »

Et l'autre :

« Hou ! Il nous a fait peur. »

Les Caré ont refermé leurs volets sans prendre le temps de rire. Il y a de la lumière dans la salle. Réflexe professionnel : ouvrir avant Belandoux ! De commentaire en chopine, tout ce monde pourrait bien avoir envie de « sucer une fillette » avant de se recoucher. Au galop, Céline ! Tu sais encore descendre un escalier sur la rampe.

*

La lueur verte agonise, la lueur verte s'éteint. Le clocher, les toits, les façades ont sombré de nouveau dans la nuit, mais les gens alertés par le sifflet, la sirène et le clairon continuent d'affluer. Ça grouille sur la place, ça ricane dans tous les coins. On se dirait à la sortie d'un cinéma qui donne un film drôle. Ce que la méprise de la nuit précédente a commencé, cette mystification l'achève. Pour la première fois depuis plusieurs semaines se donne libre cours une lourde bonne humeur riche d' « Eh

ben ! alors », d'interjections grasses, de « plaisan-
teries de sabot » jetées d'une voix farce. Caré est
sur son seuil, à trois pas de moi. Encore ébloui par
la lueur du faux incendie, il ne me voit pas. Moi
non plus, du reste, je ne reconnais personne dans
l'ombre. La place et le ciel sont tous deux d'un
beau noir, piqueté de points lumineux, à la diffé-
rence près qu'en haut les étoiles sont fixes, tandis
qu'en bas les feux de cigarettes bougent, se dépla-
cent, se croisent. Ruaux, en arrêtant la sirène, aurait pu rallumer. Mais il doit être en train de lâcher
son coup de gueule dans cette confusion. Enfin le
tube au néon de *La Couleuvre,* qui, par l'entrebâil-
lement de la porte, expédie sur le trottoir un pan
de lumière crue, éclaire une douzaine de pieds, puis
de genoux, Un lot de voix se rapproche :

« L'église, tout de même ! On ne respecte plus
rien.

— Qui ? Et s'il n'y avait pas de *qui ?* Dans un
incendie, il n'y a pas forcément un incendiaire.

— Mais, dans une plaisanterie, il y a forcément
un farceur.

— Moi, je vais vous dire : on nous a offert ce
divertissement pour nous dérouter, pour nous rassurer. A la première occasion...

— L'occasion ! Puisqu'il aime les mariages, il en
aura un dans quinze jours. Je marie la petite Dernoux... »

Emergent les bustes, puis les têtes. Caré s'efface,
laissant pénétrer chez lui, à la queue leu leu,
M. Heaume, le curé, Papa, le docteur Clobe, Ruaux,
Ralingue, le brigadier, Quélinet, mélange excep-

tionnel, impossible en toute autre circonstance. Céline suit.

« Ça m'aurait étonné que tu ne sois pas là, microbe ! dit M. Heaume en me cueillant le poignet qu'il tord un peu.

— Ce n'est pas ta place, petite, ce n'est pas ta place ! » dit le curé.

Ce n'est pas non plus la sienne, et il hésite à entrer, comme s'il craignait, ce vieux prêtre tout blanc qu'on ne voit jamais en dehors des offices, d'aventurer sa soutane, de compromettre son prestige — très affaibli d'ailleurs dans ce village dont un grand nombre d'hommes travaillent aux mines et qui se contente de conserver d'innombrables calvaires, niches à saints, ex-voto, vestiges d'une grande dévotion réduite à une mécanique de préjugés, de gestes, de conventions qui ne font plus de la religion qu'une annexe des bons usages. Il reste debout près du docteur Clobe et du brigadier qui, pour des raisons voisines, refuse de s'asseoir et de trinquer. La calotte branlante, il examine et manipule une sorte de godet noirâtre, qui fut sans doute une boîte de petits pois.

« J'en ai trouvé deux dans l'église, dit-il. Dans l'église !

— Ruaux en a trouvé trois dans le cimetière, dit le brigadier. Au jour, on en trouvera certainement d'autres. Il ne les a pourtant pas fabriqués lui-même, ses feux de Bengale.

— Non, fait le docteur Clobe, il y a du carton brûlé à l'intérieur. On a mis chaque feu dans une boîte de conserves, par prudence. Je peux même

vous dire qu'il s'agit du gros modèle. A ma connaissance, il n'y a qu'un magasin à Segré qui en vende...
— Alors nous retrouverons l'acheteur. »

Impossible bientôt d'entendre quoi que ce soit.
De petits groupes d'hommes ne cessent d'entrer. Les
tables sont pleines, bruyantes, martelées par le coup
de poing d'honneur, qui se donne sur l'angle des
phalanges et reste réservé à celui qui paiera la tournée. Mme Caré et Michou, la blouse sur la chemise
et les cheveux empaquetés dans un mouchoir, n'en
finissent pas de servir du gris et du rouget. Le rire,
repiqué dans les pots, va prospérer encore. Le brigadier, le docteur Clobe se laisseront gagner. Et Papa,
campé devant son verre d'eau d'Evian et dont l'inutile pétoire, le passe-montagne noir, les yeux rouges
rongés d'insomnie ne parviennent plus à avoir l'air
farouche, Papa lui-même sera obligé de sourire
quand Ruaux, brandissant une autre boîte de
conserves, s'écriera joyeusement :

« Toujours Amieux ! »

Il est vrai que, s'emparant à son tour de la boîte,
Papa la tournera, la retournera dans ses mains, l'exa-
minera sous tous les angles et cette fois sans sourire,
sans exprimer autre chose que la plus évidente, la
plus totale perplexité.

XXI

DIMANCHE matin. Encore une fois, je dus remettre un bol et surveiller ma mère pour qu'elle ne l'enlevât pas dès que j'aurais le dos tourné. Encore une fois, je fus obligée de servir Papa et de subir deux conversations, superposées comme l'huile et le vinaigre, et où je jouais, moi, le rôle de la cuiller qui n'arrive pas à les battre ensemble. Exaspérée, je suivis mon père qui filait au jardin et dis assez haut pour que ma mère entende :

« Si ça continue, je sens que je vais devenir sourde et muette. »

Zut, à la fin ! Elle me forçait à prendre parti. Comment faire autrement, je vous le demande ? Qu'elle continuât à s'échapper le soir pour rejoindre Claude ou le reçût en notre absence, passe encore ! Mais pouvais-je accepter que dans la maison mon père eût cessé d'exister ? Mme Colu se comportait en veuve, elle ne faisait plus cuire que deux œufs, n'achetait plus que deux escalopes, ne mettait plus que deux couverts. Pas un mot à mon père. Pas un ! Pas même un méprisant : « Colu ! » Pas une réponse. Forcée de le trouver sur son passage en vaquant

à ses occupations, elle tournait autour de lui comme
on tourne autour d'une table. A moi, elle parlait
gaiement, librement, comme si mon père n'était pas
là. Devant lui, elle m'avait même dit une fois :

« Depuis que nous sommes seules, tu vois, comme
nous sommes bien ! »

En vain lui avais-je répondu : « Je t'en prie,
c'est inutile, je n'entrerai pas dans ton jeu. » Elle
s'y tenait, elle le poussait jusqu'à ses extrêmes limites. Il fallait que je surveille le téléphone pour l'empêcher de répondre aux clients :

« Non, monsieur, ce n'est pas ici, il y a erreur. »

Et, tous les jours, il fallait faire le lit de Papa
dans cette chambre que ma mère avait rebaptisée
« la chambre d'ami » et qu'elle me proposait constamment de transformer en chambre de jeune fille.
Tous les jours, il fallait remettre un couvert, céder
mon œuf ou la moitié de ma viande à mon père,
cirer ses chaussures... Alors elle disait d'un air
étonné : « Mais qu'est-ce que tu fais ? » J'en devenais folle ! Je regrettais les scènes de naguère qui
duraient ce qu'elles duraient, mais comportaient au
moins des repos, des rémissions. L'attitude de Papa,
d'ailleurs, n'arrangeait pas les choses. Lui, il entrait
dans le jeu, mais à rebours. Au lieu de faire une
bonne fois acte d'autorité, d'user au besoin d'une
saine violence, il poussait jusqu'au bout son attitude favorite : tout va bien, tout va pour le mieux
dans le meilleur des mondes. Il parlait constamment
à ma mère, jetant le harpon sur les phrases qu'elle
me destinait et auxquelles il affectait de répondre.
Et cela donnait, par exemple :

« Bigre ! Comme tu disais tout à l'heure, il m'a l'air de faire frisquet. Je vais mettre ma canadienne. »

*

Il l'avait mise, sa canadienne, pour aller voir ses abeilles. Non qu'il fît tellement froid : l'alcool rouge du thermomètre accroché le long d'une ruche hésitait entre moins quatre et moins cinq. Mais il nous arrivait du *haut ouest,* de Bretagne pour mieux dire, un de ces méchants petits vents qui, à force de fouiner dans les landes d'ajoncs, en rassemblent l'épine pour vous carder le visage. D'immenses vols de canards, destinés aux marais de l'Authion, passaient à faible hauteur, cherchant la première jonchaie, l'inondé, le relais d'eau pour s'ébrouer une heure. Papa contrôlait toutes ses ruches, une par une, avec une pieuse minutie. En soulevant le chapeau de la quatrième, il murmura :

« Tu te rappelles, Céline, la barbe d'abeilles ? »

J'étais en train d'y penser. Trois fois, il me l'avait offerte, en l'absence de ma mère. Trois fois, il avait réussi, pour moi, pour moi seule, ravie et terrifiée, cette démonstration d'un étrange pouvoir. Trois fois, l'essaim entier l'avait honoré de ce grouillement roux, mortel pour tout autre, mais qui chantait sur ses joues, sur son passe-montagne, sur son cou, frôlés par deux mille aiguillons. Une quatrième fois, il avait essayé — le jour de mes quinze ans —, mais ma mère n'était pas loin, il n'était pas totalement détendu, confiant, abandonné, il s'était fait cruellement piquer et n'avait jamais recommencé.

« Je ne pourrais plus. Il ne faut pas être ennuyé, comme nous le sommes. »

Ennuyé, oui ! C'est un mot qui a gardé chez nous son vieux sens, violent, haineux (*achalé* suffit pour le reste). Papa continuait son inspection, tandis que je tripotais, nerveuse, la fermeture Eclair de mon blouson. De l'autre côté des échalas, Besson cadet, frère du garde, retournait méthodiquement un carré avec de beaux efforts de reins et de luisants retours de pelle. Il s'arrêta un instant pour passer la raclette sur son outil souillé.

« Combien de livres, cette année ? demanda-t-il.

— Rien, dit Papa, je leur ai laissé leur miel. »

Besson lâcha la curette et d'un coup de talon trancha la glaise.

« A quoi ça sert, alors ? fit-il en soulevant la motte.

— Et ton chien ? Il ne garde pas, il ne chasse pas et il est plus vilain que moi. A quoi te sert-il ?... Tu l'aimes ?

— Dame ! » fit Besson entre ses moustaches.

Papa remontait l'allée de ciment, enlevait sa canadienne, sortait de la remise l'échelle à coulisse qu'il releva lentement, barreau par barreau, pour l'appuyer contre la maison. Alors il tira sur la corde et fit monter le coulisseau, dont l'extrémité vint s'appuyer sur le bord du toit, près de la lucarne du grenier.

« Toutes les feuilles sont tombées maintenant, dit-il. Je vais curer les gouttières. »

Travail répugnant, je le savais. Mais il faut bien que tout se fasse. Comme je ne tenais pas à rece-

voir sur la tête ou sur ma robe des échantillons de
cette purée noirâtre qui croupit dans les chéneaux,
j'allai faire les lits, en commençant par celui de
mon père qui devait dormir comme un gisant, car
ses draps n'étaient jamais chiffonnés et sa couverture à peine débordée. Une demi-douzaine de journaux étaient glissés sous l'oreiller. J'avais à peine
eu le temps de me pencher sur cet exemplaire du
Petit Courrier, numéro de l'avant-veille, qui titrait :
« Du drame à la farce : on s'amuse à Saint-Leup »
et dont certains passages avaient été soulignés au
crayon rouge, quand un bruit sourd suivi d'un juron
me fit bondir, haletante, vers le jardin. Papa était
debout, indemne, l'échelle à ses pieds. Une longue
éraflure sur le crépi montrait qu'elle était tombée
par le travers, écrasant le seau que mon père se disposait à hisser.

« Elle m'a raté d'un cheveu, dit-il. Un peu plus,
et je la recevais sur le crâne. »

Là-haut, la lucarne bâillait, laissant passer un
froissement de choses sèches, un glissement de pantoufles. Je respirais de l'ouate, mes côtes se resserraient comme un corset. Quant à mon père, litté-
ralement paralysé, il n'arrivait pas à bouger, et son
regard, bourré à quadruple charge, mitraillait au
hasard devant lui. Enfin il débloqua ses dents
pour mentir :

« C'est de ma faute : je ne lui avais pas donné
assez de pied. »

Je rentrai, raide comme la justice. Ma mère, qui
descendait du grenier, une poignée d'oignons à la
main, passa devant moi. Je la suivis, pas à pas, ti-

raillée entre deux soupçons. Papa était-il sublime ?
Refusait-il de me dire : « On a dû pousser l'échelle,
d'en haut. » Etait-il infâme ? Si certaine absurdité
proférée par ma mère au sujet de la lampe à souder
avait une chance, une chance sur un million, mais
une chance d'être vraie, n'était-il pas aussi capable
d'essayer de perdre ma mère en simulant une ten-
tative d'assassinat ? Je me rongeais les ongles, je me
rongeais le cœur : Céline, il est peut-être sincère,
et tout est simple ! Même si ta mère était en haut,
où elle n'est pas dix secondes par semaine, l'échelle
a pu tomber toute seule à ce moment-là, sans que
personne n'y soit pour rien, ni lui ni elle. Pourquoi
tout prendre au tragique ? Si peu vraisemblable
que soit la chute par le travers d'une échelle dis-
posant de deux bons mètres d'appui — car je les
ai vus, ces deux mètres —, on ne peut pas en rejeter
l'hypothèse. Mes côtes se resserraient toujours. Je
vis mon père traverser le couloir comme un fantôme.

« Ne fais pas cette tête-là, mon petit lapin, murmura-t-il. Après tout, je n'ai rien. »

Ces dents serrées, ce pas dur, ce souffle court le
démentaient. Le laissant fouiller dans la caisse à
outils pour y prendre le marteau, les clous, qui lui
permettraient de réparer son échelle, je glissai vers
ma mère qui se préparait pour la grand-messe. Dans
la glace, son regard me guettait. Mais sa main —
celle qui avait peut-être essayé de tuer, tout à
l'heure —, sa main évoluait, légère et faisant volti-
ger sur un sourire ambigu une houppette de cygne rose.

« Tu t'apprêtes ? demanda-t-elle. Mets ta robe
neuve et ton chapeau à fleurs. »

XXII

PAPA n'allait jamais à la messe : omission qui l'aurait fait mal voir dans le pays si les gens n'en avaient pas connu la véritable raison : il lui aurait fallu se découvrir et, cela, décemment, il ne le pouvait pas sans gêner au moins vingt travées de fidèles. Certes, il aurait pu faire comme beaucoup de fermiers pour qui la messe est un acte de présence devant l'église et consiste d'abord à s'endimancher, puis à faire un stage sur la place, dans le coin des hommes, c'est-à-dire dans le périmètre compris entre la maison Belandoux et la maison Caré, où ils restent plantés, parlant chevaux, cours de blé, fièvre aphteuse, en attendant la sortie du conseil de fabrique, entré à l'évangile et qui, cinq secondes après l'*ite missa est*, donnera le signal de la ruée en masse au café.

Maman et moi, au contraire, nous allions toujours à la grand-messe, où il est à peu près impossible pour une femme de ne pas se faire voir, sauf s'il est avéré que la malheureuse « n'a point d'habits » ou si les travaux de la saison sont tellement pressants que ce serait offenser le Seigneur en ses dons que de préférer l'office à la fenaison. Bien que cet

office fût aussi pour les chapeaux à cerises et pour
les dernières coiffes papillon à ailes tuyautées et
nœud de satin azur une véritable réunion hebdomadaire, sur le parvis même, à bonne distance des hommes, nous étions tenues à l'assistance effective, de
l'*asperges* à la retraite en sacristie, toute femme
étant censée dévote et la fille perdue elle-même
n'étant considérée comme telle que du jour où elle
« n'assiste plus » (*le genou sauve la cuisse,* disait
grand-mère Torfoux).

Ce vigoureux proverbe me hantait, ce dimanche-
là, tandis qu'évoluaient les ornements violets de
l'avent et que piaulaient les enfants de Marie entraî-
nées par sœur Sainte-Hélène qui dactylographiait
sur un harmonium essoufflé. Postée derrière elles,
sur l'un des six bancs de côté réservés aux demoi-
selles qui, sans militer dans la confrérie, s'y ratta-
chent jusqu'à la bague et se doivent donc d'y prendre place, par rang d'âge (*rester au dernier banc*
signifie chez nous coiffer sainte Catherine), je lâchais
le filet de voix de la piètre chanteuse toujours en
retard d'un demi-temps sur le chœur. En fait, j'observais ma mère, seule au banc Colu, vers le milieu
du transept. Toujours agenouillée, assise, debout,
agenouillée, assise quand il le fallait, sans un retard
sur la claquette, elle ne levait pas le nez ni même
une paupière, elle tenait les coudes au corps et
d'un doigt feuilletait ce paroissien de cuir plein
de souvenez-vous à filets noirs, de bristols peintur-
lurés, de ces images à bords de dentelle où l'on voit,
cierge en main, des petits garçons en brassard tirer
la langue à l'hostie. Sa lèvre ne bougeait pas, mais

à l'élévation son nez disparut deux fois derrière son
chapeau, rond comme une auréole. Je sentais monter en moi une sourde irritation. J'aurais voulu lui
voir des yeux ardents, des mains nerveusement serrées pour une terrible prière ou, au contraire, les
épaules effondrées, la tête molle de la suppliante.
Où était donc la vérité ? Rien dans son attitude
n'exprimait autre chose que le souci de donner satisfaction aux usages, l'obéissance mécanique à l'horaire féminin du dimanche; rien ne signalait cette
fureur d'une âme aux prises avec elle-même et qui
pousse devant elle, comme un bouclier, l'excuse de
la passion. J'étais si distraite qu'au dernier évangile
j'oubliai de me lever et que ma voisine dut me
pousser le coude. Sans génuflexion, les hommes,
M. Heaume en tête, quittaient l'église en faisant
sonner les dalles. Je me levai, gênée par l'œil inscrit
dans son triangle, au fronton de l'autel. S'il voyait
vraiment toutes choses, comme il devait mal juger
la famille Colu ! Les femmes refermaient leurs livres, équilibraient leurs chapeaux, donnaient un
petit coup de genou, dans l'allée, au bord du banc,
et descendaient, aiguisant leur langue sur l'arête
de leurs dents. Selon la coutume, le cantique, puis
le chapelet nous retenaient encore, nous, les enfants,
les nonnes — dont c'est le métier — et les vieilles —
dont la piété obéit à l'urgence. Enfin la dernière
dizaine fut achevée, je pus rempocher mon chapelet
de nacre et m'échapper, mécontente de moi, de mon
manteau qui laissait dépasser ma robe neuve et de
tous les saints pesant leur poids de plâtre parmi les
ex-voto, la poussière et l'odeur froide de l'encens.

Bien entendu, je ne mêlai point mes talons à
ceux des filles qui sortaient par la grande porte, pro-
cession rose et criarde, lorgnée de loin par les garçons et de près par les mères embusquées sur le parvis. Qui sort par la petite porte du bas-côté ne se
fait point accrocher. C'est une façon de dire : je suis
pressée. Je me glissai par là.

Ma mère faisait les cent pas sur la place, dans
le *no man's land* compris entre le coin des hommes
et le coin des femmes. Non loin d'elle, M. Heaume
et le docteur Clobe avaient tous deux l'air très exci-
tés. Dès qu'ils m'aperçurent, ils levèrent le bras. Un
saut par-dessus la chaussée que commençait à remonter un flot de bicyclettes, et je fus auprès d'eux. Ma
mère se rapprocha aussitôt.

« Trop longue, ta robe, dit d'abord M. Heaume.
Et puis mets un béret, une toque, une mantille
mais, je t'en prie, ne fais pas de botanique sur tes
galurins. »

Il m'entraîna, mortifiée, vers la Panhard rangée
un peu plus loin contre le trottoir. Ma mère suivit,
ainsi que le docteur.

« Grimpe, Céline. Il faut que nous allions voir
ton père. C'est fait, nous avons obtenu pour lui la
médaille. Encore faut-il qu'il l'accepte. Qu'en pensez-vous, madame Colu ? »

Ma mère monta, mais ne répondit pas.

*

Ce fut un nègre qui nous reçut dans le jardin :
non content de remonter sur son échelle pour curer

les gouttières, Papa avait encore ramoné les chemi-
nées et il redescendait, l'araignée en main, quand
nous arrivâmes. Dès les premiers mots de M. Heaume,
il protesta :

« De la ferraille ! J'en ai déjà, je ne la porte pas.
Il est vrai que j'ai tout juste eu besoin de me faire
flamber le cuir pour l'obtenir... Quoi, Céline ? »

Ma moue s'interprétait facilement. Papa se secoua, lâcha son instrument.

« La même médaille que Ralingue, tu parles ! »
jeta-t-il, dédaigneux.

Mais le ton était déjà moins agressif, un sourire
naissait sous la suie.

« M. Heaume s'est donné beaucoup de mal pour
vous faire plaisir, dit le docteur Clobe.

— Et je crois que Céline en a envie, ajouta parrain.

— Bon, bon, conclut mon père, elle jouera avec.
Mais on ferait mieux de chercher l'incendiaire que
de décorer un sauveteur qui n'a rien sauvé.

— Ça vient, ça vient ! reprit M. Heaume, sibyllin.

— Hein ? » fit Papa.

Ma mère avait disparu. M. Heaume tapait des
pieds, et, moi, je soufflais chaud sur une onglée violette. Sans façons, Papa s'approchait du baquet d'ar-
rosage, recouvert d'une fine pellicule de glace, la
cassait, se débarbouillait vivement.

« Oui, poursuivait M. Heaume, il pourrait bien y
avoir du nouveau avant peu. Je viens de voir le
brigadier, et il ne cachait pas sa satisfaction. Dauber
sur le gendarme, c'est toujours de mode, mais celui-
ci n'a pas si mal mené son affaire. Au départ, il

n'avait aucun indice et les gens ne pouvaient rien
lui dire parce qu'ils ne savaient vraiment rien.

— Et maintenant ? demanda Papa, tandis qu'il
se relevait, les mains et le visage rougis par l'eau
glacée.

— Maintenant, on sait où ont été achetés les
feux de Bengale, répondit le docteur Clobe.

— Et qu'ils ont été achetés par un enfant, précisa M. Heaume.

— Un enfant ! »

Médusé, Papa plissait ses yeux rouges. Puis le
doute releva le coin de ses lèvres, les rendit sar-
castiques. Sa bouche s'ouvrit, et, soudain, son râtelier sauta, poussé par un formidable éclat de
rire.

« Un enfant ! C'est une plaisanterie ! Pour les
feux de Bengale, passe encore. Mais vous voyez
un enfant s'en aller en pleine nuit mettre le feu
à l'*Argilière* !...

— Nous n'en sommes pas là, murmura le docteur Clobe. On sait seulement que les feux de Bengale ont été achetés chez Glon, marchand de farces
et attrapes à Segré, par un enfant de treize ou
quatorze ans qui devrait être identifié avant peu...
Rien ne permet de l'accuser, du reste. Mais on
ne peut s'empêcher de penser que le brigadier
voyait peut-être juste en soutenant que l'histoire
du chien ressemblait à une facétie de garnement.

— Un enfant ! répéta lentement Papa, en met-
tant la main sur mon épaule. Un enfant ! Je n'aime
pas ça. Je n'aime pas du tout ça. »

Il ne riait plus. Son visage, où le doute faisait

place à la pitié, s'assombrissait, se laissait dévorer par le passe-montagne. Il réagit à peine quand
M. Heaume précisa :

« Alors, entendu, on vous la remettra pour la
fêtes des pompiers, votre médaille. Juste avant le
défilé...

— Je n'aime pas ça ! » dit encore Papa en ramas-
sant son râtelier.

XXIII

Il n'y avait pas un quart d'heure que M. Heaume et le docteur étaient partis, j'étais en train de remettre un troisième couvert, quand le portillon battit violemment. Dagoutte fit irruption chez nous :

« Hippo ! C'est Hippo qui a fait le coup des feux de Bengale. »

Papa, qui relisait très attentivement *Le Segréen*, *Ouest-France* et *Le Petit Courrier* des jours derniers, laissa tomber ses journaux. Le menuisier continuait à crier :

« Lamorne voulait absolument que ce soit un gosse... Il m'a fait interner le mien, par prudence ! C'était Hippo ! Les gendarmes viennent de se présenter chez les Gaudian. Hippolyte était dans la cour avec le petit Bénazet et un autre de sa bande. Quand ils ont vu les képis, ils n'ont fait qu'un bond, hop ! par-dessus la clôture, ils ont traversé la route et ils ont piqué tout droit sur le parc de la Haye et la sapinière. Sur la sapinière, t'entends ! On est en train de battre le bois pour les repincer. Il y a un monde là-haut ! Tout le village monte à « Chantagasse ».

Il se tut une seconde et ajouta, un ton plus bas :

« Avec ça qu'il a fallu empêcher Binet de sauter sur Gaudian !

— Joli ! » fit Papa.

Il s'était mis debout et se frottait le cou contre son col, d'un air consterné. Ma mère, qui sortait du four une fricassée de poulet, fit un crochet pour l'éviter, posa le plat sur la table et d'autorité mit le pilon — que je préférais — dans mon assiette. Puis elle s'assit.

« Vous savez, dit-elle, nous autres, femmes, ça ne nous intéresse pas beaucoup, ces histoires. Allons, Céline, à table !... A table, voyons ! »

*

Tant pis pour le pilon ! Papa a mis ses pinces au bas de son pantalon et moud ses huit cents mètres, muet, le torse raide, le chapeau haut perché sur le passe-montagne, tandis que je pique des sprints, freine, attends sur un pied, repars, pédalant vif et rabattant ma jupe à chaque garçon qui passe. Dagoutte nous a quittés pour rentrer chez lui, mais, au fur et à mesure que nous approchons, une véritable escorte se forme autour de nous : Troche, Besson cadet, le fils Dussolin, la fille Gourioux, Quelinet et des tas d'enfants, dont une gamine qui n'a pas fini de déjeuner et qui a encore sa serviette autour du cou. A partir de chez Sigismond, impossible de rouler : la rue est barrée par la foule, qui attend on ne sait trop quoi en battant de la

semelle le long des caniveaux gelés. Nous poussons
plus avant. Un gendarme interdit l'accès de la ferme
Gaudian, dont la grande porte charretière est fermée. M. Heaume, flanqué du vétérinaire, de Ralingue, de Caré, stationne devant celle des Binet. Papa
fonce et lance, sans préambule :

« De qui se moque-t-on ? Hippo est un petit
voyou, mais de là à en faire un boutefeu !

— C'est mon avis aussi, dit le vétérinaire.

— Hé ! fait la fille Gourioux (qui vaut sa mère).
Un jour, il a bien trouvé moyen de jeter un demi-
seau de poussière dans le pétrin.

— Les choses s'emmanchent trop bien pour être
vraies », dit Caré.

M. Heaume m'attrape par une mèche et m'attire
jusqu'à lui.

« Beau charivari, jeune fille ! Quelle aubaine pour
un dimanche ! »

Ces quelques phrases donnent à peu près le ton
général : celui de la curiosité ironique. Où Simplet,
innocent aurait réussi, Hippo ne fait pas recette.
Il est trop tard. On a trop ri, ces jours-ci, et la peur
est usée. D'ailleurs, Hippo, « cette petite carne »
(comme l'appelle chacun : mais quand on met *petit*
devant une injure, ce n'est jamais grave), Hippo a
pour lui son admirable museau et cette *garcerie*
même qui sent sa graine de chouan et fait soupirer
la rude compassion des commères. L'une d'elles glapit, derrière moi :

« J'te lui en ficherai des rillots, maintenant, quand
on percera le goret ! »

Presque aussitôt, un petit galop de galoches fait

tourner toutes les têtes. Un gamin dégringole le
raccourci de la Haye.

« On les a ! clame-t-il, comme s'il jouait à la petite
guerre, camp bicorne. Z'étaient réfugiés dans la cabane du roncier. »

Grand bruit de ferraille à côté de moi : Papa
vient de lâcher son vélo. Il tortille son clou dans
tous les sens et gronde une série de gros mots que
je n'ai jamais entendus dans sa bouche.

*

Nous attendons encore un quart d'heure avant de
les voir arriver. Que M. Heaume devise ! Et que mon
Tête-de-Drap de père sente sa fille contre lui ! Le
vélo est resté par terre, et une roue tourne tout doucement, légèrement voilée. Mais ce qui tourne et
retourne sous le crâne noir de Papa m'inquiète
davantage. M'inquiète et m'attendrit. Bon bourru !
Les abeilles et les enfants, on sait que tu aimes leurs
aiguillons. On est toujours heureuse de s'apercevoir
que tu es comme le sureau, tout dur, tout cassant,
mais plein de moelle blanche. Hippo... Eh bien,
quoi ! Pourquoi te frotter le cou ? Si on se trompe,
ce n'est pas toi, qui, cette fois, en es responsable.

« Toussaint ! » crie Quelinet, indigné.

Les voilà. Rien de tragique, vraiment. Le gendarme est bon enfant ! Un peu nombreux, en vérité,
pour ramener, encadrés de huit bottes, trois crimi-
nels qui ont la taille des grêleurs de prunes. Un
peu honteux, dirait-on, de déployer tant de force
et n'osant laisser tomber la poigne sur d'aussi minces

épaules : le gibier marche libre. Toussaint Quelinet,
le plus jeune — le fils d'un vigile et qui n'a pas dix
ans ! — pleure à petits bouillons. Bénazet n'en mène
pas très large, lui non plus, mais Hippo semble très
faraud d'être la cause d'un tel remue-ménage et
redresse ses quatorze ans qu'allonge une salopette
retroussée aux chevilles. Sa chemise, ouverte malgré la température, découvre un cou rose, ceint de
cette petite ficelle dont il fait l'emblème de « sa
bande » (faute de pouvoir se tatouer une ligne
bleue et l'inscription « à découper selon le poin-
tillé », comme son oncle, l'ancien matelot). Il cligne
de l'œil à tous les copains, éperdus d'admiration,
mais aussi animés d'une sainte frousse. Un gendarme,
de l'espèce lourde, qui chemine à ses côtés, jette
d'une voix agacée :

« Pour l'incendie, mon garçon, c'est les Travaux...

— Et même ça (geste parallèle à la ficelle) si la
maison est habitée ! » riposte Hippo, imperturbable.

Lamorne intervient aussitôt. Ses sourcils se bousculent, et son subordonné s'efface devant un rogue :
« Ça va, Rembloux ! » Avec la même sollicitude,
il va élever la main pour faire taire le père Gaudian qui paraît à sa fenêtre et commence à crier :
« Toi, mon salaud ! », puis refoulant Quelinet
qui s'avance vers son fils, les yeux flamboyants
et la main droite largement déployée. Un signe
au gendarme de faction devant la porte charretière,
et celle-ci s'ouvre rapidement pour se refermer aussi
vite. M. Heaume lui-même ne sera pas admis à le
suivre, mais seulement Quelinet, puis la mère Béna-

zet qui réclame à grands cris sa progéniture. Nous
ne verrons plus rien. Des gens s'étonnent :

« Eh bien, quoi ! on ne les emmène pas à la
gendarmerie ? »

Deux autos, qui traversaient le village, cornent
désespérément, avancent centimètre par centimètre.
La foule commence à se tasser sur les trottoirs, à re-
fluer. Papa, qui ramasse son vélo, bougonne :

« Un type bien, ce bricard : il n'y croit pas. »

La main à l'écrou central du guidon, nous repartons à pied, bientôt flanqués de Calivelle, de Ralingue, de l'adjoint, du vétérinaire. Ralingue pour-
suit une brillante démonstration, pérore en maniant l'air à pleines mains.

« Il n'y a qu'un incendie qui m'embête. Chez
Petitpas, chez Daruelle, le feu n'a pas semblé suspect sur le moment. Court-circuit probable chez l'un
comme chez l'autre. Trois mois plus tard, la grange
à Binet brûle : « C'est trop ! » disent les gens.
Mais cette affaire-là ferait plutôt crier à la série noire
si *L'Argilière* n'avait pas flambé le même soir. Car
enfin, c'est prouvé, Binet avait reculé son tracteur, dont le pot était encore brûlant, trop près de
son fourrage. Reste *L'Argilière*... Là, il faut un
incendiaire. Mais là seulement...

— Optimiste, monsieur Ralingue ! dit Calivelle.

— Ce n'est pas impossible, dit le vétérinaire.
Un ou plusieurs incendies normaux ont pu exciter
un malade qui en a allumé d'autres. Les gosses ont
achevé l'embrouillamini en jouant au feu.

— Et moi, je vous dis qu'il y a un salaud qui
rigole bien en ce moment. »

Papa vient d'éclater. Son indignation le violente si fort qu'il remonte sur son vélo, pour s'échapper du groupe. Il gronde :

« Un salaud ! Viens, Céline. Un salaud qui laisse accuser les mômes. »

Et il broie les pédales à coups de talons.

XXIV

Un jour de plus. Une maille de plus. Je tricote dans le gris. Il est temps : l'hiver s'installe, et mon vieux pull aurait besoin d'un remplaçant. Comme je suis bonne fille, je veux bien admettre que ce soit ma faute, mais tout de même, s'ils m'occupaient moins tous les deux... Une maille à l'endroit. Une maille à l'envers. Repartons en contrariant pour obtenir l'aspect grenu du point de riz. Par où diable a-t-il pu rentrer cette nuit ? J'en suis sûre, la clef était dans la serrure. Comme tous les soirs où elle ne sort pas (et où je ne suis pas moi-même sortie avec mon père ou avec M. Heaume), elle a fermé à double tour en laissant la clef dans la serrure. Pour une fois, j'ai oublié de la retirer, de la mettre au clou afin que Papa puisse se servir de la sienne. Pourtant, ce matin, il était là, il est sorti de son lit, de sa chambre, sans un reproche ni même une remarque dans la bouche. Certes, il avait l'air sombre, le regard sévère, mais cet air et ce regard ne le quittent plus depuis l'arrestation des gosses, qu'il n'a pas digérée et dont il fait, je ne sais pourquoi, une affaire personnelle. Il s'est contenté de me regarder avec une insistance particulière qui voulait peut-être dire : « Alors, tu me lâches ? » Puis il s'est lancé dans une véritable plaidoirie en faveur de ses protégés :

« Tu sais, j'ai rencontré M. Heaume cette nuit. Il avait vu le juge, qui est venu secrètement, hier soir, interroger les gosses. Hippo avoue qu'il a chipé mille francs dans une liasse glissée par sa mère sous une pile de draps. Il a profité de ce qu'elle l'avait emmené en carriole au marché de Segré pour acheter ses feux de Bengale et le soir même il s'est glissé dans l'église par l'imposte de la sacristie... C'est tout ! Il ne reconnaît rien d'autre. Mais voilà ! Le juge s'excite sur une déclaration de ce petit imbécile de Bénazet : « Hippo m'a dit qu'il avait fait bien mieux. » Hippo s'est vanté, pardi ! Quel est le gosse qui n'aime pas bluffer auprès des petits copains ? »

Un point à l'envers, un point à l'envers. Je m'embrouille. Détricotons tout le rang... Papa a continué sur ce ton pendant une demi-heure, et son café était complètement froid quand il l'a bu, d'un trait, juste avant de partir. D'ordinaire, il faut lui arracher ses mots, à ce silencieux, et il a pour vous confier ses préoccupations le même enthousiasme que d'autres pour confier leur argent. Eloquence insolite ! Et qui me paraît un peu excessive, car, après tout, l'attitude de la justice en cette histoire semble extrêmement prudente, et les trois enfants sont simplement consignés chez eux. A une raclée près, il ne leur est rien arrivé de si fâcheux...

Un point à l'endroit. Le chat rôde autour de la cage des serins, qui s'affolent, palpitant d'une aile

jaune et faisant sauter leur mil. Maman lui allonge
un coup de pied. Elle aussi rôde autour de moi
depuis ce matin et ne se décide pas à me dire ce
qu'elle voudrait me dire. Elle guillotine les carottes,
énuclée rageusement les pommes de terre, laisse tomber les épluchures d'une épaisseur inadmissible, sale
à la poignée. Enfin la voici qui saute à la fenêtre :
« Julienne ! »

*

Portillon qui bat. Porte qui claque. La Troche
accourt en débitant des « Qu'est-ce qu'il y a ? »
Sans lever le nez — ne lui faisons pas cet honneur —,
je vois s'avancer ses chaussons rouges à pompons
noirs qui claquent sur le carreau et laissent voir des
talons jaunes. Tiens ! Je n'avais pas remarqué qu'elle
avait du poil sur les tibias. Tricotons. Nous allons
avoir droit à la *nième* séance. Maman commence
à crier :
    « Ecoute, là, vraiment, j'en ai assez, assez ! J'ai
réfléchi, je crois que tu as raison : il nous faut un
bon constat. Prends le tisonnier, je n'ai pas le courage... »
    Pause. Je tricote, mais je sens bien les quatre pru-
nelles posées sur moi. Nous avons déjà entendu parler de cela : « Qu'est-ce que tu attends ? Puisqu'il
ne te touche pas, prends la balayette et marque-
toi bien. Tu diras que c'est lui. » On doit compter
sur mon habituel silence : « Cette petite ne trahira pas, puisqu'elle ne veut nous perdre ni l'un ni l'autre et qu'en parlant elle me perdrait, moi », voilà ce

qu'on pense. Et peut-être bien même : « En pareil
cas, son silence sera plutôt un témoignage à charge.
Qui fait la bouche cousue rend l'accusé suspect. »
Dans un sens, l'admirable confiance que mon père
ou ma mère ont en ma discrétion n'est pas sans
m'honorer, mais la façon dont elle et lui — surtout
elle — essaient d'en abuser m'incite vivement à
trouver une forme de neutralité active : une neutralité
qui déjoue les plans des deux adversaires. Tricotons.
Ne disons rien. Soulevons un peu les cils. Julienne
touche le tisonnier sans le saisir. Elle n'a pas l'air
du tout emballée : les conseilleurs n'aiment guère
se transformer en payeurs.

« Mais tu as, demain soir, la noce Dernoux, dit-
elle.

— Tant pis ! »

Pourtant ma mère elle-même manque d'enthousiasme et cherche à s'échauffer :

« Ça ou ça, dit-elle, ou encore ça. »

Elle fouille le placard et le buffet. Le rouleau à
pâte, puis la balayette rejoignent le tisonnier sur
la table. Julienne saisit le rouleau, mollement, mais
dérive vers la commode, où trône toujours la photographie de mon père jeune.

« Je me demande, dit-elle, pourquoi tu gardes ce
monsieur. »

Excellente provocation. On me regarde, mais,
comme je ne dis rien, on s'encourage, on s'excite.
Maman rafle le cadre.

« C'est vrai, au fond... Au feu ! bonhomme au
feu ! »

Elle étend le bras vers le tisonnier, sans doute

pour soulever les rondelles de la cuisinière. Mais
Julienne la devance :

« Non, dit-elle, il serait capable de ne pas s'en
apercevoir. Flanque-le à la poubelle : c'est lui qui
la vide... »

Maman reste un instant bouche bée : retrouve-
t-elle cette jalousie spéciale de la haine devant une
autre haine qui a plus de génie qu'elle ? Cependant
la voici qui se baisse et jette le cadre parmi les épluchures et les papiers gras — où il ne restera pas
longtemps, je vous le garantis ! Mes ongles m'écor-
chent les paumes, et je me sens toute soulevée par
une vive protestation des reins. Non, reste assise,
Céline. Tu ne vois rien. Tu es aveugle, comme ces
aveugles qui ont les yeux si clairs et si profonds
que leur cécité vous transperce, qu'on ne peut pas
croire qu'ils ne voient pas. Julienne a pris un peu
de recul et soulevé le rouleau. Un bout de langue
passe sur ses lèvres : l'appétit vient. Comme ma
mère se relève, le premier coup lui tombe sur
l'épaule.

« Eh ! tu me fais mal ! proteste-t-elle en tournant
la tête vers moi comme pour me demander assistance.

— Faudrait savoir ce que tu veux ! » dit Julienne,
les dents serrées.

Le rouleau frappe une seconde fois, puis une troisième. Maman ne dit plus rien, elle se recroqueville,
se couvre les seins du bras gauche et le visage du bras
droit. A chaque coup, elle gémit et, s'il est vraiment
trop fort, elle gronde à bouche fermée comme les
chats qui n'osent pas cracher. Julienne retient un peu

son bras, mais bientôt elle y reprend goût et frappe, frappe de bon cœur. Je gagerais qu'elle repère les endroits sensibles, un instant découverts : le coude, les côtes, la clavicule... Ses yeux luisent, sa bouche est tirée par une intense expression de plaisir. Assouvir toute l'amitié que tu as pour ma mère en lui rendant ce curieux service, quelle occasion, Julienne ! Je pousse l'aiguille au hasard, hors la maille ou dedans, à l'endroit ou à l'envers, je n'y suis plus, je ne sais plus. Mais non, non, je ne vois rien, je ne bougerai pas, je n'interviendrai pas : il y a eu l'échelle et, même si l'échelle est tombée toute seule, il y a ceci. Jamais il n'a été plus vrai qu'on peut être puni par où l'on a péché. Qu'elle le soit, puisqu'elle le veut, et tant pis si je suis aussi meurtrie qu'elle, aussi châtiée, aussi douloureuse de partout ! Justice ! Il faut qu'elle paie l'intention même de ce simulacre — qui sera, je le jure, inutile ! Mais si justice il y a, qu'elle soit complète ! Que ce bon rouleau de buis fasse boomerang et revienne sur toi, ma Julienne, pour écraser ton sourire, pour l'aplatir comme une pâte feuilletée !

Hourra ! Mon souhait qui s'exauce ! Touchée au petit-juif, ma mère pousse un cri et s'efface. Le coup suivant la manque et, emporté par l'élan, vient claquer sec sur la rotule de Julienne qui lâche tout, qui se prend le genou à deux mains et se met à sauter sur un pied en poussant des aïe ! et des ouille ! Elle s'arrête enfin, clopine jusqu'à la première chaise et, au jugé, sans raison apparente, me jette furieuse :

« Tu es contente, hein ?

— Moins que toi tout à l'heure ! »

Erreur de tir. Il ne fallait pas répondre : en principe, je n'ai rien vu, rien entendu. Mais allez donc
arrêter votre langue quand elle a envie de se transformer en dard ! Julienne délaisse sa rotule, qu'elle
massait tendrement, et se retrouve sur ses pieds. Elle
fonce sur moi et, flic et floc, une à gauche, une à
droite, à la volée, voilà Céline giflée. J'en reste aba-
sourdie, assise pour l'éternité. L'œil sec, mais les
joues flambantes et la main brandissant comme de
faibles poignards mes aiguilles à tricoter. Dans son
coin, là-bas, où elle se tassait, geignante, ma mère
s'est relevée. Elle a le regard vague et papillotant
des gens qui commencent à comprendre. Soudain,
elle secoue sa crinière comme le lion qui charge et
se lance sur Julienne.

« Je ne t'ai pas dit de frapper ma fille !

— Et si ça me plaît, à moi ! »

Lâchez la bête, elle ne s'arrêtera plus. Il en est
du sang comme du reste : quand il bout, il bous-
cule son couvercle et, même si l'on coupe le feu, il
met du temps à refroidir. La situation devient d'une
haute stupidité, d'un effrayant comique. Ces excel-
lentes amies se battent pour de bon. Ramassé, le
rouleau lutte contre la balayette — que ma mère
a saisie — et d'un revers la brise. Un autre revers —
à bout de course, heureusement — atteint cette ra-
vissante petite oreille dont Mme Colu est si fière
et la transforme presque instantanément en une
chose violette qui saigne peu, mais gonfle à vue d'œil.
« Laisse, Céline ! » crie Maman, qui me voit debout,
frémissante, le tisonnier en main. Au vol, elle a

saisi le rouleau et se pousse en avant avec une telle fureur que Julienne prend peur et tourne les talons.

« Bon débarras ! »

Nous l'avons crié ensemble. On est l'une contre l'autre et on s'aime, nous deux. On s'aime un instant comme si nous étions vraiment deux femmes seules, comme si cette mère, très mère, ne détestait pas ce père que j'aime autant qu'elle. Ni larmes, ni baisers : sauf exception, les effusions faciles ne sont pas de notre genre. Mais quelle complicité dans le regard ! Sans mots également, car ce n'est pas nécessaire, d'elle à moi, en quelques secondes, tout passe. Elle dit, sa paupière qui cille : « Si tu voulais, Céline, comme tout serait simple ! Je ne serais pas obligée d'en arriver là. Seule, je ne peux pas avoir raison de ton père, qui s'appuie sur toi pour m'imposer son odieuse présence. Choisis-moi, choisis-moi... » Et mes yeux vairons, mes yeux qui comme mon cœur sont divisés, répondent : « Je ne peux pas ! L'oiseau a besoin de ses deux ailes ou il n'est plus un oiseau. J'ai besoin de vous deux pour être Céline. » Et c'est pourquoi notre chaleur s'épuise... Maman se détourne lentement et marche vers la glace, où elle contemple son oreille qui se boursoufle de plus en plus et devient le classique « chou-fleur » des bagarres.

« Pour une réussite, murmure-t-elle, c'est une réussite. »

La douleur commence à lui chiffonner le visage. Elle s'en va, tenant son coude abîmé et la tête penchée du côté de l'oreille blessée. Elle s'en va vers le couloir, vers le téléphone. A la porte, elle s'arrête et dit d'une voix lasse :

« J'appelle Clobe. Contredis-moi si tu en as envie. Comme ça, je me serais fait amocher pour rien. »

XXV

Clobe est là, derrière la porte de la chambre où je
n'ai pas voulu entrer avec lui. Il y a plus de deux
heures qu'on lui a téléphoné, mais il était absent.
Dans un sens, Maman — qui est maintenant tout
à fait rompue et qui s'est allongée — ne peut que
s'en réjouir : les bleus ont eu le temps de sortir,
de lui fleurir le corps. Du côté de l'oreille atteinte,
l'œil est déjà tout noir. Clobe répète :

« Eh bien ! Qui est-ce qui a pu t'arranger comme
ça ? »

Impossible d'entendre les réponses que ma mère
chuchote. Hésiterait-elle ? Ou, au contraire, entend-
elle se faire arracher le nom du coupable ? Pour le
moment, je l'avoue, ce n'est pas tellement cela qui
m'effraie. Mon tricot sur les genoux pour me donner une contenance — mais je n'arrive plus à bou-
cler une maille —, je regarde la grande aiguille du
cartel qui approche de midi. Pourvu que Papa ne
soit pas en avance, pourvu qu'il ne rentre pas avant
le quart ! La scène prévue sera bien assez pénible
sans lui.

Moins huit. Je n'entends plus rien derrière la cloi-

son. Moins quatre. Julienne ouvre sa fenêtre et obser-
ve longuement la 4 CV du docteur rangée contre notre
grille. Moins deux. Une légère discussion s'élève
dans la chambre. Puis la porte s'ouvre, et Clobe entre,
lâchant dans la pièce le reste d'une phrase qu'il a
commencée dans l'autre :

« ... et tu m'épates, je le croyais inoffensif ! Il
est vrai que tu lui as donné quelques petits sujets
de mécontentement. »

Depuis trente ans qu'il exerce dans le coin, Clobe
peut se permettre beaucoup de choses : il m'a fait
naître et il a connu ma mère gamine, au Louroux.
Il vient jusqu'à moi, me pose une main sur la tête.
Sur cette tête qui s'emmanche au bout d'un cou tout
raide. Il dit, affectueux et patelin :

« Tu étais là, Céline, quand ça s'est passé ?

— Oui. »

La main s'en va. Ce oui vient de m'échapper :
à cause du coude, de l'oreille, de cette torture inutile. Mais déjà je m'excuse et je me défends : je n'ai
pas menti, je n'ai pas accusé Papa, j'ai seulement dit
que j'étais là, et c'est la vérité. Si Clobe ne me demande rien d'autre, je n'aurai choisi ni trahi personne. Or, miracle ! Clobe ne me demande justement
rien d'autre. Il contemple le rouleau, le balai brisé,
le tisonnier. Il murmure :

« Quelle panoplie ! »

Enfin il ramasse le rouleau et, lissant le buis où
il n'y a pas trace de farine, lance à ma mère :

« Tu étais donc en train de faire un gâteau ?

— Non, fait Maman avec un certain retard qui
prouve qu'elle a réfléchi pour éviter le piège.

— Alors, reprend Clobe d'une voix curieuse, il a été chercher la balayette dans l'armoire aux balais, le tisonnier sur la cuisinière et le rouleau à pâte dans le buffet avant de commencer à taper... Quel méthodique ! Tu dis que ça c'est passé à quelle heure ?

— Vers dix heures », répond Maman d'une voix plus faible.

Clobe fait quelques pas, la barbe en l'air et l'œil au plafond.

« Bon, dit-il, je te ferai un certificat quand tu voudras. Après tout, moi, je n'ai qu'à compter les gnons, à décrire ta jolie collection d'hématomes, quel qu'en soit l'auteur. Le reste, c'est l'affaire de Lamorne. Tout de même, je t'indique en passant que ton mari a un don extraordinaire d'ubiquité. De neuf à onze, nous avions réunion à la mairie pour établir le programme de la Sainte-Barbe. Ma parole, il s'est dédoublé ! Ou alors, dans ton émoi, tu n'as pas bien fait attention, tu t'es trompée... »

Soupir et soupir. Le premier pour lui, satisfait. Le second pour elle, navré. J'aimerais mieux qu'elle crie, mais elle se tait. J'imagine qu'elle mord son oreiller, qu'elle plante ses ongles dans les draps. Clobe remet son manteau. Il a l'air soucieux maintenant et me saisit le bras pour m'entraîner dans le couloir.

« Fais attention, petite, ne la laisse pas seule, me souffle-t-il dans l'oreille. Et dis à ton père qu'elle a dégringolé l'escalier de la cave. »

Simple signe de tête pour dire un second oui : c'était mon intention. Clobe murmure : « Oh ! là, là ! », puis traverse la courette en ajoutant très haut :

« Si tu n'avais pas bientôt dix-sept ans, je te re-
mettrais à l'huile de foie de morue : quelle mine ! »

Stop. Je m'agrippe au bras de Clobe. Les chaussons rouges à pompons noirs viennent de traverser
la rue. Julienne se glisse entre le portillon et la 4 CV.
Elle siffle :

« Ce n'est pas vrai, vous savez, ce n'est pas son
mari qui l'a frappée, c'est cette petite saleté de Céline.
Elles sont de mèche. »

La main de Clobe retrouve sa place sur ma tête.
Il commence par dire doucement :

« Qu'est-ce que tu racontes ? Il n'a jamais été
question de Bertrand. »

Puis, la barbe hérissée, il beugle pour toute la
rue :

« Tu as un joli nom, Julienne, pour faire des
salades... Fous-moi le camp. »

Elle s'en va. Il s'en va. Et je rentre, les joues en
feu, les pieds gelés. Maman ne donne plus signe
de vie : elle a même repoussé sa porte. Midi cinq !
C'est curieux, je n'ai même pas entendu sonner la
pendule. J'ai seulement pensé : il est temps de mettre le rôti au four et — minuscule revanche — je
le larde de petits coups de couteau pour enfoncer
les gousses dans la viande où Maman ne met jamais
d'ail puisque Papa en est friand.

XXVI

Si, durant ces quarante-huit heures, un tiers —
M. Heaume, par exemple —, répétant ce que n'a
cessé de déclamer ma mère, était venu me dire :
« Il faut en finir, il faut que tu choisisses entre tes
parents, Céline... » S'il avait insisté pour que je les
sépare, pour qu'ainsi soit évité le drame qui menace
à tout instant d'éclater, je ne lui aurais certainement pas cédé, mais j'aurais eu beaucoup de peine
à m'indigner. Jamais sans doute je n'avais été plus
près d'accorder à mon père le bénéfice de ce choix
qu'il ne réclamait pas et de le refuser à ma mère
qui, elle, l'exigeait. En toute justice, comment vouer
la même estime à cette femme acharnée, pour qui
tous les moyens étaient bons, et à cet homme calme,
qui se contentait d'éviter les coups sans les rendre ?

Choix secret, choix provisoire, soigneusement tu
et sans effet pratique. L'estime n'a rien à voir avec
l'amour : je ne sais quel goût d'envelopper une vi-
laine plaie se mêlait à cette tendresse que j'avais
toujours pour ma mère et qui s'avivait à la connaître indigne. N'ai-je pas toujours été pour le plus
menacé ? Mon père ne faisait que se défendre, cer-

tes, mais quelle forte victime pour un faible bourreau ! Je m'en voulais, je me gourmandais, je criais
à la partialité... Rien à faire. Je ne pouvais pas la
détester. Pas plus que je n'aurais pu le détester, lui,
si les rôles étaient renversés.

Plus Céline, plus tiraillée que jamais, je me divi-
sais entre eux, complice de personne, sauf peut-
être d'une fatalité que je n'osais combattre, puisqu'il
fallait pour l'arrêter combattre l'un d'eux. La roue
tournait de plus en plus vite. Le ménage Colu, je
le sentais, ne finirait pas l'année, ne finirait peut-
être pas le mois. Rien ne l'indiquait formellement.
Rien. Sauf cette appréhension qui vous noue la
gorge et signale l'imminence des catastrophes. L'air
s'épaississait toujours. J'étais au centre d'un cercle
qui se refermait, se refermait...

Pourtant il n'y avait pas eu de scène, la veille.
Après le départ de Clobe, Maman était restée allongée, refusant de paraître au déjeuner. Rentré à midi
et quart, avec cette ponctualité étonnante chez un
agent d'assurances que ne régit aucun horaire, Papa
ne daigna même pas remarquer son absence. Il dit
seulement en coupant sa viande : « Fameux, ton
rôti ! Je me demande pourquoi ta mère s'obstine à
ne pas le piquer à l'ail. A propos, j'ai vu Clobe, au
bout de la rue. » Et, cinq minutes plus tard, en pe-
lant une reinette : « J'ai rencontré Julienne aussi. »
Pas de commentaire. Pas même un regard pour réclamer une troisième version. Il repartit presque
aussitôt, laissant le champ libre à ma mère qui, après
avoir grignoté une tartine de saindoux saupoudrée de
sel fin — son régal —, s'en fut sans dire un mot, le

coude bandé, la tête empaquetée dans une bande Velpeau qui retenait sur son oreille un spectaculaire amas d'ouate. Le soir, même comédie. Nouveau forfait de Maman. Nouveau repas en tête à tête avec Papa. Indifférence aussi bien dénoncée par cette remarque tombée dans le potage :

« Ce que les gens sont mauvais ! Ta mère a beau dire qu'elle a dégringolé dans l'escalier, tout le monde croit que je l'ai frappée. Besson m'a même dit : « Tu n'y vas pas de main morte ! »

Bien sûr. Je savais bien que ma mère n'était pas sortie pour rien, qu'elle s'était montrée partout : il y a une certaine façon de mentir pour excuser qui est bien plus efficace que de mentir pour accuser.

*

C'est dans la même intention, j'en jurerais, que, dominant son mal, affichant ses cocards (qui n'avaient fait que croître et embellir), elle eut le courage le lendemain matin d'aller s'occuper des pâtés en croûte et des îles flottantes de la noce Dernoux. Je pensais bien ne pas la revoir avant minuit et rester seule toute la journée. Mais Papa, rentré à midi et quart comme la veille, ne ressortit pas et, son déjeuner expédié, se mit à tourner dans la salle, à la fenêtre de laquelle crevait un jour pauvre, pris dans les mailles des rideaux. Il tourna tout l'après-midi, tandis que je cousais. Il tourna, tourna, monologuant par saccades et ne se préoccupant pas de relier entre elles des phrases qui séparaient de longs intervalles de silence et de méditation. « On parle bel et bien de référer

Hippolyte au tribunal pour enfants, tu te rends compte ! » dit-il — par exemple —, comme j'achevais la vaisselle (et je ne pus retenir un geste agacé : en fait d'ennui, ce n'était pas ce qui se faisait de plus grave à la maison). Mais tandis que ses chaussons râpés décrivaient des cercles autour de la table, l'obscur cheminement de sa pensée tournait aussi autour d'un souci central d'où semblaient rayonner tous les autres. Il ricânait, il s'exclamait : « Et demain la médaille !... Une médaille ! Nous l'avons bien mérité. » Puis le silence l'engloutit pendant une heure. Il ne tournait plus, il arpentait la pièce, de cloison en cloison, retrouvant ce déhanchement du fauve qui oscille en souplesse vers l'autre bout de sa cage, bute de nouveau et repart, inlassablement, comme s'il mesurait sans rime ni raison l'écartement des parois.

Soudain, il s'arrêta, se précipita à la fenêtre : une douzaine de noceux, qui défilaient dans les rues pendant que l'on desservait et que se mitonnait le gueuleton du soir, passaient devant la maison. « Encore un malheureux ! » murmura Papa. Six filles, la poupe en avant, donnant du genou dans la robe longue, et six garçons, coiffés de frais sous la casquette penchée, ratissaient la chaussée de leurs vingt-quatre jambes. Une fille lança : *Nous n'irons plus au bois...* Mais personne ne suivit. Chacun chantait pour soi. Une autre essaya *La Marseillaise...* Ma mère n'était pas là, ça se sentait, pour emmener le chœur, qui s'éloigna, torturant d'autres scies.

L'intermède n'avait pas déridé Papa. Au contraire. Tandis que j'ourlais des torchons, il se campa

devant ce portrait que j'avais retiré de la poubelle.
Une phrase tomba, incomplète :

« Si ce type avait quelque chose dans le ventre, il
se manifesterait, il ne laisserait pas... »

Deux secousses au cartel électrique, et une autre
phrase tâta le silence :

« Qu'est-ce que je t'avais dit ? On se fait pocher
l'œil et hop ! chez Clobe. »

Et mon père se retourna, marcha droit sur moi,
arrachant son passe-montagne.

« Un mariage, Céline ! Mauvais, mauvais... Qu'en
dis-tu ? »

Je commençais à m'inquiéter. Il ne me laissa pas
le temps de poser mes lèvres sur cette tempe affreuse
dont l'artère devait cogner si fort. Il n'attendit même
pas ma réponse — inutile. La pièce était devenue
trop petite pour son agitation : il s'en va ricocher
d'un bout à l'autre du couloir qui à son tour devint,
très vite, insuffisant. J'entendis s'ouvrir la porte du
fond : Papa s'enfonça dans le jardin, commença une
longue navette sur la petite allée de ciment que
martelaient ses pas. Que faisait donc mon aiguille ?
Une nuit, basse comme le jour qu'elle remplaçait,
envahissait la pièce. Je me disais : « Lève-toi,
rejoins-le, trouve les mots qui conviennent. » Mais
ma langue, à moi aussi, s'embarrassait : depuis que
je me faisais un devoir de ne jamais interroger les
miens, l'art de la question qui délivre comme un
coup de scalpel me devenait étranger. Fille silencieuse d'un silencieux, je ne savais pas combattre avec
des phrases. Que pouvaient-elles d'ailleurs contre ce
qui menaçait ? Dans l'ombre, je ne voyais plus que

le reflet d'une casserole d'aluminium pendue à
son clou et je n'avais pas envie d'allumer, comme je
n'avais pas envie de savoir. Il était bien suffisant de
subir cette idée qui commençait à luire, comme la
casserole, et dont je ne me débarrasserais pas en fer-
mant les yeux... Là-bas, les talons de mon père son-
naient toujours sur le ciment de l'allée : de plus en
plus fort, semblait-il. Allons, ce n'était pas assez !
Il fallait que mon père fît pendant à ma mère,
qu'ils fussent égaux et que mon choix, s'il y avait eu
choix, fût aussitôt réprouvé. Je me soulevai, écar-
tant les bras comme pour me dépêtrer de tous ces
fils qui reliaient brusquement ces détails, ces phrases
dont je n'avais pas tenu compte. J'allai me poster
sous la gouttière, près du tonneau plein d'eau crou-
pie, d'une eau lasse d'être de l'eau comme j'étais
lasse d'être Céline. Il marchait au milieu du jardin.
Il remontait. Il arrivait en sifflotant.

« Papa ! »

Je l'appelai vainement, cinq ou six fois. Il ne me
voyait pas, il ne m'entendait pas, et ceci n'était pas
une feinte comme celle de ma mère qui affectait
de ne plus voir, de ne plus entendre son mari. Il
était vraiment sourd et aveugle à tout ce qui ne se
passait pas en lui. Il ne tourna pas autour de moi,
il me bouscula, fit volte-face et repartit. La nuit
l'absorba, où quatre-vingt-huit fois résonnèrent ses
talons dont le bruit allait s'affaiblissant. Puis quatre-
vingt-huit pas le ramenèrent des ruchers aux abords
de la maison, cet automate, cet étranger qui habitait mon père.

« Papa ! »

Manœuvre enveloppante. Je m'étais avancée, bien décidée à ne pas me laisser expédier dans les choux de Bruxelles ou les mâches, je m'accrochai à lui des deux bras, regrettant de ne pas en avoir dix, vingt, comme les dieux hindous, pour l'immobiliser. Il m'entraînait, agrippée à son cou, il me secouait, il essayait vainement de me détacher, et cet effort même l'arrachait à son obsession.

« Eh bien, quoi ? » grogna-t-il en s'arrêtant.

Mes pieds touchèrent le sol. Ma main gauche aussitôt en profita pour glisser sur son crâne. Fallait-il qu'il fût tourmenté ! Il n'avait pas pensé à remettre son passe-montagne. Il n'y pensait toujours pas. Il fallut que, fouillant ses poches, je retrouve la loque noire et l'en recoiffe. Il protesta, d'une voix trouble :

« Tu ne pouvais donc pas me laisser réfléchir tranquille. »

Mais il me suivit, il consentit à retourner dans la salle, à s'installer à califourchon sur une chaise. Je l'en délogeai vingt fois pour l'envoyer au charbon, à l'eau, pour lui faire déboucher une bouteille, pour lui imposer de petites corvées, pour l'occuper à tout prix. Mais je ne pouvais déloger ce qui était dans sa tête. Il faisait semblant d'écouter ce que je babillais (autre manière de l'occuper), il souriait quand je le regardais, mais, dès qu'il ne se croyait plus observé, son visage redevenait tendu. Dur. Disons le mot : méchant. Moi-même, je me fatiguais, je me résignais : plus rien à dire, plus rien à lui faire. Comment l'empêcher de se figer dans ce silence, cette immobilité, qu'il fallait sans cesse briser et qui reprenait sans cesse comme la

glace des abreuvoirs dans les hivers très froids ? Le
dîner, au seul chant des fourchettes scandant un
pauvre appétit, fut une véritable épreuve. Aussitôt après, refusant le fromage, il me quitta comme
je le craignais, avec une sorte de hâte et de ner-
veuses explications :

« Non, je ne t'emmène pas, il ne s'agit pas d'une
simple tournée, je ne rentrerai pas avant l'aube.
Il faudra faire très attention, cette nuit. »

*

Très attention, oui. J'en étais aussi persuadée.
Si persuadée que je négligeai la vaisselle. Mes souliers, mon manteau, vite ! Toute seule comme une
vraie chouette, forçant mon courage, je me jetai
dans la nuit.

XXVII

Ni pluie, ni vent, ni gel, mais la vraie nuit d'hiver
de chez nous, épaisse, humide, où se confondent
l'empire noir des haies aux racines boueuses et
l'empire gris des nuages tombés à la pointe des
peupliers. Jouons-nous aux suiveurs suivis ? Derrière moi, Julienne, se glissant hors de chez elle,
s'est avancée jusqu'au bout de la rue. Puis je suis
tombée sur le docteur Clobe qui rasait les murs.
Plus loin encore, à trente mètres de la maison Dernoux était planté Lamorne, en civil. Mais lui au
moins ne se cachait pas et surveillait très ostensible-
ment la grande tente-dancing, louée à Segré, d'où
s'échappaient par cent fissures des flots de lumière
et de musique. Ce monument de toile, avec son parquet démontable et ses tréteaux, pourrait flamber en
cinq minutes, c'est sûr, mais la présence du brigadier ne faisait pas mon affaire : impossible de me glisser devant lui sous les cordes, d'aller coller mon œil
à quelque interstice pour voir avec qui danse ma
mère, impossible de prospecter les alentours pour
dénicher les embusqués. Je ne pouvais plus que filer.
Presque aussitôt, du reste, un : « Bonsoir, monsieur

le Maire » m'a fait hâter le pas pour me mettre à
l'abri de toute invite et quand, à distance suffisante,
je me suis retournée, ce sont trois ombres que j'ai
pu surprendre : celle du brigadier, toujours immobile, celle de M. Heaume, qui s'enfonçait vers le
bas bourg, et une troisième, probablement celle du
docteur Clobe, qui lui emboîtait le pas. La noce
s'amuse, le village dort, mais la tente Dernoux que
secouent de pesants quadrilles semble servir d'affût. Si
l'inquiétude générale s'est lassée, les responsables
restent anxieux. Il faudra faire très attention, cette
nuit... Papa n'est pas le seul de son avis.

Où peut-il être ? J'aurais juré qu'il avait pris à
gauche en sortant de la maison. D'où ce réflexe : galoper chez Dernoux. Mais je ne l'ai pas rattrapé, il a
dû prendre à droite, il est peut-être tout bêtement
à la mairie, dans ce local réservé aux vigiles et qu'il
est à peu près seul à hanter maintenant. Chez
Dernoux, chez Dernoux... Plus j'y pense et plus
je m'étonne de m'être lancée de ce côté-là. N'a-t-il
pas dit cent fois : « Je ne peux rien contre Eva » ?
Et n'est-il pas toujours, en toute occasion, apparu
dans son rôle ? « Il est allé se faire voir à la mairie,
d'abord », me siffle une de mes deux oreilles,
et la phrase refuse de sortir par l'autre. Courons.
Coupons par la ruelle de l'église. Un chat traverse dans mes jambes et, des quatre griffes, se hisse
sur le mur que surplombent les plus hautes croix du
cimetière. Un autre chat, qui poursuivait le premier,
fait un écart et se jette dans un soupirail en poussant le cri rauque du matou déconfit. Courons, courons. Les cyprès sont trop hauts, la ruelle trop

étroite, la peur me poignarde le dos. Cette dernière maison aux six volets fermés, juste à l'angle,
est celle d'Hacherol, mais, Dieu merci, la mairie,
en face, pousse ses mansardes au-dessus des marron-
niers, et deux d'entre elles sont éclairées : la silhouette de Ruaux et celle de Papa, accoudés à la barre
d'appui, s'y encadrent toutes deux. « Causette. Tu
t'en souviendras, Ruaux », siffle l'oreille. Mais peut-
être écoutent-ils simplement cette lointaine *Veuve
joyeuse* qui vient de succéder à l'inévitable *Danube
bleu* et dont les notes fatiguées viennent expirer
sur la place, se mélanger au cliquetis du pétrin mécanique, aux coups sourds du hachoir qui taille et
pare d'avance les viandes du marché.

J'arrive à point nommé, je n'aurai pas à chercher un abri pour attendre. La silhouette de Papa s'efface, la lumière s'éteint. Une demi-minute d'hésitation : il est trop tard pour traverser la place sans être
vue, et si Papa, qui vient de sortir du colonnoir et
d'apparaître dans cette zone où diffuse le néon
de *La Couleuvre*, prend la direction des sapinières
ou celle du hameau des Cormiers, il y a neuf chan-
ces sur dix pour qu'il s'évanouisse dans la nature.
Mais il traverse la place et pique droit sur l'église,
m'obligeant à battre en retraite. Il entre dans la
ruelle au moment où j'en sors. Droite ou gauche ?
Si tu étais à sa place, Céline, que ferais-tu ? Réponse
de l'oreille : « Le fusil sur l'épaule, vigile jusqu'aux dents, j'irais serrer la main du brigadier. »
Et c'est bien ce qu'il va faire, tandis que, poursui-
vant cette filature à reculons, je galope jusqu'au
carrefour où il faudra qu'il choisisse et passe devant.

Choix simple. Sur quatre voies, trois sont peu probables, et, comme je m'y attendais, sans voir sa fille tapie derrière un vantail, Papa choisit le chemin des Alises, cette rocade discrète qui tourne autour du bas bourg et où nous avons surpris Hacherol. Il monte vers les jardins ouvriers, et je le suis de très près, de trop près, refrénant une forte envie de le héler et refusant aussi de lui ôter la chance de m'apercevoir — ou de m'ôter, à moi, celle de l'ignorance. Mais il ne s'arrête ni ne se retourne (ce qui est bien dans sa manière), et la nuit est si dense, si encombrée de branches basses, de bouillées d'épines, de formes indécises, crayonnées dans tous les noirs, que l'oreille doit y renseigner l'œil. Ce que je suis moi-même, en faisant très attention à mes pieds, c'est ce bruit régulier d'herbe froissée par une botte. Plus nous avançons, plus il devient léger : pourtant l'herbe est toujours aussi haute. Prendrait-on des précautions ? J'étais déjà en train de me dire : « Tout à l'heure, quand il aura fini son tour et qu'il ne se sera — évidemment ! — rien passé, quand je me retrouverai dans ses bras, ridicule et si contente de l'être, il fera bon frotter mes joues contre ses joues qui sont toujours un peu rêches le soir, il fera bon renverser la nuque dans le dos et rire de ce petit rire contenu où toutes les dents font grelot. Pourquoi ai-je l'imagination si hostile, l'âme si noire ? Vais-je maintenant le tourmenter, moi aussi ? » Je suis prête à tourner bride, honteuse et tendre.

Honteuse, nous le resterons, tendre aussi, mais pas de la même façon. Le glissement sur l'herbe

s'arrête, une clenche tinte : Papa est entré dans le
dernier jardin, celui qui borde la plaine à Bouvet
et que personne ne cultive plus depuis deux ans. Je
me glisse, courbée, jusqu'au portillon et me redresse juste assez pour mettre mes yeux au ras des
aubépines. Pinçons-nous, je n'ai pas le droit de
rêver, ce n'est pas vrai : ils sont deux ! Deux,
vous dis-je, au milieu d'un fouillis d'arbres fruitiers qui ne connaissent plus la taille. Il y a mon
père, bien reconnaissable au bout du canon de fusil qui oscille près de sa tempe. Et il y a l'autre,
affublé du melon et de la houppelande décrite par
Besson : immobile, il étend les bras comme pour
barrer le passage au vigile qui s'approche de lui.
Pince-toi plus fort, Céline, c'est absurde : ton
père s'approche de lui à le frôler sans qu'il ferme
les bras, plus raides que ceux des pèlerins en prière,
ton père lui enlève son chapeau, le met sur sa tête.
Sur sa tête. Sur sa tête. As-tu enfin compris ? L'incendiaire, par procuration, c'est l'épouvantail.

Un rire aigu traverse la nuit : ce n'est pas celui
que j'espérais tout à l'heure, mais c'est tout de même
le sien. Farce féroce ! Drame plein d'astuces qui vous
empêchent de tomber sur les genoux ! Il a soigné les
scènes, il a tout prévu, cet homme qui fait un bond
en arrière et, au lieu de fuir, braque sur moi sa lampe
électrique. A-t-il même prévu mon intervention ?
A-t-il prévu mon rire ? Le sien éclate, écho vingt fois
amplifié du mien, il enfle, il déferle, inattendu, inconnu, extrait d'un profond creux de poitrine, ro-
tant une puissante, une effrayante gaieté. Eblouie,
anéantie, je le vois qui s'avance en force, les épaules

aussi largement déployées que son rire. Le rond de
sa lampe se rétrécit sur mon blouson, devient grand
comme une assiette, comme une soucoupe, comme une
pièce de cent sous, n'est plus qu'un point lumineux
sous le sein gauche, là où une balle fait si vite et
si bien l'affaire. Mais le rire s'éteint, la lampe s'éteint,
une voix calme prononce trois mots, de si près que
j'en sens le souffle sur mon front :

« Eh bien, Céline. »

Aimable facétie ! Une main s'avance, reprend le
melon, me l'enfonce jusqu'aux oreilles, tandis que la
même voix lâche cette phrase ambiguë :

« Tu vois, personne n'y avait pensé. »

Et me voici désarmée. Rien n'est prouvé, rien n'est
sûr; il a trouvé le seul joint, la seule attitude à prendre,
il ne se défend pas, il est le bon vigile qui, devant
mes yeux, par hasard, vient de trouver le vestiaire de
l'ombre. Il est vraiment très fort. Ou innocent. Mais
s'il est innocent pourquoi me reprend-il le melon, le
jette-t-il dans le jardin au lieu de le conserver comme
pièce à conviction ? Pourquoi a-t-il l'haleine si courte ?
Pourquoi interrompt-il sa tournée et m'entraîne-t-il
si vite vers le village ? Pourquoi ne fait-il aucun commentaire ? Pourquoi ne s'étonne-t-il même pas de ma
présence, de ma sortie clandestine, de ma filature ?
Tout se passe comme s'il se réfugiait dans l'inexpri-
mé, comme s'il se donnait le temps de réfléchir pour
fortifier hâtivement l'apparence. Place surprise, mais
non prise ! L'ennemi n'est qu'une timide Céline qui
a bien peur d'être odieuse et n'osera pas déclencher
un tir de questions.

Je me laisse traîner, je bute contre des cailloux, des

trognons, des touffes d'herbe, j'ai froid, j'ai chaud, je
remonte et redescends la fermeture Eclair de mon
blouson. *Eh bien, Céline... Tu vois, personne n'y
avait pensé...* Si ! Puisque je suis là. Nous approchons
du carrefour. Sous la tente, on joue de nouveau *La
Veuve joyeuse.* Tout un programme pour cette dan-
seuse si joliment enturbannée de bandes Velpeau !
Tout un programme, facile à réaliser, si elle t'avait
vu tout à l'heure, Bertrand Colu, mon père ! Pourtant tu m'entraînes vers le village, vers la maison
d'une main ferme, d'un pas net. Cœur complice,
bouche cousue n'est-ce pas ? Quelle confiance en
moi ! Nous voici sur la route, le brigadier est à cinquante mètres, et tu ne crains rien : je le déteste
soudain, parce qu'il est là, parce qu'il nous a vus,
parce qu'il crie avec une bonne humeur proche de
l'ironie :

« Rien à signaler ?

— R.A.S. », répond Papa en détachant les lettres.

*

Son cas s'aggrave : il y avait quelque chose à signaler, il ne l'a pas fait, il n'a su que hâter le pas
jusqu'à la maison, où il a dû s'y reprendre à deux
fois pour glisser la clef dans la serrure tant ses mains
tremblaient. Il n'est même pas entré dans la salle
et s'est jeté dans sa chambre après m'avoir donné une
sorte de petit coup de lèvre, hésitant, honteux, qui
m'est arrivé sur le menton. Or il avait affirmé : « Je
ne rentrerai pas avant l'aube » et il n'a pas l'habitude
de se dédire. Puis, soudain, retour offensif : comme je

me glissais sous les couvertures, je l'ai vu arriver près de mon lit : l'homme du jardin aux larges épaules, au rire énorme, était devenu ce malade échappé de ses draps, aux yeux fiévreux, à la bouche tordue comme celle d'un paralytique et qui, bannière déployée sur le caleçon long, nasillait son prétexte :

« Ta mère n'est pas rentrée, bien entendu ? »

Cette crispation des doigts ! Cette humble insistance du regard qui semblait dire : « Dieu et toi, vous êtes mes seuls témoins. Tu sauras te taire aussi bien que lui ! » Il voulait parler, j'en suis sûre. Il n'a pas osé, il n'a pu que balbutier avant de tourner les talons :

« Dodo, Céline !... Au moins, toi..., tu es là. »

Je suis là, en effet, et pas si fière d'y être. Stupidement molle et retrouvant pour lui — ainsi que je l'avais trouvé pour ma mère — ce goût âcre d'une tendresse coupable qui vous remonte à la gorge comme un vomissement. J'ai mal au cœur : c'est la juste expression. Tous ceux que j'aime sont indignes et celui-ci surtout, mon joli choix, s'il est ce qu'il doit être. Car, enfin, s'il l'est — s'il l'est, Céline ! — ton père est un monstre. Un monstre. Et des plus dangereux. Et des plus hypocrites. Son calme, sa dignité, sa maîtrise, son dévouement... Ecorces que tout cela ! Son passe-montagne de mutilé, ses abeilles, sa lance, ses livres, ses quittances de la compagnie... Des trompe-l'œil ! Un monstre... Pourtant, je ne sens pas ce mot-là. S'il est ce que nous craignons qu'il soit — et le « si » devient fragile ! — il mérite le mot, il le mérite cent fois. Mais je connais depuis trop longtemps ses attentions, ses gestes, son pitoyable

sourire. Je cherche ma colère, je l'invente par instants, je la pousse, mais elle ne va pas loin. Il y a
des gendarmes et des juges : à eux de s'occuper de
l'incendiaire. Moi, je m'occupe de mon père, et s'ils
ne font qu'un, pour moi ils feront toujours deux.
L'oreille siffle en vain : « Tu n'y penses pas, Céline !
Quelle responsabilité ! Qu'allait-il encore faire cette
nuit ? » Le doute est encore là et, dès qu'il se laisse
enfoncer, l'affection s'avance pour boucher la brèche.
Avec une sainte mauvaise foi. Avec des excuses inat-
tendues. Au pire, s'il y a fauve, ne suis-je pas la
seule épargnée, la seule que lèche ce fauve, quand
les autres sont déchirés ?

Mais qu'ai-je entendu ? Je me relève en hâte pour
entrer dans la cage... Dans la chambre de Papa. Non,
je me suis trompée, c'est un passant qui a dû faire ce
bruit, la fenêtre est fermée, et il n'a pas essayé de
ressortir, il est couché, il dort ou fait semblant, raide,
sévère, allongé tout droit comme un cadavre, les
mains jointes sur la poitrine et la tête exposée sur
la toile blanche comme une de ces pièces de cire des
musées médicaux. Comment peut-il dormir ? Est-ce
lui, seul, mon père qui dort, ou les deux hommes
qui sont en lui ? Je peux aller me recoucher : à
moi, la pendule ne me fera pas grâce d'une minute.
Toute la nuit, j'oscillerai avec elle entre les oui et
les non, les comment et les pourquoi. Les heures me
battront dans la tête jusqu'au coup de clef de ma
mère qui me fera sursauter à l'idée que c'est peut-être
lui qui s'en va.

XXVIII

Il fut debout, le premier, bien avant nous. Tout
était rangé, la vaisselle faite, le lait chaud, le café
passé quand, ma mère et moi, l'une appuyée sur
l'autre — et je ne sais pas laquelle —, nous pas-
sâmes dans la cuisine. Son accueil me décontenança.

« Tu ne tomberas plus dans l'escalier de la cave,
Eva, je t'en réponds ! Je vais marteler les marches
pour les rendre moins glissantes et installer une
main courante... Ton œil est moins noir. Souf-
fres-tu encore ? »

Maman ne répondit pas, comme de juste. Mais,
exagérant ses prévenances, Papa se mit à parler
d'abondance, forçant son maigre bagou à occuper
le silence et se répétant, faute de mieux, pour y
parvenir. La nuque ronde, les yeux si creux que
j'éprouvais l'impression de regarder les choses du
dedans de la tête, je m'étais assise à ma place habituelle. Impossible d'intervenir, ma langue s'é-
paississait dans ma bouche, et sa pointe faisait le
tour de mes gencives, trop vivement frottées, dont
le goût du sang l'emportait sur celui du dentifrice.

« Toi, tu n'as pas assez dormi. Tu devrais bien te recoucher... »

Il s'était assis, en bras de chemise, à côté de moi. Ses mains gisaient, flasques, sur la table, comme des poissons morts. Il attendait, et, finalement, je m'aperçus qu'il attendait son bol. Pauvre astuce ! C'est lui qui avait mis le couvert, mais il avait volontairement oublié son bol, comme le faisait ma mère : afin de me sonder, sans doute, afin de voir si je réparerais l'oubli, si j'étais toujours dans son camp. Comme je ne bougeais pas, ses mains s'animèrent, et ma mère, qui trempait des mouillons de pain beurré dans son café noir, me dédia un petit sourire de triomphe. Aussitôt, je me levai, j'allai chercher le bol. Mais je le mis au bout de la table et non à côté de moi. Insatisfaits de cette demi-mesure qui n'avantageait personne, le visage de mon père et celui de ma mère gelèrent en une seconde; on n'entendit plus que les serins piquetant leur os de seiche avec un entrain qui m'agaçait l'oreille. Afin de me secouer, j'avais, pour une fois, pris du café. Il me parut mauvais, ni café, ni chicorée, mais quelque chose d'âpre et d'indéterminé. Comme la situation. Comme mes pensées. Enfin mon père se releva, et je remarquai seulement à ce moment-là que les six pattes de ses bretelles tiraient haut son pantalon d'uniforme.

« Et dire qu'il faut que j'aille me faire décorer », dit le sergent Colu d'une voix piteuse.

La Sainte-Barbe... La médaille... Je n'y pensais plus. C'était le comble ! Mais, dans un sens, je pouvais le laisser sortir avec moins d'appréhension.

Il revint bientôt, la vareuse à moitié boutonnée, le casque à la main... A d'autres ! Je n'avais aucune envie d'astiquer ses cuivres.

« Viens-tu ? demanda-t-il faiblement.

— Mais tu m'as dit de me recoucher ! »

Le pli qui tirait le coin de ma lèvre lui ôta l'envie d'insister. Pourtant, il perdit encore quelques minutes. Visiblement, il hésitait à s'éloigner, il aurait fallu peu de chose pour qu'il déclarât forfait. Mais cela aussi devait être évité : ce n'était pas le moment d'attirer l'attention. J'ouvris moi-même la porte sur la cour. Il s'en alla sans m'embrasser, le casque de travers et le ceinturon flottant, tandis que renaissait le sourire de ma mère.

*

Je ne vis donc pas M. Heaume lui remettre sa médaille, devant dix douzaines de notables, de curieux et d'enfants assemblés sur la place, entre la fontaine et le monument aux morts. J'entendis seulement des battements de grosse caisse et de vagues coups de trompette... J'étais loin, il est vrai. Dès le départ de mon père, je m'étais lancée dans la rue, et cinq minutes de galop sur le chemin des Alises m'avaient ramenée au jardin abandonné. Personne alentour. Le melon verdâtre, la vieille pèlerine de berger toute trouée et qui ne pouvait faire illusion que la nuit, l'épouvantail lui-même furent mis en pièces, en charpie... J'aurais volontiers fait un autodafé. Mais le feu, non vraiment, nous en avions assez entendu parler dans la famille.

Tout fut si vite expédié que ma mère, qui commençait une lessive, ne s'aperçut même pas de mon absence. Candidement satisfaite, comme si j'avais détruit l'ombre et ses moyens, j'allai m'enfermer, haletante, dans les cabinets, pour récupérer mon souffle; puis je rejoignis Maman qui geignait, penchée sur le bac à laver déjà plein d'eau laiteuse.

« C'est pourtant toi qui as poussé ton père à se laisser décorer ! » dit-elle en me voyant.

Elle brossait de la main gauche en grimaçant de douleur, mais dès qu'elle s'arrêtait son visage devenait rayonnant.

« Je me contenterai d'une séparation de corps et de biens, si le divorce t'offusque, reprit-elle un peu plus tard. La maison est à moi, tu le sais, et le portefeuille d'assurances à ton père. Nous travaillerons... »

Impossible de lui arracher la brosse. Elle s'acharnait, étrillant son linge, lâchant une phrase de temps en temps, ou plutôt pensant tout haut une pensée sur dix selon une méthode qui ressemblait beaucoup à celle de Papa. Enfin elle s'avoua vaincue.

« Mon coude me fait trop mal », gémit-elle.

Je pris sa place, heureuse de n'être plus qu'une paire de bras plongés dans la mousse. Mais ma tête n'accepta pas de chômer pour autant. Tandis que ma mère, empilant le linge dans la lessiveuse, me décrivait son programme (programme connu : nous deux et un « attachement discret »), j'établissais le mien, le discutais, le modifiais... Un cube de Marseille y passa. Ma cervelle aussi. Quand mes mains rouges retirèrent la dernière serviette de la

dernière eau de rinçage, elle était plus claire que
mes intentions. Découragée, je saisis, selon le rite,
une des deux poignées de la lessiveuse, remplie au
ras de la *cracheuse* et parsemée de petits morceaux
de savon : un éblouissement me la fit lâcher juste
au moment où, ho ! hisse ! nous allions la poser
sur le foyer de la cuisinière privée de ses rondelles
centrales.

« Va t'allonger ! » fit ma mère, alarmée.

Je m'allongeai si bien que je m'emdormis et qu'à
midi elle n'osa pas me réveiller. Ce fut le tintamarre de la clique, reconduisant mon père à domi-
cile, bien après le banquet, qui se chargea de mes
oreilles pour triompher de mes paupières.

La gauche se souleva d'abord, les vitres m'appa-
rurent, presque noires, et l'inquiétude me tira par
les cheveux, me mit sur mon séant : la nuit ! Ne plus
jamais le laisser seul la nuit ! Puis je m'aperçus que
les vitres vibraient : du fond de la rue déferlait *Le-
général-qui-passe,* soufflé à pleine trompette et ponc-
tué au hasard de coups de cymbales, de chama-
des, d'interjections. J'expédiai l'édredon ramené sur
mes pieds pendant mon sommeil par une main bien-
veillante et, toute chiffonnée, toute dépeignée, je
débouchai dans la salle pour apercevoir un bout de
jupe qui s'enfuyait. On me criait ce prétexte :

« Je vais au lait ! »

Je soulevai le rideau. Le bidon d'alu se balançait vraiment au bout du bras intact. Ma mère
s'avançait, sévère, muette, le pansement haut, le pas
sec, à travers une cohue déboutonnée dont le pié-
tinement bonasse n'avait rien du pas de parade;

elle la fendait en deux, obligeant tout le monde à
se ranger, même les musiciens qui, de surprise,
en décollaient l'embouchure de leurs lèvres, même
Ralingue et Calivelle qui durent faire un écart
pour lui laisser le passage. Elle ne put (comme elle
l'espérait sans doute) bousculer le héros de la fête
qui marchait sur le côté, discrètement, comme s'il
ne jouait dans l'affaire qu'un rôle mineur, mais
elle réussit à jeter un froid qui hâta la dislocation.
Papa, du reste, brusqua les choses en poussant le
portillon, après avoir sommairement serré quelques
mains importantes et levé le bras pour remercier le
reste de la cohorte qui reflua, charriant ses cuivres
et poussant des clameurs amicales... Puis mon
médaillé se réfugia dans la maison, vint jeter son
casque sur la table.

« Quelle corvée ! »

Pourquoi bouger ? Un doigt au rideau, j'affectai d'observer la rue.

« Alors, Céline ! » reprit une voix usée.

Je me retournai lorsque j'entendis gémir une
chaise. Il s'était effondré sur la première venue et,
le dos rond, la tête basse, se malaxait les mains
d'un air exaspéré. Son visage était — enfin — aussi
facile à déchiffrer que celui d'un enfant, et je
pensai soudain : « Ce soir, le second rôle l'emporte !
Il a perdu son mordant, ses beaux réflexes d'hier.
Sergent Colu tout le jour, il rentre avec une âme
de sergent Colu, il est indigné par sa médaille, il
s'insurge, il se hait, il est à ma merci. Article
premier du programme : le contraindre à se trahir.
Arrachons-lui sa médaille... »

Et j'avançai la main vers cette rondelle de métal suspendue à un ruban jaune rayé de tricolore que M. Heaume avait accroché de travers sur la vareuse à filets rouges. Exécution facile ! Papa me regardait sans appréhension, avec une sorte de curiosité, d'intérêt maladif. Nulle protestation, pas un mouvement de sa part. Dans ces conditions, à quoi bon gâter du bon drap ? Je retirai proprement l'épingle que je mis dans ma bouche et, la médaille au bout des doigts battant comme une pendule, j'allai la confier aux braises de la cuisinière. Le ruban brûla très vite, mais le métal se contenta de rougir. Dans mon dos, Papa sifflotait nerveusement. Je le vis, du coin de l'œil, se déplacer vers le placard, se pencher pour attraper ses chaussons, rangés auprès de ses bottes... Ses bottes ! Pointure 43, comme tout le monde. Mais avec un clou à tête étoilée, peut-être, dans l'angle gauche d'un talon. Excellente idée, autre provocation. Je glissai jusqu'au placard, je saisis les bottes, je les retournai, la semelle en l'air, puis, souriant d'un certain sourire, je passai le doigt sur un talon parfaitement lisse. Et les bottes me tombèrent des mains...

« Le clou ? Il y a longtemps que je l'ai enlevé, tu penses », disait mon père.

*

Et voilà, c'est fini. Certitude figée. Miracle impossible. Je le regarde, hébétée, je cherche le monstre et ne trouve que mon père, celui de tous les jours. Cette petite phrase, qui le mène si loin,

il l'a lâchée sans effort, sans émoi, comme s'il
m'avait déjà tout dit, tout confié depuis longtemps
et tenait simplement à préciser un détail. Il continue à mettre ses pantoufles et ne semble pas entendre
dre les neuf mots que je hache entre mes dents :
« Mais enfin est-ce que tu te rends compte ?... »
Non, sans doute. Pas plus que moi tout à l'heure.
Il se relève, enlève sa veste d'uniforme, la dispose soigneusement sur un dossier, avant de la remplacer par
sa vieille canadienne. Voilà qu'enfin son incompréhensible calme m'apparaît ce qu'il est : un délire
froid. Certains volcans aussi sont recouverts de neige,
entre deux éruptions. Je ne crierai pas, je ne l'effa-
roucherai pas de peur qu'il se rétracte. Mais comme
l'air me manque ! Sa canadienne boutonnée, Papa
fait six pas vers la porte en me clignant de l'œil. Invite : « Allons au jardin. Ta mère pourrait rentrer,
et nous avons, n'est-ce pas, quelques petits secrets
à nous dire... » Oui, je viens, je suis, à peine tremblante, épouvantée — pour lui — par cette disproportion entre cette attitude de cachottier qui se confesse
et l'énormité de l'aveu. Sur la petite allée de ciment,
son pas trouve une cadence d'honnête promenade
et c'est une voix d'agent d'assurances commençant
sa démonstration qui murmure :
« Ecoute-moi, Céline... »
A la lueur déjà lointaine de l'ampoule du couloir, son profil s'éclaire, détendu. La pierre noire est
pour moi, la pierre blanche est pour lui qui mar-
queront ce jour. Au bout, tout au bout de son
silence, il a trouvé la seule oreille qui puisse le délivrer, la seule qui ne le trahira pas.

XXIX

« Ecoute-moi, Céline. » C'est un refrain qu'il
emploiera jusqu'à la fin, c'est une excuse, une
invite prononcée pour lui-même beaucoup plus que
pour moi. Je me disais : « Il va tout déballer d'un
seul coup. Ce sera dur, mais ce sera fait », je le
croyais plein de cris contenus, de sifflantes obses-
sions, de secrets enroulés comme des ressorts et
prêts à se détendre; je m'attendais à des explications
frénétiques, à une furieuse plaidoirie : *je suis un misérable, oui, · mais sais-tu pourquoi...* Rien de
tout cela. Je n'aurai même pas un récit cohérent,
mais des bouts de récits, malhabiles, désordonnés,
enchevêtrés les uns dans les autres. A quel point
le défendait son silence, je le sais maintenant. Non
seulement il lui assurait la sécurité, mais il entre-
tenait l'illusion, il lui prêtait cet aspect concentré,
cette démarche puissante des taciturnes. Son silence,
c'était le château menacé de la légende, aux tours
énormes, mais aux salles d'armes presques vides,
dont le seigneur avait donné pour consigne : « Laissez
faire les murs et surtout ne vous montrez pas. »
Même apparence masquant la même faiblesse. Son

silence le servait, la parole le trahit. *Ecoute-moi,
Céline...* J'écoute ! J'écoute cette voix ennuyée, nullement tragique et qui aborde les choses de biais, qui
commence par ergoter :

« Tu sais, Céline, tous ceux qui ont brûlé étaient
largement assurés. Je ne me serais jamais adressé à
d'autres. »

Adressé... On dirait qu'il s'agit d'un petit service
imposé à des gens complaisants. Mais voilà que suit
une autre remarque qui n'a aucun rapport avec la
précédente.

« Dis-toi aussi que tout ça, c'est la faute de ta
mère. Si elle ne me mettait pas hors de moi... »

Il faudrait peut-être intervenir et crier : « Est-ce
que tu brûlerais une maison comme on casse une
assiette ? » Mais j'ai peur que tout soit fichu, qu'il
retrouve ses murs. D'ailleurs, je ne peux pas : l'émotion m'étrangle, transforme en obligation ce goût
que j'ai toujours eu pour me réfugier derrière mes
tympans, pour ne parler qu'en dedans, comme lui.
Du fond de l'allée, nous revenons vers la maison,
vers l'ampoule du couloir qui jette une lueur jaune
sur son visage dont le front se plisse. Il fait de visibles
efforts pour se rassembler, pour s'exprimer. Mais cela
ne donne toujours qu'un hachis de petites phrases
molles, ridicules, sans commune mesure avec la violence des faits :

« J'aurais préféré que tu ne saches rien... Je n'aime
pas te voir mêlée à ces histoires... Ça m'embête...
Ça m'embête autant que l'affaire des gosses... Parce
que, vraiment, ils n'y sont pour rien, tu sais, ils ont
tout juste à leur actif la blague des feux de Bengale... »

Une indignation comique nuance sa voix sourde. Oubliant qu'il est la cause première de tout, il s'indigne :

« C'est pourtant l'évidence même ! Mais la justice fait flèche de tout bois.

— Papa, je t'en prie ! »

Exclamation inutile : il la met sur le compte de la sainte angoisse d'une fille qui a peur pour son père, il me prend la main et n'aperçoit même pas que j'essaie de la lui retirer, qu'il ne lui reste plus qu'un doigt, coincé dans son poing.

« Ils n'y sont pour rien ! répète-t-il avec une sorte d'orgueil froissé. Sauf les feux de Bengale, tout est à moi. Même l'affaire du chien. Une chose très sérieuse, l'affaire du chien : sans Besson, tout le bois aurait brûlé. Quelle torche, Céline, quelle torche ! Je me demande comment nous aurions pu l'éteindre. »

Et le voilà qui s'anime. Prenant le temps à reculons, il commence l'histoire par la fin, mais il la commence tout de même et avec une certaine passion qui creuse sa voix (et qui, je ne sais pourquoi, me paraît plus défendable, plus facile à entendre) :

« Ce soir-là, tu te souviens, elle avait cassé la vaisselle, puis elle était partie avec l'autre. Avec l'autre, Céline, tu sais de qui je parle, tu as dix-sept ans, tu me comprends. Je les ai cherchés pendant trois heures. Comme chaque fois, je me sentais devenir tout raide, tout noir. Sais-tu ce que c'est que d'être un bloc de glace et de nuit, Céline ? On dirait que... »

Arrêt brusque. Changement de pas. Changement de voix. La lumière, dans le couloir, vient de s'éteindre.

« Chut !... Ta mère ! »

Il se tait, il rentre sur des pas de conspirateur. C'est fini pour ce soir, et cela vaut mieux : tout est trouble en lui. La crise manquée d'hier soir est encore trop proche pour qu'il en soit vraiment dégagé, mais elle est déjà trop loin pour lui permettre de cracher le soufre, de me jeter à la tête les arguments d'une logique d'enfer. Il n'est en ce moment ni ceci ni cela, ni pour le feu ni pour l'eau : c'est l'intermédiaire qui parle, l'agent de liaison qui fait la navette entre les deux moitiés de ce cerveau voué à deux passions ennemies.

Oui. Rentrons. Au loin, un cornet à pistons étire une suprême fausse note, qui se dissout dans l'ombre. Rentrons. Je sais ce qui m'attend. Autre nuit autre veille. Peu d'appétit, point de sommeil. Neuf heures de guet, ma hanche maigre contre la hanche pleine de ma mère endormie dans sa chaleur, mais l'esprit si préoccupé par ce qui se passe dans l'autre chambre que j'aurai l'impression d'être couchée près de mon père, de percevoir le moindre de ses mouvements. Neuf heures de débats entre cette fille qui se retourne sur le dos, sur le ventre, sur le côté, qui a des scrupules, qui se crie : « Que dois-je faire ? » et cette autre qui ne s'embarrasse de rien, qui fait de l'obstruction et répond brièvement : « Te taire ! » Est-ce une aberration ? J'aurai beau m'exciter sur le sort de quatre familles, de la vieille Amélie rôtie dans sa mansarde, je n'y parviendrai pas. J'ai pitié des victimes bien moins que du bourreau. Une telle fureur ne vient qu'aux êtres mal aimés. Je crois, je crois encore que la tendresse est un frein, même dans le délire : si la mienne n'a pas suffi, ne suis-je pas coupable de son insuffisance ? Tard, très tard, à l'heure absurde et floue de la demi-conscience — où vieille encore quelque chose de moi —, ce souci dominera tout, m'empêchera de céder au poids de ma tête enfoncée dans l'oreiller.

XXX

Il parle. Il parlera six jours ou plutôt six nuits. Chaque matin, la sonnerie du réveil met debout un agent d'assurances qui n'est pas dangereux, que je peux laisser partir, sa sacoche sous le bras : celui-là n'a jamais fait de mal, n'a rien à dire, se comporte avec un naturel étonnant — qui justement n'est pas naturel. Mais l'ombre me ramène un autre homme, coiffé de drap noir et d'idées noires, dont chaque pas est suspect et qu'il ne faut pas lâcher d'une semelle. Pourtant, chaque soir, cet homme du soir s'abandonne un peu plus. Sur les routes, sur la petite allée de ciment, un peu partout, pourvu qu'il fasse sombre et qu'il soit seul avec moi. Une à une, il coupe ses ficelles. Peu à peu, il se raconte, il parvient à une sincérité de phonographe qui n'omet rien de ce qu'il a enregistré, mais qui ne peut rien y ajouter, qui ne comprend pas son mécanisme, qui n'en soupçonne pas l'existence. *Ecoute-moi, Céline...* J'écoute, toujours prudente et n'en demandant pas trop. S'il pouvait s'expliquer, il n'aurait pas lieu de le faire : qui s'explique se gouverne. A moi de tirer dans ce qui lui échappe, d'élucider le problème. Ce n'est pas le rôle d'un possédé de nommer son démon.

Six jours, en commençant par ce vendredi. C'est moi-même qui l'ai poussé dehors, après souper, dans un noroît lourd de bruine.

« Sortons. Les gens s'étonneraient de ne plus te voir. »

Et nous voici une fois de plus en tournée patrouillant de concert dans une nuit liquide. Le bon vigile, en long et en large, traverse son pays à la recherche de lui-même. A la recherche de lui-même, en vérité : il ne fait que ça, il y met de la bonne volonté, c'est le technicien qui, aujourd'hui, monologue, exposant ses procédés avec une candeur qui me fait serrer les dents.

« Règle absolue : il faut allumer bas, dit-il. Allumer bas comme on tire bas. La flamme, bien plus encore que la balle, a tendance à monter. »

Un temps de réflexion. Puis ce corollaire :

« Même remarque pour éteindre : le feu s'attaque à la racine. »

Même complaisance, surtout dans la voix. Deux passions ennemies, non ! Deux passions complices l'une de l'autre. Mais le cours continue, tandis que la bruine se transforme en pluie :

« Dans certains cas, chez Binet par exemple, pour disposer d'un alibi, j'ai utilisé un petit système à retardement. Tout ce qu'il y a de simple. Tu prends une éponge plate, genre Spontex, tu l'imbibes de pétrole, tu fiches dedans une bougie et tu poses le tout sur le foin. Tu allumes la bougies et tu t'en vas. Deux heures plus tard, quand elle a presque fini de brûler, l'éponge, le foin, la baraque s'enflamment. Toi, tu es loin... »

Il pleut vraiment trop fort pour insister. Battons en retraite, poursuivie par cette voix qui m'accable encore de détails irritants. Mieux vaut attendre et me glisser dans le lit où ma mère, déçue, m'accueille en grondant :

« Alors, ça recommence avec ton père ? »

*

Samedi. Va-et-vient, sur l'allée de ciment, de neuf à onze. Ça marchait très bien, il vient de faire une véritable déposition, à peu près claire et ne comportant qu'un seul trou : l'incendie Daruelle, dont il n'a pas soufflé mot. Sa voix prenait de la qualité, s'infléchissant dans le grave. Mais voilà que le portillon tinte : ma mère s'éclipse encore une fois. Papa s'arrête et gronde :

« Je suis un mari ridicule. »

Minute de méditation. Puis il ajoute sèchement :

« Mais je suis le mari. »

Plus rien à en tirer : il s'engouffre dans le silence, rentre et se couche. Attention, Céline ! Il faut t'asseoir dans ton lit, les épaules sur le bois pour ne pas t'endormir. Il faut tendre l'oreille. Une heure, deux heures... Cette petite lutte contre tes paupières ne deviendra donc jamais facile, jamais familière ! Quel est ce bruit ? C'est la suie qui se décolle dans la cheminée du fond et tombe en égratignant le conduit de fumée. Non, ton père a ramoné tout récemment.

Saute sur tes pieds... Et je glisse vers la « chambre
d'ami », je tourne doucement la poignée. Tu vois,
Céline, comme tu as bien fait ! Il est en train d'enfiler son pantalon, il bafouille :

« J'ai mal... mal à la tête. »

Possible après tout. La pression de mes yeux et
deux comprimés de gardénal l'immobiliseront dans
ses draps. Quant à cette grosse boîte d'allumettes
de cuisine, même si c'est une précaution ridicule,
glissons-la sous mon traversin.

*

Dimanche. Arguant d'un mal de gorge, je laisse
ma mère aller seule à la messe. Julienne part en
même temps qu'elle et l'aborde... Tant pis ! Leur
réconciliation ne m'enchante pas; mais je reste à mon
poste : la nervosité de mon père m'inquiète. Nous
resterons seuls jusqu'à midi. Il piétine, ne sait que
faire de ses mains qui touchent à tout ni de ses yeux
qui n'osent se poser sur rien. Le jour l'empêche de
parler. Néanmoins, comme je remets du bois dans la
cuisinière, il s'immobilise devant la flamme.

« Tu vois, Céline, s'écrie-t-il soudain, quand le
feu monte, il se tord comme ce qui est là. »

Son poing lui défonce la poitrine.

« Et, quand je l'éteins, c'est comme si j'éteignais
ce qui est là. »

Autre coup de poing dans le sternum. Puis une
sorte de rugissement :

« Et ce qui est là, ce qui est là, c'est ta garce de
mère ! »

Il ne parlera plus de la journée, mais, en trois phrases, il en a dit plus que la veille.

*

Lundi. Avant de mettre le pied sur la descente de lit, Maman se retourne pour me souffler dans le nez :

« Enfin, Céline, que se passe-t-il ? Tu m'avais laissé espérer... »

Rien, je ne lui ai rien laissé espérer. Son programme n'est pas le mien. Mais je ne peux combattre sur deux fronts. Mieux vaut mentir :

« Laisse-moi donc faire... »

Le ton — mystérieux — lui suffit, lui laisse croire à je ne sais quelle manœuvre et, gratifiée de trois baisers sur la tempe, je peux me renfoncer dans les draps pour savourer cette heure de grâce, ce rab de nuit où s'éteint enfin la veilleuse qui brûle dans ma tête. Une fois levée, plus de moue, plus de soupir, plus d'observation pour m'empêcher de rejoindre Papa. On ne me demande pas d'aider au ménage. Au contraire, on me pousse vers le bureau en murmurant : « Va, va ! » d'une voix complice.

Dure journée, d'ailleurs. Le temps, qui se fixe à la pluie, interdit toute sortie, et les comptes de fin d'année font défiler devant mes yeux de longues colonnes de chiffres, d'interminables additions que mon père cède volontiers à son « aide-comptable ». Mais je serai récompensée : à quatre heures, le jour meurt, et Papa repousse ses livres. *Ecoute-moi, Céline...* Je suis assise, par terre, à ses pieds. Soudain, il ajoute à la formule rituelle : « Prenons les choses par le commencement. » Et d'un seul jet, deux heures durant, il me refait le récit de l'avant-veille. Le même, plus étoffé, enrichi d'une foule de détails où prend place l'épisode oublié (?) de l'incendie Daruelle. Pas un mot, toutefois, sur la mort de la vieille Amélie. Et toujours pas de commentaires, pas de réflexions sur les causes ou les conséquences. Mais sa voix, son regard, son visage deviennent sombres. Après la fuite de Besson, le récit s'arrête net. Le temps de compter jusqu'à cent, au moins, et il se violente pour articuler, en deux temps :

« Voilà. Logiquement... »

Touchons-nous au port ? Allons-nous connaître cette terrible logique de Néron de village, d'autant plus implacable qu'elle est fausse ? Non. Il achève cette phrase qui semble proférée par un autre que lui :

« Logiquement, nous devrions avoir à déplorer d'autres victimes.

— Qui ? »

Coup d'œil égaré. Ou irrité. Il se redresse, hausse imprudemment le ton.

« Est-ce que je sais ? Ça m'est égal. Celui qui m'a flambé le cuir, je ne l'ai pas choisi. L'amant de ma femme, je ne l'ai pas choisi. Mes clients, je les rencontre. Ceux-là aussi... D'ailleurs, tranquillise-toi, il n'y aura pas de prochaine fois. »

Il se soulève et répète âprement :

« Non, pas de prochaine fois. »

Puis il retombe, accablé. L'obscur travail qui se fait en lui n'est pas terminé, mais l'a déjà bien rongé :

tout son visage se fendille, ce qui reste de ses sourcils devient blanc. Et voilà que ses prunelles donnent l'impression de tourner sur elles-mêmes; son dentier se met à grelotter, sa bouche s'ouvre, se distend, reste béante. On dirait qu'il vient de faire une horrible découverte.

« Céline, Céline, tu devrais tout droit aller me dénoncer : je suis un danger public ! Un danger public ! »

Enfin ! Il s'en rend compte enfin ! Mais il s'indigne trop fort, et ma mère est trop près : qu'elle entende, et nous serions frais ! A deux mains, je bâillonne cette bouche qui me baise aussitôt la paume. D'ailleurs Papa se reprend très vite, me jette un regard de reproche comme si j'étais responsable de cette indécente faiblesse, se remet à ses comptes, très froid. Mais son dentier se remet à grelotter.

*

Mardi. Depuis le matin, il traîne une chape de plomb, il a le pas lent, l'air funèbre qui convient aux porteurs de cordon. Encore un jour fait de la même matière triste. Encore la pluie lavant de gris le bleu sombre des ardoises luisantes. Encore les mêmes chiffres, la même nuit, le même récit. Toujours économe — ou à court — d'imagination et de mots, il réemploie des passages entiers des précédents : à croire qu'il les a appris par cœur. Tout se passe comme s'il avait fallu s'approcher par étapes de ses propres souvenirs et vaincre une végétation sournoise où ils étaient mieux enfouis que des ruines

dans la jungle ! Cette version, où figure la mort de la
vieille Amélie et qui, d'après la pendule, a duré quatre-
vingts minutes, est sans doute complète. Sans doute
aussi la dernière.

« Tout cela est abominable. Je ne t'en reparlerai
plus. Je sais ce qu'il me reste à faire. »

Sa tête tombe entre ses mains. *Je sais ce qu'il me
reste à faire...* Moi aussi. Nouvelle nuit blanche en
perspective. Mais, ce soir, ce ne sont pas les allumettes,
ce sera le gardénal que je cacherai.

*

Mercredi. Plus rien. Il a parlé, il ne parlera plus.
Ce qui reste dans l'ombre y restera définitivement.
Mon père n'est plus qu'un figurant, une doublure de
lui-même. Qu'il ait pris une décision, cela ne fait pas
de doute. Tout à l'heure ma mère, extasiée, a pu
l'entendre comme moi. Il avait laissé ouverte la porte
du bureau, il téléphonait à un inconnu, d'une voix
glacée :

« Céder, non... Enfin c'est à voir. Pour l'instant,
je voudrais seulement faire estimer mon porte-
feuille. »

XXXI

Le « temps couvert », dont parle la météo n'est ici qu'un relais entre deux averses : je connais mon pays, je sais ce que promet cette odeur de pierre mouillée qui glisse entre un tapis de flaques et un ciel fluide, rapide, écorché par l'angle des toits. Egalement significatifs, ce frissonnant plus cinq qui sait atteindre la peau sous la laine, la moelle dans l'os, et ce calme frais qui s'accorde si bien avec l'obscurité pour renforcer le moindre son. On peut entendre craquer les cuisinières encore tièdes, dont le métal se rétracte. Toutes les vitrines sont opaques, même celle de *La Couleuvre,* qui n'échappe pas aux fermetures hâtives de l'hiver. On se couche partout : derrière une jalousie se déshabille l'ombre d'une fille penchée sous le poids de ses seins.

« Elle en a un paquet, celle-là ! » dit M. Heaume.

Il est venu me chercher tout à l'heure, vraiment colère et braillant haut : « Non, mais Céline, tu me laisses complètement tomber... Allez, ouste ! Monsieur Colu, je vous l'enlève. » Comment refuser ? Pour déchiffrer les mimiques, il ne semble pas très fort ou c'est moi qui ne sais pas utiliser la grima-

ce. Il a bien fallu y passer et je me laisse traîner,
anxieuse, cherchant un prétexte pour écourter la séance. L'après-dîner, c'est l'heure dangereuse entre toutes ! Cet homme prostré que je laisse à la maison,
il a un fusil, des cartouches; il a des cordes dans le
grenier, un puits dans son jardin. Et une femme
dans la maison qui le guette, qui peut à tout moment faire un éclat et réveiller le fauve. Non, décidément, je ne peux pas m'attarder. Mais comment
faire ? M. Heaume pique sur le château, par le chemin de Noisière. Satisfait d'avoir retrouvé mon
oreille, il pérore sans pouvoir deviner à quel point
ce qu'il dit m'est pénible :

« Ai-je assez couru pour ces bougres de gosses !
Enfin le parquet a décidé de les laisser tranquilles.
Ton médaillé de père va être content... Tu sais que
Simplet est rentré ?... Et tu as vu que la noce Dernoux s'est passée sans incident : les traditions se per-
dent ! C'est dommage : ils avaient tous une si belle
trouille !... A quoi penses-tu ?

— Je pense que Papa est seul à la maison.

— C'est donc ça ! fait M. Heaume qui stoppe et,
soudain très parrain, m'enveloppe d'un bras qui
fait aisément le tour de mon corps. Tu as peur pour
ta mère ? Rien qu'à voir son pansement tout à
l'heure, je me disais : « Ça va mal, chez les Colu. »
D'ailleurs, tout le monde le sait. Entre nous, elle va
vraiment au-devant des coups, ta mère... »

Mieux vaut qu'il le prenne ainsi : la légende sauve
cette réplique qui m'avait échappé. S'il s'était douté
de son sens exact, s'il avait poussé à fond, je ne sais
pas combien de temps mon secret aurait tenu

contre lui : je n'en peux plus d'être seule, je suis à
bout de forces, de courage et d'idées. M. Heaume, qui,
lui, conserve ses traditions, m'enlève soudain, m'installe au creux de ses coudes. Sa bouche — qui sent le
marc, bien entendu — se promène dans mon cou.

« Ce que tu as maigri ! Si, si... Je connais ton
poids. Tu sèches d'angoisse, chez toi. Comme dit
Besson : « C'est pourtant le meilleur des hommes,
« Bertrand. Faut-il qu'elle le pousse à bout ! » Dis...
Tu ne le crois tout de même pas capable de faire
un mauvais parti à ta mère ?

— Vous ne comprenez donc pas que c'est à lui
qu'il a envie de faire un mauvais parti... et que
je suis inquiète, parce que justement, ce soir, son
moral est au plus bas.

— Va ! » dit M. Heaume en me posant à terre.
Mais, réflexion faite, il m'emboîte le pas. Nous
n'irons d'ailleurs pas plus loin que la place. Là-
haut, dans la mansarde des vigiles, l'ampoule me
fait signe. Ainsi ça n'a pas traîné : Papa est sorti
sur mes talons.

« Doucement, ma carne ! »
Je grimpe si vite qu'arrivée au palier j'aurai un
étage d'avance sur M. Heaume. Surprise : la pièce
est vide. Sauf le lit et la table qui appartiennent
à la mairie, tout a été enlevé : papiers, couvertures,
lampe à alcool, encrier, réveil, qui provenaient de
chez nous. M. Heaume arrive en grognant :

« J'aime la marche, je n'aime pas les marches.
— Si vous cherchez Bertrand, vous le trouverez
chez lui, crie Ruaux à travers la cloison. Finis, les
vigiles : Il a remporté son matériel.

— Bertrand déclare forfait ! Et il s'en va en oubliant d'éteindre ! On aura tout vu », dit M. Heaume.

Redescendons. L'escalier sent le chêne humide et le papier moisi. Dehors, il recommence à pleuvoir par nappes qui tombent de biais et tissent un halo lumineux autour des lampadaires.

*

Ma mère est sortie ou couchée : en tout cas, il n'y a pas de lumière dans la salle. Au contraire, il y en a sous la porte de mon père : je la pousse et le trouve dans son lit, morne, se curant machinalement un ongle avec un ongle de l'autre main.

« Déjà toi !

— Déjà nous, fait M. Heaume qui s'avance sans discrétion derrière moi et siffle de saisissement devant le crâne nu qu'il n'a jamais vu.

— Excusez, dit Papa. Les coiffeurs affirment que le flambage conserve les cheveux. Mais il ne faut rien exagérer. J'ai voulu que ce soit fait au lance-flammes et voilà le résultat. »

L'ironie ne parvient pas à masquer le son lugubre de sa voix et M. Heaume ne paraît pas du tout disposé à la goûter.

« Il y a un autre résultat dont je voulais vous parler, dit-il en me poussant vers le lit. Regardez-la. Ça devrait être frais comme une rose, gras comme une loche, gai comme un pinson, et ça donne ce mélancolique petit sac d'os. Je ne sais pas ce qui se passe ici, mais, en tout cas, c'est la gosse qui paie.

— Je sais, répond Papa. Je vais y mettre bon ordre. »

Le ton, cette fois, est ferme, presque cassant. Mais les yeux sont noyés, le menton flasque; la tête oscille, montrant sous tous ses aspects ce globe de peau grumeleuse et couturée qui ressemble à une carte de lune. Un petit doigt fouille dans le trou de l'oreille qui n'existe plus : on dirait qu'il s'enfonce dans le crâne, qu'il va toucher la cervelle.

« Je vous laisse dormir. Bonsoir ! » fait M. Heaume.

Il me regarde, étonné : Papa s'est couché sur le côté, face au mur, sans répondre.

« Si je l'ai vexé, tant pis ! » me souffle-t-il dans le couloir.

*

« Vexé » n'est pas le mot. Rien, je crois, ne pourrait plus vexer cet homme qui se hait. Mais, avec les meilleures intentions du monde, M. Heaume vient de l'enfoncer un peu plus dans le désespoir. La porte fermée, je le retrouve dans la même position. Il m'appelle sans se retourner :

« Céline ! »

Une main sur mon front, une main sur ma nuque. Il ne bouge pas, il murmure :

« Heaume a raison : c'est toi qui paies. Quelle jeunesse nous t'aurons fait vivre ! »

Et plus bas, très bas :

« Je te demande pardon, Céline. »

Une seule ressource ! Lutter contre mes yeux qui fondent, contre l'envie d'être grave et dire, malgré moi, sur le ton léger :

« Ça, pour me secouer, vous m'avez un peu secouée ! Mais j'ai de bons nerfs et puis... »

Non, je n'éviterai pas le pincement au cœur, la
goutte qui glisse le long du nez.

« ... et puis on est des gens qui s'aiment. »

Alors brusquement, il se retourne et, pour la première fois, pour la dernière fois, je vois ses paupières rouges, toujours plus ou moins pleines d'eau,
gonflées par de véritables larmes, qui tombent de
biais — comme la pluie tout à l'heure.

« Tu m'aimes, ma petite abeille. Je t'ai pourtant
tout dit, tu sais ce que je suis. Que puis-je faire
de plus ? Comment te délivrer, te donner horreur
de moi ? Si tu me haïssais comme ta mère, ce serait
tellement plus facile. Tu m'aimes ! Ecoute, Céline... »

Il ferme les yeux, sa voix devient rapide et rauque :

« La vieille Amélie, je l'ai vue dans sa mansarde.
Dans la confusion, tout le monde la croyait à l'abri,
on ne se préoccupait pas d'elle. Mais, moi, du haut
de l'échelle, je l'ai vue, je l'ai bien vue : elle était
debout près de son lit, environnée de flammes, para-
lysée de terreur, la bouche ouverte et pourtant vide
de cris. Et tu entends, Céline, je n'ai pas fait un
geste, pas un. Ou plutôt si ! Quant sa chemise de
nuit a pris feu, elle a fait un effort, elle s'est traî-
née, déjà toute nue, toute noire, flambée comme
un poulet, vers la fenêtre entrouverte. Alors j'ai bra-
qué ma lance dans sa direction et je lui ai envoyé
le jet de plein fouet dans la poitrine... De plein
fouet, juste entre ses deux pendouilles, et je l'ai
expédiée, les quatre fers en l'air, au fond de la man-

sarde. Je jubilais, je me disais : « Tu as de la chance,
« la vieille ! Ce n'est que de l'eau. » Si je disposais
d'un lance-flammes, j'aurais pu faire une bien plus
jolie démonstration. Il ne faut pas croire qu'on souf-
fre. Après, oui. Sur le coup, on n'a pas le temps.
Quand j'ai été touché, en 1940, je n'ai même pas vu
venir la giclée, j'ai perdu conscience en grognant :
« Quel est l'imbécile qui m'a jeté une cigarette dans
« les cheveux... » Je jubilais, Céline ! Et juste à ce moment voilà qu'on me crie : « Tu ne vois pas la grand-
« mère ? Elle n'est pas en bas ! » J'ai dit non et, de
fait, je ne la voyais plus : le lattis du faux grenier
venait de s'écrouler dans la pièce, il n'y avait rien
d'autre que des tourbillons de feu et de fumée. Rien
que la sacrée valse du petit père rouge avec la petite
mère noire ! Elle rôtissait, elle charbonnait déjà, la
vieille... Après tout, finir comme Jeanne d'Arc,
c'est une belle mort. Je n'aurai pas cette chance-là;
je roterai ma langue au bout d'une corde ou je des-
cendrai, tout ballonné, au fil de l'eau... »

Il s'arrête, haletant, hagard, puis s'aperçoit que j'ai
reculé. Son expression change, redevient ce qu'elle
était il y a cinq minutes : celle de la désolation.
Il se frappe le front.

« Tu vois, Céline, il suffit que j'en parle pour que
je ne sois plus le même. Il est là-dedans, le salaud,
il n'en sort pas, il guette toutes les occasions de
m'exciter. Va te coucher, va !

Et il se retourne contre le mur. Sent-il seulement
que je le borde comme un enfant, que je l'embrasse
à cet endroit du crâne que les brûlures ont rongé
au plus creux et que labourent des cicatrices livides

aux rebords hérissés d'excroissances violâtres ?
Allons, la cause est entendue : cette suprême confidence l'accuse moins qu'elle ne l'excuse. Il ne sera
pas injuste qu'il échappe au châtiment : celui qui
l'a mérité, ce n'est pas lui, ce sont les responsables
de cette immense injustice qui continue, par cette
victime, à s'offrir d'autres victimes. Et d'ailleurs
qui parle de justice ? A-t-on besoin de rassurer ses
tendresses ? Un tour de clef à la porte du grenier et
la clef dans ma poche : il n'ira pas là-haut. Raflons
les allumettes. Mais faut-il aussi rafler le hachoir,
le couteau à découper, la broche, les poinçons, les
ciseaux, les innocents tournevis ?... Les bras m'en
tombent. A qui vraiment ne veut plus de sa vie, il
faut bien un peu de fer : un clou suffit. Cachons
seulement le fusil qui a quelque chose de trop provocant.

Mais, au moment où je vais le glisser sous le lit,
le canon racle le plancher, et la veilleuse s'allume.
Ma mère se soulève sur l'oreiller et regarde l'arme
avec stupéfaction, en hochant longuement cette
tête qui a délaissé le pansement pour un simple
mouchoir noué en marmotte. Puis, soudain, elle
comprend, et une insupportable joie lui aiguise
un sourire :

« Tu crois qu'il en est là ? » dit-elle.

XXXII

C'EST la fin. Impossible de savoir laquelle, mais
c'est la fin. A l'heure habituelle, sonnée par le réveil et avec les gestes habituels, lents, mesurés, mécaniques, il a quitté sa chambre pour avaler ce café
au lait servi par sa fille. Rien de remarquable dans
son attitude, triste et figée, mais pas plus que la veille.
On se forge si facilement des idées que je ne jugerai
d'abord pas utile d'interpréter l'insistance froide et
résolue de son regard qui peut aussi être celui du
sergent Colu (et on sait ce que recouvrent chez lui
le calme et la résolution !) que celui d'un homme
qui a choisi son chemin, qui ira coûte que coûte où
il a décidé d'aller. Je me dis seulement en poussant
devant lui la boîte à sucre ou le beurrier : « Il est
déconcertant. Effondré hier soir, il semble ce matin
massif et sûr de lui. »

Mais voici que se succèdent une série de petits faits
inattendus, anormaux. Son bol vidé, il jette sa serviette en bouchon sur la table au lieu de la plier,
de la glisser dans le rond de plastique rouge qui lui
est dévolu, et ce rond disparaît dans sa poche, où je
l'entends craquer au creux de son poing. Puis il

s'approche du buffet, saisit le cadre que j'ai sauvé de la poubelle, en retire sa photo, aussitôt déchirée en deux, en quatre, en huit, en seize morceaux, qui vont rejoindre les débris du rond de serviette. Ne parlons pas de Céline, déjà toute droite, toute raide. Ma mère — qui depuis ce matin n'a plus de pansement — pousse le balai, radieuse, feignant de ne rien voir. Mais elle comprend aussi bien que moi le sens de ce massacre des symboles : cette petite mise en scène est une manière de crier : « Je m'en vais » sans ouvrir la bouche.

S'en va-t-il vraiment ? Où ? Dans quelles conditions ? Est-ce seulement prudent de le laisser faire ? Même s'il n'a plus ma mère pour le mettre hors de lui, ne sera-t-il pas aussi dangereux ailleurs qu'ici ? L'exil, la solitude, la privation de sa fille, la rupture avec ses habitudes ne vont-ils pas être exploités par ses démons ? A peine a-t-il filé dans son bureau que je tâche de l'y rejoindre. Peine perdue : il s'est enfermé à clef et donne, sans désemparer, de mystérieux coups de téléphone, d'une voix sourde, calculée au plus juste pour ne pas traverser la porte. Quand je me retourne, dépitée, je bute contre ma mère qui, elle aussi, s'est approchée pour essayer de surprendre quelque chose.

« Je crois que ça prend tournure », dit-elle à voix basse.

Une heure plus tard, un nouvel événement, encore plus significatif, vient confirmer son espoir et mes craintes. Une *charte* à grandes roues tirée par un cheval gris à queue ficelée en paquet, et menée par Lucas, le premier gars de *La Mélettière*, s'arrête devant la grille. Papa surgit aussitôt, portant sur son dos l'extracteur à miel qui disparaît derrière les ridelles. Puis c'est le tour du cérificateur, de l'enfumoir et de cette caissette contenant tous les petits outils spéciaux d'où dépassent les manches des couteaux à désoperculer. Enfin arrive la première ruche... Assise derrière le rideau droit de la fenêtre de la cuisine, je regarde, atterrée. Quant à ma mère, follement intéressée, mais victime de sa propre attitude qui lui interdit de poser des questions à un homme qu'elle affecte de considérer comme inexistant, elle ne cesse de soulever le rideau gauche.

« Douze ruches, ça vaut de l'argent, grogne-t-elle. C'est autant qu'il retire de la communauté. Douze ruches, le matériel et tout : c'est cent mille francs dont il me fait tort. »

Mais elle n'ose s'interposer, toujours pour la même raison. Peut-être aussi parce qu'elle ne tient pas à faire un éclat juste au moment où son mari paraît consentir à une séparation si longtemps et si farouchement refusée. Elle change de disque pour répéter :

« Qu'il emporte ses mouches à miel, bon ! Mais je te garantis qu'il n'emmènera pas sa fille. »

Savoir ! Laissons-la seule à son poste d'observation et rejoignons ce malheureux qui ramène une nouvelle ruche et gémit :

« Ce n'est pas lourd, mais j'aimerais mieux porter une pochée de cent kilos. »

Il hoche la tête avec une résignation triste, comme s'il me prenait à témoin du courage qu'il lui faut pour s'imposer le sacrifice. Il est très pâle, se raidit, cherche le ton naturel pour dire à Lucas :

« C'est la meilleure époque pour transférer les ruches. Les avettes dorment. Quand elles se réveilleront, au printemps, elles ne seront pas dépaysées. »

Il repart, revient, repart, chaque fois plus voûté. Il a d'abord amené les ruches à cadres, de transport plus facile. Restent les ruches à coiffes de paille tressée, bien plus fragiles, qu'il doit prendre par le fond. A chaque voyage, Lucas se voit gratifié d'une recommandation :

« Il n'y a guère de teigne par ici, mais méfie-toi de la loque. »

Ou encore :

« N'enfume jamais trop fort. Moi, pour ainsi dire, je ne me servais jamais du soufflet. »

A la dernière ruche, il s'attendrit tout à fait :

« Quand la pluie lave les fleurs, gâte-les un peu... Les fonds de pots de confiture et les gamelles de sirop, leur en a-t-on assez donné, hein ! Céline ?

— Voilà le compte, répond seulement Lucas, jetant à mon père du haut de la charte une liasse de coupures.

— Le compte, ah ! oui. »

Lucas aussitôt claque son fouet. Il doit faire une bonne affaire pour être aussi pressé. Papa froisse les billets sans les vérifier et fait trois ou quatre pas derrière la charte, derrière ses abeilles qui s'en vont. Puis, le visage crispé, il pivote brusquement sur un talon et court se réfugier dans son bureau. Julienne, qui a surveillé toute la scène, elle aussi, vient de traverser la rue sur ses chaussons rouges à pompons noirs. Je la trouve dans la salle en train d'exciter Maman.

« Je croyais, dit celle-ci, qu'il voulait mettre ses abeilles en nourrice. Il les a vendues, l'idiot, je me demande combien. Enfin, c'est bon signe...

— Ne t'y fie pas, rétorque l'autre : c'est bon signe, oui, mais rien n'est fait. Si j'étais toi, je frapperais un grand coup. »

Elles vont continuer sur ce ton jusqu'à midi. Mais je n'entends guère : le bourdonnement des abeilles m'est resté dans l'oreille. Pas une ligne de ce cours, abandonné depuis des semaines et que je reprends pour me fournir une contenance, ne s'inscrira dans ma mémoire... Ses abeilles ! Il a vendu ses abeilles ! Cédera-t-il aussi sa fille ? Tout m'irrite : ce qu'il y a de sage dans sa décision comme ce qu'elle a de forcé, de théâtral. Et cette sensiblerie même devant ses ruches : quelle contradiction ! Le cœur gros, prêt à pigner comme un enfant qui perd ses jouets, voilà l'homme qui a pris tant de plaisir à culbuter dans les flammes la vieille Amélie. Est-il donc fait de la même matière que ces brutes en uniforme capables de s'apitoyer un jour sur la mort d'un rouge-gorge et de mitrailler, le lendemain, de sang-froid, des femmes et des enfants ? Et suis-je donc, moi aussi, sa fille, modelée à son image ? Le monde entier peut flamber : à une petite indignation près, je m'en soucie comme de ça ! Ce qui me déchire, c'est l'idée que pourrait disparaître ce casque de drap noir, au-dessous duquel naît parfois le sourire malade qui m'est réservé et me reste aussi précieux que son maigre soleil peut l'être à ce pays.

*

Enfin Julienne s'en va. Je ne sais pas ce que
mangera son mari : il est près de midi. Aussi bavarde
qu'elle, ma mère a au moins le mérite de ne jamais
s'arrêter, de travailler en parlant, et c'est pourquoi, sans doute, les conciliabules ont toujours
lieu ici. Tout est prêt : menu soigné, céleri rémou-
lade, blanquette, poireaux au gratin. Au dernier moment, Mme Colu, considérant les pommes
de son compotier, a choisi les plus rondes : des
fenouillettes et des court-pendus, qui, pelées d'un
seul glissement de couteau, donnent une belle éplu-
chure en vrille et se retrouvent épépinées, débitées
en tranches dans la jatte pleine de pâte à l'œuf.
L'huile bouillonne dans la friteuse, et, à l'odeur,
tout le quartier doit savoir que nous allons man-
ger des beignets.

« Appelle ton père », dit Mme Colu.

Eh bien, nous pouvons faire une croix à la cheminée : d'ordinaire, elle se fait une joie de se mettre à table sans le prévenir. Mais il y a mieux : elle
a mis son couvert, et je jurerais qu'elle a improvisé
ce dessert — banni de nos menus — parce que mon
père adore tout ce qui est beigneux, friteaux et cro-
quantes. Compris ! Il n'existait plus, mais, puisqu'il
va partir, elle lui rend l'existence; elle la lui rend
pour qu'il s'en aille, pour qu'il se décide lui-même
de ne plus exister. Va, Colu, disparais, tu auras
du beignet.

Inutile de me déplacer : le voilà obéissant à la

pendule ou à son estomac. Il entre en se malaxant
les mains, en se frottant le cou contre le col de
son veston; il plisse le nez, car l'huile bouillonne
et parfume la pièce avec une telle ardeur que l'air
en devient bleuté.

« On mange », fait Mme Colu.

C'est à lui qu'elle s'est adressée. A lui ! Il est
vrai qu'elle a pu le faire par inadvertance et que
l'avis est aussi valable pour moi. En tout cas,
Papa ne paraît pas vouloir comprendre. Si attentif
naguère à saisir toute occasion de rompre le silence,
à profiter de toute rémission, il refuse visiblement
celle-ci, dont il doit deviner le sens : à défaut de
logique, j'ai pu le constater, il a de sensibles antennes. Son regard passe, sans s'y attarder, sur
l'assiette où ma mère a mis de côté pour lui les
beignets qu'il préfère : les plus saisis, aux bords
hérissés de croustillants roux. Et c'est à moi qu'il
répond ou plutôt qu'il balbutie :

« Qu'on mange sans moi, Céline... Mes pauvres abeilles... Ça m'a coupé l'appétit. J'ai une
boule, là... »

Je vois ma mère changer de couleur. En elle s'irrite d'abord la cuisinière, aussi vexée qu'un ora-
teur obligé de rentrer son discours; puis la femme qui
se croyait habile et qui sent que ses fausses attentions sont déjouées. Ses sourcils s'abaissent et, dans
son cou, le battement des carotides devient percep-
tible. Elle se contient pourtant et, comme si elle
n'avait jamais cessé de lui parler, comme s'il s'agissait d'un projet débattu entre eux à l'amiable,
elle se plante devant Papa pour lui demander :

« A propos, quand pars-tu ? »

Mais la réponse — je m'y attendais — sera celle
du berger à la bergère. Papa n'a rien entendu.
Il est seul avec moi dans la pièce. Ma mère, ses
casseroles, ses beignets n'existent pas.

« Colu, je te parle ! Je te demande quand tu
pars. Tu es sourd ? »

Presque aussitôt, elle rectifie :

« Enfin, Bertrand, tu me réponds, oui ? »

Concession, insistances inutiles. Pourquoi répon-
drait-il à celle qui depuis si longtemps ne lui répond jamais ? Elle lui parle ? Oublie-t-elle qu'il
a parlé dans le vide durant des semaines ? D'ailleurs, il faut qu'il se taise : s'il lui dit un mot il
va s'émouvoir et se reprendre. Il le sent, il bat en
retraite. A la porte, il me souffle à mi-voix :

« Sois prête d'ici une demi-heure. J'ai une course
à faire avec toi.

— Ah ! non, crie ma mère. Jusqu'à ce que tu
sois parti, Céline ne bouge plus d'ici. Je ne suis
pas folle ! »

Elle ferait bien mieux de s'occuper de la dernière fournée de beignets, qui noircissent à vue
d'œil, tandis que de lourdes vapeurs d'huile enva-
hissent la salle. Mais elle s'avance, les bras croisés
et martelant ses mots :

« Ecoute, mon bonhomme, pars ! Ce n'est pas
nous qui t'en empêcherons. Depuis le temps que
tu t'accroches, nous n'attendons, nous ne dési-
rons que ça. Vends tes abeilles, vends ton porte-
feuille, garde l'argent et laisse-nous sans un sou.
On s'en moque ! Le plaisir d'être enfin débarras-

sées de toi vaut si cher que nous ne te demandons
pas de comptes. Mais n'essaie pas d'opposer ta fille
à sa mère. Céline est une jeune fille maintenant,
elle a compris, elle sait ce que tu vaux... »

Pourquoi parle-t-elle en mon nom ? Papa vient
de s'arrêter et me jette un regard morne, facile à
traduire : « ... Ce que je vaux ! M'aurais-tu déjà
trahi ? » Ah ! ce mal des Colu, cette paralysie de
la langue dans les circonstances graves ! Je ne sais
qu'élever la main pour protester, et ma mère, cette
Torfoux, forte en gueule comme sa propre mère,
comme toutes les Torfoux, me domine aisément :

« Tais-toi, Céline. Ce n'est pas l'heure de faire
du sentiment. Si ça peut t'aider et si ça peut t'aider, toi aussi, Colu, je vais vous dire quelque
chose... »

Mon père a suspendu son pas. Il attend le coup
comme je l'attends : avec stupeur. Car une seule
idée me galope sous les cheveux : « Elle a deviné !
Elle va faire du chantage à la dénonciation. » Je
n'y suis pas du tout et ce qui reste d'ange en moi
va tomber des nues.

« N'oublie pas que Céline est soi-disant née à
sept mois, dit Mme Colu d'une voix coupante. En
réalité, je peux te le dire maintenant, elle est bien
née à terme. »

Elle recule aussitôt dans la fumée qui nous prend
tous à la gorge, elle recule jusqu'au fourneau
pour écarter du feu la friteuse. Mais l'anse brûlante
s'imprime dans sa main et elle la retire si vivement que la bassine chavire, se met de biais : une
lame d'huile passe par-dessus bord, tombe en gré-

sillant sur le charbon, d'où remontent une flamme
très jaune et d'âcres tourbillons. Ni Papa ni moi
— qui nous regardons intensément entre les cils
de nos paupières mi-closes — n'avons bougé.
Mme Colu, qui se secoue la main, se jette vers la
fenêtre, l'ouvre toute grande en vociférant :

« Que tu es laid, Colu ! Avant notre mariage,
tu étais seulement niais, mais tu es devenu im-
monde... Ce crapaud noir ! Figurez-vous que ça
m'aime ! Ça ose ! Ça rêve de me baver dessus.

— Ta fille est là, putain ! »

Bertrand Colu, *mon père,* s'est ébranlé d'une
seule masse. Il fonce dans cette nappe suffocante
où tous les objets s'estompent. Sa lourde main
rate de peu Mme Colu qui s'adosse à la cloison,
terrorisée, se couvre la tête de ses bras, mais trouve
en elle encore assez de rage pour crier :

« Ma fille, oui, ma fille... Pas la tienne ! Fous
le camp. Tu n'as rien à toi ici, sauf ta belle gueule.

— Viens, Papa, viens. Allons faire cette course... »

Il faut l'emmener à tout prix. Tout son visage
se contracte. Il s'enracine, hypnotisé par cette
huile qui goutte encore, qui file, qui flambe à
fleur de braise, et par cette femme dont les cris, en
lui, font le même ouvrage. Enfin il cède, se laisse
remorquer par ce pan de veste où sont plantés mes
ongles, s'évade avec moi dans la fraîcheur d'une
queue d'averse.

*

Je ne sais où nous allons, je marche sur des œufs. Ce clignement d'œil, ce sourire sec qu'elle a eus, au dernier moment, à mon intention, m'exaspèrent. Elle était de sang-froid ! Elle suivait l'avis de Julienne. A ce moment, je la condamne, bien plus que lui. Cet homme qu'elle déteste est haïssable, mais elle ne le déteste pas pour le bon motif — qu'elle ignore —, elle le déteste pour la raison même qui m'empêche si fort de le haïr : parce qu'il est mon père. Car il l'est... Sa « révélation » ne m'effraie pas, ne me fait ni chaud ni froid. Si, par invraisemblance, elle était vraie, elle serait fausse quand même : il n'y a de vraie paternité que par adoption filiale. Contrairement aux lois, ce sont les pères qui sont reconnus comme tels par leurs enfants, et la preuve qu'ils réclament n'est pas celle du sang, mais celle de sa chaleur. Du reste, on va me rassurer :

« Ce n'est pas vrai, murmure Papa. Le soir de son mariage, ta mère était... »

Une pudeur un peu sotte lui interdit le mot. Il cherche, il trouve une formule exquise :

« Elle était comme tu es, toi, ma Céline. »

Stop. Il vient de me prendre le poignet et m'oblige à m'arrêter devant la bijouterie ou, plus exactement, devant le bazar du fils Sigismond qui fait aussi l'antiquaire et tient un petit rayon de bijouterie. Papa secoue le bec-de-cane, en principe bloqué jusqu'à deux heures, et Sigismond vient lui ouvrir, comme il ouvrirait à n'importe quel client qui insiste un peu.

« Attends-moi. »

Il ne s'agit pas d'une brusque fantaisie, mais d'une opération bien préméditée. A travers la vitrine, je vois Papa extraire de sa poche la liasse de Lucas, y rajouter quelques billets pris dans son porte-feuille et troquer le tout contre un petit paquet que lui remet Sigismond. Aussitôt sorti, il me le glisse dans la main.

« Pour tes dix-sept ans, dit-il. Je ne serai plus là... Maintenant rentrons. »

Sa voix tremble. Bien plus que ce qu'il y a sous le papier de soie, j'aimerais savoir ce qu'il y a sous cette phrase. Mais il n'ajoutera rien : le sait-il lui-même ? Cependant j'ouvre le petit paquet qui pèse si lourd pour un si faible volume et je reste bouche bée... Quoi ? Ce n'est pas sérieux. Il y a là une montre d'or avec son bracelet d'or comme personne n'en a jamais eu dans la famille, où l'argent est sacré, où un tel cadeau — plus encore que les incendies — restera comme une preuve d'un dangereux égare-ment. Une preuve éblouissante et qui me fait ciller, très vite, sur des yeux troubles ! Encore une fois, je ne trouve pas de mots pour le remercier. J'essaie de l'embrasser, mais il me repousse doucement.. En quelques secondes, son visage s'est pétrifié. Je n'aime pas ce souffle court. Ces mains crispées. Ces prunelles de verre. Cette mâchoire contractée, qu'il entrouvre un instant pour gronder :

« Céline, Céline, elle me hait parce que je suis un monstre. Mais je suis un monstre parce qu'elle me hait. »

Il trébuche et se retient à mon épaule, où sa main reste posée, jusqu'à la maison. Mais là, dès le seuil, il me quitte brusquement pour regagner son bureau où, jusqu'au soir, il rangera, froissera, déchirera du papier. Hostile et farouche, je regagne la salle commune.

« Alors ? dit ma mère qui mange tranquillement. Qu'est-ce qu'il te voulait ? »

Mon bracelet-montre, qui étincelle, répond pour moi. Mme Colu me happe le poignet, reste sidérée.

« Il est fou, dit-elle. Ça vaut au moins... »

Le chiffre est trop gros pour lui sortir de la bouche. « Il est fou », répète-t-elle, si absorbée qu'elle oublie que je n'ai pas déjeuné. Elle a soudain l'air vague, le regard en dedans des gens que la réflexion creuse, qui commencent à aller au fond des choses. Inquiète, mais comblée, je tourne la main dans tous les sens, sous tous les angles; je regarde luire mon bracelet. Ce qu'il vaut ? Je le sais. Il vaut douze ruches. Et, de I à XII, il marquera ses douzes heures, comme le jardin montrait ses douze ruches. Et des milliers de secondes s'y poseront, toute ma vie, comme des abeilles. Quelle pointe de lucidité, Papa, dans ton délire ! Tu as rendu ton miel inépuisable.

XXXIII

Deux comprimés pour lui, deux pour moi : je croyais pouvoir dormir tranquille et ce fut, en effet, d'un sommeil total, sans rêves — ce qu'on appelle chez nous « l'œil de glu » —, que parvint à me tirer la sirène. Non sans mal : j'hésitai bien cinq minutes entre le cauchemar et la réalité. Mais la sirène, de ses grandes dents sonores, sciait la nuit comme une bille d'ébène. Soudain, elle me coupa en deux... Personne à gauche, personne à droite. Mais la porte ouverte, la lumière dans la salle, et ma mère dans la glace, furtive, glissant vers la fenêtre sur de hâtives pantoufles. Le sommier fit raquette, m'expédia comme une balle, et, pieds nus, chemise et cheveux fuyants, j'arrivai dans la salle en criant :

« Où est Papa ? Où est Papa ?

— Ne t'affole donc pas, dit ma mère qui soulevait le rideau. Il est parti au Louroux depuis une bonne heure.

— Au Louroux ! Pourquoi au Louroux ? »

Par les deux trous de ses remontoirs, le visage rond de la pendule me regardait fixement. L'aiguille se rapprochait du II. Et je m'étais couchée à neuf,

harassée, les tempes battantes, espérant tout du gardénal. Quelle naïveté ! Ce demi-tour de cadran,
j'allais le payer cher.

« Je viens de me relever, expliquait posément
Mme Colu. Il y a un feu important au Louroux,
d'où on a téléphoné pour réclamer du secours. Ralingue est venu tirer ton père du lit, et ils sont partis ensemble vers minuit et demi. La sirène a hurlé
à ce moment-là, mais tu n'as rien entendu : tu dor-
mais comme un loir. »

Je respirai un peu. Ralingue l'avait tiré du
lit... et il s'agissait d'un incendie lointain, au Louroux. Après tout, il y a des feux naturels, et il était
parti bien souvent prêter main-forte à quelque
commune voisine sans m'inquiéter. J'osai même penser : « Dans un sens, il va pouvoir se satisfaire
un peu, sans faire de mal. » Mais non, non, il y
avait trop de coïncidences, et la sirène hurlait toujours.

« Ont-ils besoin d'autres hommes ? Je me demande
pourquoi ça recommence. Entends-tu comme on piétine ?... Mais où vas-tu ? »

Des piétinements ! J'entendais même des appels.
Toute mon angoisse revenait, décuplée. De neuf
à douze, on peut faire beaucoup de choses et, no-
tamment, la navette de Saint-Leup au Louroux. Or,
dans la chambre, il y avait cette première preuve :
deux points blancs par terre, deux cachets un peu
délités. J'étais battue avec mes propres armes ! Il
les avait bien mis dans sa bouche, les comprimés,
avant de siffler son verre devant moi. Mais il les
avait poussés sous sa lèvre supérieure ou dans un

coin de joue en avalant seulement l'eau et, une
fois partie cette idiote de Céline, il les avait tout
bêtement recrachés. Sans plus réfléchir, je me jetai
dehors, toujours en chemise et pieds nus. Autre
preuve, preuve décisive : ce vélo, posé contre le mur
et couvert de boue fraîche. D'ailleurs, on criait au
bout de la rue, dont les portes claquaient les unes
après les autres :

« Roulés... Il les a roulés ! Toute la compagnie est au Louroux, et c'est chez nous que ça
brûle. »

Un bond en arrière me rejeta dans les bras de ma
mère, intriguée.

« Toi, tu sais quelque chose », dit-elle.

Je lui échappai, mais elle me rejoignit dans
la chambre, où je m'habillai avec une telle hâte
qu'une bride de ma combinaison céda et que j'arrachai la tirette de la fermeture Eclair de mon
blouson. Ma mère, que gagnait mon agitation, lut-
tait de vitesse avec moi, enfilait ses bas en murmurant :

« Tu as peur qu'il en profite pour simuler un
accident, pour se jeter dans le feu, hein ? Tout de
même, il y a des moyens plus discrets. Mais peut-
être a-t-il pensé qu'ainsi nous toucherions une pen-
sion. »

Peut-être, en effet ! N'était-il pas capable du
calcul le plus subtil — et le plus tendre — associé
aux pires aberrations ? Un foudroyant point de
côté me taraudait le flanc gauche. Harnachée la première, je me traînai vers la porte sans tenir compte
des « Attends-moi » jetés par Mme Colu. La sirène

montait, descendait, montait : elle finissait par faire
partie de la nuit, et, à force de l'entendre, on ne la
remarquait plus. Mais la rue retentissait de cris, de
lourdes galopades, et un champignon de fumées
rousses montait au-dessus des toits à l'assaut du ciel
à peu près nettoyé par un « vent de haut ». Je courais sur la lueur, laissant ma mère loin derrière-moi,
et dépassai Julienne qui trottinait au coude à coude
avec une voisine. Elle grinçait dans l'ombre : « Ça
leur apprendra, aux Dagoutte ! Il n'y a pas une
semaine que Simplet est rentré. » Et j'appris ainsi
quelle était la victime condamnée par mon père
à lui offrir son bûcher. La scierie ! Avec ses tonnes
de bois en grume et ses piles de planchettes entas-
sées les unes sur les autres pour le séchage ! Un
étrange orgueil se tortillait en moi, parmi l'invective
et la malédiction : comme il voyait grand ! Et pourtant je n'étais pas au bout du compte, il avait vu
encore plus grand. A l'instant où j'arrivais au carrefour, une série d'explosions sourdes retentit sur la
droite, du côté du garage Dussolin, contigu au parc
à bois des Dagoutte. Une sorte de fusée s'éleva toute
droite, illuminant le clocher, s'épanouit, se frag-
menta, dispersa un parasol d'étoiles filantes comme
la pièce maîtresse d'un feu d'artifice. Mais, cette
fois, il ne s'agissait pas d'un simulacre ! Des milliers
de débris, verre, pierre et ferraille, projetés au loin
par la déflagration, retombaient de toute part, fracassant les ardoises des toits, les poteries de chemi-
nées. Quelque part dans la cohue qui commençait
à s'entasser dans la rue des Franchises monta le hurlement d'une femme blessée. Puis une grande cla-

meur : le dépôt de Butagaz, annexe du garage, venait
de sauter.

Mais presque aussitôt une autre clameur s'éleva
sur la gauche : « Les voilà ! Ils reviennent. » Du
fond de la campagne montait le déchirant signal
à deux notes de la motopompe, lancée à toute allure.
Il grandit, surclassant la sirène, il remplit toute la
rue déjà bien éclairée par l'incendie, et une masse
rouge, qui rejetait la foule sur les côtés comme un
chasse-neige, bloqua ses freins devant moi. Six casques de cuivre et deux képis de gendarme se dres-
sèrent aussitôt, tandis que la foule se resserrait stupidement, paralysant toute manœuvre. Il y eut une
minute de confusion parfaite. Dagoutte abandon-
nait l'équipe, fonçait chez lui. Dix, vingt personnes
se hissaient sur les marchepieds, lançant des avis,
des reproches, des encouragements, que dominaient
le crépitement du jeune incendie, l'acharnement de
la sirène.

« Il vous a eus comme des bleus... Prenez par la
rue du Roi-René... Non, ça grille des deux côtés...
Alors tu ne pouvais pas contrôler l'appel ?... Dagoutte est foutu, attaquez sur Dussolin... Et les maisons du bout ! La flamme couche dessus. »

Debout sous l'échelle encore repliée, Ralingue,
dépassé, affolé, ne savait où donner de la tête, ne
pensait qu'à sa propre défense. Il s'égosillait :

« Un faux coup de téléphone ! Je n'ai même pas
pu rappeler, la ligne était coupée. »

« Nous sommes jolis ! L'eau va étaler l'huile.

— Exact, fit quelqu'un auprès de moi — c'était
Besson cadet. L'huile, le bois et tout ce pâté bâti sur

croisillons, serré comme une couvée... On peut évacuer !

— Bertrand ! Où est Bertrand ? lança une femme.

Alors la tête de drap surgit parmi les casques. Du fond de la voiture où il était resté assis, affectant d'attendre les ordres (et donnant sa chance au feu), se dressa, calme et froid, celui que j'attendais : le sergent Colu. Chacun le vit empoigner à deux bras la grande manivelle de coulissage.

« Avancez ! Vous déviderez jusqu'au puits cinq, cour des écoles, vous mettrez en batterie dans le passage. Et déblayez, déblayez, bottez-moi le cul des inutiles », cria-t-il d'une voix formidable, mais légèrement nasillarde comme ces voix de disque qui sortent des haut-parleurs.

*

Facile à dire ! Presque impossible à réaliser : c'est qu'il s'agit moins de curieux que d'habitants de la rue, directement menacés et qui refusent de s'en aller, qui rentrent dans les couloirs, pour ressortir aussitôt. A la hauteur du garage, dont la façade est encore intacte, la pagaïe devient indescriptible. Les gens courent dans tous les sens, les Dussolin lancent dans la rue des meubles, des matelas, des ballots, un mannequin de couture, une cage pleine de perruches bleues. Croyant bien faire, mais agissant en ordre dispersé ou même à titre individuel, des sauveteurs improvisés se bousculent, s'encombrent de charges trop lourdes, se jettent dans les jambes les uns des autres. Quatre voitures, un tracteur, un camion, poussés dehors, barrent la chaussée que jonchent les éclats de la verrière soufflée par l'explosion. La motopompe a toutes les peines du monde à faire les cinquante mètres nécessaires. Une fois mise en place, dans l'étroit passage qui fait communiquer la rue et la cour intérieure du garage, elle doit reculer devant un ruisseau de goudron qui s'échappe de trois gonnes crevées et s'avance comme une coulée de lave en dégageant d'épaisses, d'irrespirables fumées brunes. Au-dessus de cette agitation vaine, le brasier pousse sa torche avec une puissance de volcan.

« Du sable ! Amenez du sable ! réclame Besson.

— Je l'avais bien dit : il fallait attaquer par l'autre côté, grogne Ralingue.

— Dégage ! » hurle mon père, le poussant aux épaules.

Il passe devant moi, me regarde et ne cille même pas. M'a-t-il seulement reconnue ? La motopompe, sur son ordre, se range un peu plus loin à l'angle du pâté de maisons, donc à l'abri du vent qui pousse à l'est. Peu familiarisés avec le nouveau matériel, les pompiers tâtonnent. Enfin l'échelle se déplie et Papa empoigne sa lance, se met à grimper.

« Tu es fou, proteste Troche. Tu ne tiendras pas là-haut, tu seras grillé en cinq minutes. »

Mais le sergent Colu monte, laissant tomber un ordre à chaque barreau.

« Caré ! Téléphone partout : aux communes voisines, à la sous-préfecture, à la préfecture... Besson ! Ramasse tous ces corniauds qui se croient au théâtre et fais un cordon autour du pâté... Troche ! Va chercher la vieille seringue, prends l'eau dans la mare Dernoux, noie ce que tu peux chez Dagoutte... Allez-y, donnez-moi la flotte. »

La première giclée sera pour lui. Il s'arrose de la tête aux pieds avant de grimper les échelons de coulisse. Puis sa silhouette se détache, burinée sur une plaque d'or rouge. A plein débit, le jet fouille les racines ardentes d'une irrésistible végétation de flammes, qui sort de partout, tord, secoue, enlace ses branches éclatantes, à peine tranchées, aussitôt reformées. Impassible, déjà fumant, Papa fauche, fauche, de droite à gauche, de gauche à droite... Ah ! il se dépense sans compter, comme si le résultat ne devait pas, de toute façon, être pour lui le même ! Mais il n'y pense certainement pas, il fait corps avec sa lance et ne s'occupe pas du reste. En attendant d'être un grand criminel, il fait son héros jusqu'au bout. Mon père, l'agent d'assurances, le mari de Mme Colu, le sergent des pompiers n'existent plus : il n'y a que Tête-de-Drap. Tête-de-Drap dans son élément. Ver dans la terre, poisson dans l'eau, oiseau dans l'air, Tête-de-Drap dans le feu. Quelle aisance ! Quel bonheur du geste ! Ce dernier incendie, qu'il vient d'allumer pendant mon sommeil, il l'a provoqué, il le combat, il cherche à le détruire comme l'Espagnol provoque, combat et tue le taureau qu'il a élevé... J'ai honte de le penser, je m'accuse d'être sa fille; d'être affreusement sensible à tout ce qui l'explique, à tout ce qui l'excuse, mais comment ne pas croire qu'en ce moment il est tout ce qu'il peut être : un monstre, oui, mais un monstre dont la

passion est d'anéantir le mal qu'il a d'abord été
obligé de créer. Son acharnement est un acharnement contre lui-même. Son imprudènce même, une
chance offerte à son propre châtiment. Elle dépasse
tout, cette nuit... Ses hommes, au pied de l'échelle, se
mettent à plat ventre, s'abritent par tous les moyens
contre le rayonnement intense de la fournaise. Quel
supplice ce doit être pour lui, là-haut ! Le cordon formé autour du pâté de maisons, comme une
ronde tragique, s'écarte de plus en plus, se désa-
grège et Céline, comme les autres — je ne sais
même pas à qui je donnais la main —, va rejoindre
le second cercle de visages que la crainte et surtout la chaleur maintiennent à distance. On me
happe...

« Viens là, poulette. »

Non, ce n'est pas ma mère. C'est M. Heaume
qu'entourent Caré, le docteur Clobe, Calivelle et le
brigadier, tous consternés. Ma mère, d'ailleurs, n'est
pas loin : on y voit comme en pleine soleillée et
tout le monde peut la découvrir plantée devant la
plomberie, serrée contre Hacherol qui suit avec terreur la progression de l'incendie, en marche vers sa
maison. C'est bien le moment de s'afficher ! Injustice ou justice, je ne sais, mais je me sens une fois
de plus soulevée, hérissée : sans la scène qu'elle lui
a faite hier, Papa ne serait pas sur son échelle. Sa
décision était prise (nous ne saurons jamais laquelle),
ses affaires en ordre, sa disparition imminente. Rien
de changé, certes ! Il part toujours. Mais ce n'est
plus mon père, tendre et désespéré, qui choisit une
fin — ou une fuite — discrète, c'est son démon

qui s'est emparé de l'affaire, qui a mis au point le saut en enfer.

« C'est la fin de tout ! » balbutie Caré, près de moi.

La fin, oui, la fin. Une fin digne de lui. Une sorte d'ascension : on ne retrouvera pas son corps. Et c'est moi qui le condamne. Moi. Car enfin, si je n'existais pas, si je ne savais pas, il pourrait s'en tirer comme il s'en est tiré les autres fois : avec des félicitations émues et une médaille. Il pourrait même recommencer. Mais il sait qu'il ne me surprendra pas deux fois, que je n'ai plus le droit de me taire... Mon point de côté revient, intense. A peu près folle, j'éclate de rire. Le brigadier dit à M. Heaume :

« Cette fois, nous avons des éléments pour l'identifier. Demain, nous saurons d'où est parti le coup de téléphone... »

Et M. Heaume répond, en me tapotant une main : « J'aimerais voir comment il est fait, ce salaud ! »

Il ne voit que lui, il n'a que lui devant les yeux ! Il est tout à la pointe de l'échelle, sur le dernier coulisseau auxquels ses mouvements donnent un léger ballant. Un instant le brasier s'est divisé, s'est laissé couper en deux flots de topaze, séparés par une zone plus sombre, couleur de poix. Mais la terrible fertilité de la flamme l'emporte. A moitié cuit, Papa descend trois échelons. Une seconde explosion secoue les toits, une nappe de feu nouveau s'avance vers lui, le force à descendre encore deux échelons. De l'autre côté, l'ancienne pompe, remise en batterie, toussaille, crachote ce qu'elle peut, imbibe les façades et les toits pour essayer de circonscrire le fléau. Ailleurs, deux chaînes de seaux expédient quatre fois par minute leurs dix litres d'eau, aussi ridiculement impuissants que dix larmes dans un haut fourneau. Des communes voisines, les secours ne peuvent pas arriver avant une demi-heure. Il y a longtemps que le puits numéro cinq (une invention de Papa, ce numérotage) est vide et que les tuyaux, dont chaque raccord s'entoure de petits jets d'eau, ont dû être allongés d'un autre côté ! De nouveau, la pression baisse... Soudain une lucarne de la maison contiguë au garage se met à vomir noir : Papa, cramoisi, roussi, enduit d'une sueur visqueuse où s'est délayée de la cendre, se laisse glisser à terre et décrète :

« La part ! Rien d'autre à faire, crie-t-il. Abattez la remise d'Arthur : le feu y court. S'il la dépasse, les maisons du coin ne vaudront pas cher. Moi, je vais noyer les toits. »

Déjà il empoigne une hache, fait raccourcir et déplacer l'échelle.

« Chapeau ! Quel type, ton père ! murmure M. Heaume dans mon cou. Eh bien, Célinotte, tu en fais une tête. Qu'est-ce qu'il y a encore ? »

*

Ce qu'il y a ! Regardez celui-ci qui s'avance, qui fend la foule, un curieux objet à la main. Ecoutez-le crier :

« Méfiez-vous ! Chez moi aussi on a essayé de mettre le feu. Hé, Bertrand ! »

C'est Botraux le fermier de *La Courre* — dont les bâtiments bordent la route du Louroux. Lamorne est déjà sur lui.

« Qu'est-ce que vous dites ?

— Un miracle, braille l'autre, que je sois passé dans ma grange; voyez-moi ça : une bougie fichée dans une éponge imbibée de pétrole et posée sur ma paille. La bougie était aux trois quarts consumée : une demi-heure plus tard, la baraque flambait...

— Mais alors, dit M. Heaume, il s'agit d'un vrai système à retardement. Donc le coupable cherchait un alibi. Donc...

— Donc, il est parmi nous, jette la seule voix qui devrait se taire. Quel meilleur alibi que d'être au feu, cette nuit ? »

Répondant à l'appel de Botraux, Papa s'avance hâtivement jusqu'à nous, sa hache sur l'épaule. Parade ? Bravade ? Abandon ? Un peu de tout sans doute. Ils sont tous là les Bertrand Colu : le forcené qui donne un dernier coup de boutoir, le roublard qui sait que la vérité est souvent un abri pour celui qui l'énonce, le désespéré qui une fois de plus fournit un signe, essaie de se trahir.

« Je crois que vous avez raison », murmure le brigadier.

De saisissement, les voilà tous figés... L'incendie n'éclaire plus que des visages fermés, craintifs. M. Heaume me souffle dans le cou, avec passion, tandis que le docteur Globe le regarde par en dessous et que mes jambes deviennent molles. Il suffirait d'un rien, d'un mot de plus pour rassembler les

soupçons qui tourbillonnent encore dans le vide,
et mes yeux qui ont enfin rencontré ceux de mon
père le repoussent en arrière... le repoussent. Qu'il
se livre, je ne le permettrai pas. Qu'il m'échappe,
je ne le permettrai pas. Il le pourrait peut-être,
mais ma présence même lui interdit toute défail-
lance. Et c'est pourquoi mes yeux le quittent, se
fixent sur ces colonnes de flammes qui montent, qui
s'épaississent toujours. Te souviens-tu, Céline, des
questions d'histoire sainte ? *Comment mourut Sam-
son ?* demandait le vicaire, une main glissée dans
la ceinture et l'autre touchant le pompon noir de
sa barrette. Et Céline répondait : *Il secoua les colonnes du temple et périt sous leur chute...*

« Bertrand, Bertrand ! » crie Ralingue, débordé.

Large l'épaule ! Et sur l'épaule, toute luisante,
la hache ! Papa se retourne.

« Excusez-moi, dit-il. Le feu n'attend pas. Nous
verrons ça demain. »

Un pas. Il ne me voit plus, il ne me verra plus,
il ajoute :

« Va donc te coucher, Céline... »

Pour ne pas voir ce qui suit, je sais ! Mais c'est
une grâce que je ne peux m'accorder. Vite ! qu'il
fasse vite ce qui lui reste à faire ! On s'assemble, on
s'agite, on se pousse... Botraux est au milieu du
cercle, et Calivelle, surexcité, tend la main en répétant :

« Montrez-moi, montrez-moi... »

Allons ! C'était bien l'heure ! Ce bout de bougie,
planté dans son éponge, vaut une signature. Il hésite
encore, l'instituteur, il ne sait plus très bien où il

a déjà vu une bougie semblable plantée dans son bougeoir de cuivre guilloché... Pourvu qu'il ne me regarde pas ! Mes jambes me refusent tout service, je suis suspendue au bras de M. Heaume qui s'étonne et s'alarme : « Tu es crevée, Céline, tu devrais obéir à ton père. » Mais Calivelle a toujours en main ce bout de bougie qu'il retourne dans tous les sens, encouragé par Lamorne qui murmure : « Ça vous dit quelque chose ? » et, là-bas, au lieu de remonter discrètement sur son échelle, le sergent Colu s'attarde à des parlotes où il est question d'eau, de la nécessité de jeter la crépine dans un autre puits... Le voilà qui se met à courir en criant : « J'y vais ! », mais c'est pour disparaître du côté de la Coopérative agricole — où il y a, en effet, un autre puits — en traînant des mètres de tuyaux... Il n'aura jamais le temps ! Calivelle me regarde, s'enhardit, ne semble plus retenu que par la crainte de dire une énorme sottise. Il se souvient, oui, il avait même dit : « Vous avez de beaux chandeliers anciens »; il n'a pas pu ne pas remarquer ces bougies que nous fabriquons nous-mêmes, comme dans les temps, avec la cire de ce qui fut nos abeilles...

Papa revient, il court, il jette sa hache, il crie :

« Je remonte ! Envoyez le jus.

— Ce n'est pas possible ! » dit l'instituteur.

Et Papa s'élance juste au moment où Calivelle se décide à exprimer l'impossible :

« Non, c'est idiot, ce n'est pas Colu ! »

Trop tard ! La pompe fonctionne, mon père est déjà en haut de l'échelle. A la stupeur générale, il saute sur le pignon, il se retourne, la lance en main,

la braque sur la foule en proclamant d'une voix
forte, étrangement calme, qui domine l'immense crépitement rouge et or :

« Le baptême du feu, messieurs-dames ! »

*

L'atmosphère s'embrase. Une pluie de diamant
fondu tombe du ciel. Là-haut, sur le toit, un dieu
fou arrose de feu, consciencieusement, d'un grand
geste circulaire, les maisons d'en face jusqu'alors
épargnées, les sauveteurs, les curieux qui détalent
en hurlant. Il a même la condescendance de s'expliquer :

« Ce n'est que du gaz-oil, messieurs-dames. La
crépine est dans la touque de la Coopérative.

— Coupez, coupez le tuyau ! » crie Ralingue.

Inutile. La touque, où vont boire les tracteurs,
ne contient que trois cents litres, et le tuyau, un
instant protégé par l'eau qui imbibait la toile, s'en-
flamme, se transforme en fulgurant serpent. Du reste
le désastre est accompli : la motopompe brûle, les
toits d'en face brûlent, tout brûle; il n'y a plus rien
à tenter, rien à faire, personne ne songe plus à se
défendre, et, seule, l'arrivée des équipes de secours,
qui foncent en ce moment sur les routes vers Saint-
Leup, permettra de reprendre la lutte. En ce qui
me concerne, pas question de faire ni un geste ni
un pas : il a fallu que M. Heaume me ramasse,
me roule par terre — car mon blouson flambait —
et m'emporte dans la confusion et la fumée jusqu'au
bout de la rue où se reforme — à bonne distance

— un cercle d'affolés. Nous devons être tapis quelque part, M. Heaume à ma gauche, car j'entends son murmure : « Tu le savais, hein ? », et ma mère à ma droite, car je sens son parfum et sa voix plaintive me percer le tympan : « Emmenez-la, voyons, emmenez-la donc ! » Mais tout ceci n'est pas certain; je suis là-bas, là-haut, sur ce toit où mon père, apparemment incombustible, se cramponne à la gouttière. Pourquoi n'a-t-il pas simulé l'accident ? Est-il juste que sa femme et sa fille soient désormais des réprouvées : la femme, la fille d'un criminel ? Mais oui, Céline, il le fallait, pour que cette fin soit aussi un aveu, pour que personne ne soit plus inquiété à sa place. Il est juste, ton père ! Et cette fureur finale, cette pluie de feu, est une autre manière — pour lui — de finir en beauté ? Quel est l'imbécile qui crie dans la foule : « Une carabine ! Qu'on l'abatte ! » ?

Pour quoi faire ? Une moitié du toit vient de s'effondrer, libérant une vague rouge qui l'atteint. Je me contracte, je me recroqueville, je porte les mains à ma tête en même temps que lui.

« Emmenez-la donc ! » gémit une fois de plus ma mère.

On m'emporte, bras et jambes ballants. Mais je le vois, sur son pignon, je le vois quand même qui se dresse tout debout, qui lance une dernière bravade :

« C'est le cas de le dire : vous n'y avez vu que du feu ! »

Il n'y tient plus. Il saute. Et l'autre moitié du toit s'abat à l'endroit où il vient de disparaître.

Une immense gerbe d'étincelles jaillit du foyer, monte, monte, s'enfonce au plus profond de la nuit, comme si elles voulaient rejoindre les étoiles, ces étincelles qui ne s'éteignent jamais et vont foutre le feu à l'infini.

Chelles,
Octobre 1953 - février 1954.

DU MÊME AUTEUR

Aux Éditions du Seuil :

AU NOM DU FILS, roman, 1960.
CHAPEAU BAS, nouvelles, 1963.
LE MATRIMOINE, roman, 1967.
LES BIENHEUREUX DE LA DÉSOLATION, roman, 1970.
JOUR, poèmes, 1971.
MADAME EX, roman, 1975.
TRAITS, poèmes, 1976.
UN FEU DÉVORE UN AUTRE FEU, 1978.
L'ÉGLISE VERTE, roman, 1981.

Aux Éditions Bernard Grasset :

VIPÈRE AU POING, roman, 1948.
LA TÊTE CONTRE LES MURS, roman, 1949.
LA MORT DU PETIT CHEVAL, roman, 1950.
LE BUREAU DES MARIAGES, nouvelles, 1951.
LÈVE-TOI ET MARCHE, roman, 1952.
L'HUILE SUR LE FEU, roman, 1954.
QUI J'OSE AIMER, roman, 1956.
LA FIN DES ASILES, essai, 1959.
PLUMONS L'OISEAU, essai, 1966.
CRI DE LA CHOUETTE, roman, 1972.
CE QUE JE CROIS, essai, 1977.
ABÉCÉDAIRE, notes, 1984.

IMPRIMÉ EN FRANCE PAR BRODARD ET TAUPIN
Usine de La Flèche (Sarthe).
LIBRAIRIE GÉNÉRALE FRANÇAISE - 6, rue Pierre-Sarrazin - 75006 Paris.

ISBN : 2 - 253 - 00423 - 5   30/0407/4